APOCALYPSE BÉBÉ

Virginie Despentes publie son premier roman, *Baise-moi*, en 1993. Il est traduit dans plus de vingt pays. Suivront *Les Chiennes savantes*, en 1995, puis *Les Jolies Choses* en 1998, aux éditions Grasset, prix de Flore et adapté au cinéma par Gilles Paquet-Brenner avec Marion Cotillard et Stomy Bugsy en 2000. Elle publie *Teen Spirit* en 2002, adapté au cinéma par Olivier de Pias, sous le titre *Tel père, telle fille*, en 2007, avec Vincent Elbaz et Élodie Bouchez. *Bye Bye Blondie* est publié en 2004 et Virginie Despentes réalise son adaptation en 2011, avec Béatrice Dalle, Emmanuelle Béart, Soko et Pascal Greggory. En 2010, *Apocalypse bébé* obtient le prix Renaudot. Virginie Despentes a également publié un essai, *King Kong Théorie*, qui a obtenu le Lambda Literary Award for LGBT Non Fiction en 2011. Elle a réalisé sur le même sujet un documentaire, *Mutantes, Féminisme Porno Punk*, qui a été couronné en 2011 par le prix CHE du London Lesbian and Gay Film Festival.

VIRGINIE DESPENTES

Apocalypse bébé

ROMAN

GRASSET

© Éditions Grasset & Fasquelle, 2010.
ISBN : 978-2-253-15971-1 – 1re publication LGF

« ... *como dos vampiros dormiremos sobre tu tumba, calentaremos tus huesos, como dos vampiros vendremos a saciar tu sed de sexo, de sangre y de testosterona*: »

Testo YONQUI

À B. P.

Paris

①

Il n'y a pas si longtemps de ça, j'avais encore trente ans. Tout pouvait arriver. Il suffisait de faire les bons choix, au bon moment. Je changeais souvent de travail, mes contrats n'étaient pas renouvelés, je n'avais pas le temps de m'ennuyer. Je ne me plaignais pas de mon niveau de vie. J'habitais rarement seule. Les saisons s'enchaînaient façon paquets de bonbons : faciles à gober et colorés. J'ignore à quel moment la vie a cessé de me sourire.

Aujourd'hui, j'ai le même salaire qu'il y a dix ans. À l'époque, je trouvais que je m'en tirais bien. L'élan s'est ralenti, après mes trente ans, un souffle qui me portait s'est éteint. Et je sais que la prochaine fois que je me retrouverai sur le marché de l'emploi, je serai une femme mûre, sans qualification. C'est comme ça que je m'accroche à la place que j'ai, comme si ma vie en dépendait.

Ce matin-là, j'arrive en retard. Agathe, la jeune standardiste, tapote sa montre du doigt, en fronçant les sourcils. Elle porte des collants fluo jaunes et des boucles d'oreilles roses en forme de cœur. Elle a facile

11

dix ans de moins que moi. Je devrais ignorer son petit
soupir contrarié quand elle trouve que je prends trop
de temps à enlever mon manteau, au lieu de quoi
je bafouille une excuse incompréhensible, et je file
frapper à la porte du chef. De l'intérieur de son
bureau s'échappent de longs cris rauques. Je recule
d'un pas, effrayée. J'interroge Agathe du regard, elle
grimace et chuchote « c'est madame Galtan, elle vous
attendait devant l'entrée, avant l'ouverture, ce matin.
Deucené se fait agonir depuis vingt minutes. Entre
vite, ça va la calmer ». Je suis tentée de tourner les
talons et dévaler les escaliers, sans un mot d'explication. Mais je frappe à la porte, et on m'entend.

Pour une fois, Deucené n'a pas besoin de jeter un
œil aux dossiers éparpillés sur son bureau pour se
souvenir de mon nom.

— Lucie Toledo, que vous avez déjà rencontrée,
elle était justement…

Il n'a pas l'occasion d'aller au bout de sa phrase. La
cliente l'interrompt en vociférant :

— Mais t'étais où, connasse ?

Elle me laisse deux secondes pour encaisser le coup
de poing verbal, puis enchaîne, en augmentant le
volume :

— Tu sais combien je te paye pour que tu ne la
perdes pas de vue ? Et elle dis-pa-raît ? Dans le
métro ? Dans le MÉ-TRO, idiote, tu as quand même
réussi l'exploit de la perdre dans le métro ! Et tu
attends une demi-journée avant de me laisser un message pour me prévenir ? L'école a prévenu avant toi !

Ça te semble normal ? Tu as l'impression d'avoir correctement fait ton travail, peut-être ?

Cette femme est habitée par le Diable. Je ne dois pas être assez réactive à son goût, elle se désintéresse de mon cas et se retourne contre Deucené :

— Et pourquoi cette gourde suivait Valentine ? Vous n'avez rien de plus brillant, en stock ?

Le chef n'en mène pas large. Acculé par les circonstances, il me couvre.

— Je vous assure que Lucie est l'un de nos meilleurs éléments, elle a une grande expérience du terrain et...

— Ça vous semble normal de perdre une gamine de quinze ans sur le trajet qu'elle effectue chaque matin ?

J'avais rencontré Jacqueline Galtan pour l'ouverture du dossier, dix jours auparavant. Carré blond court impeccable, talons aiguilles à semelles rouges, c'était une femme froide, bien rafistolée pour son âge, très précise dans ses indications. Je n'avais pas deviné qu'à la moindre contrariété, elle serait sujette au syndrome de la Tourette. Sous l'effet de la rage, les rides de son front se creusent, le Botox a perdu la partie. Un peu d'écume blanche perle aux commissures de ses lèvres. Elle tourne en rond dans le bureau, ses épaules étroites sont secouées de spasmes :

— Vous avez fait COMMENT, bougre d'imbécile, pour la perdre dans le MÉTRO ???

Ce mot l'excite. En face d'elle, Deucené se ratatine. Ça me fait plaisir de le voir rétrécir, lui qui ne perd jamais une occasion de jouer les durs de salon. Jacqueline Galtan improvise un monologue à la

13

mitraillette, elle s'attaque, pêle-mêle, à ma sale gueule, mes fringues infectes, mon incapacité à faire mon boulot alors qu'il n'est pas très difficile à faire et au manque d'intelligence qui caractérise tout ce que j'entreprends. Je me concentre sur le crâne chauve de Deucené, parsemé de taches brunes obscènes. Court sur pattes et bedonnant, le chef n'est pas très sûr de lui, ce qui le rend volontiers brutal, face aux subalternes. Dans le cas présent, il est tétanisé de trouille. J'avance une chaise et m'installe au bout de son bureau. La cliente reprend son souffle, j'en profite pour m'immiscer dans la conversation :

— Ça s'est passé tellement vite… Je ne pensais pas que Valentine risquait de disparaître. Vous croyez que c'est une fugue ?

— Tiens, ça tombe bien qu'on en parle : c'est justement parce que j'aimerais le savoir que je vous paye.

Deucené a étalé sur son bureau un certain nombre de photos et de comptes rendus. Jacqueline Galtan saisit une feuille de rapport au hasard, entre deux doigts, comme s'il s'agissait d'un insecte mort, y jette un bref coup d'œil, puis la laisse retomber. Ses ongles sont impeccables, rouge laqué. Je me justifie :

— Vous m'avez demandé de suivre Valentine, de rendre compte de ses déplacements, fréquentations, activités… Mais jamais je n'ai envisagé qu'il pourrait lui arriver quelque chose. On ne parle pas des mêmes procédures, vous comprenez ce que je veux dire ?

Elle fond en larmes. Il ne manquait plus que ça pour nous mettre à l'aise.

— C'est terrible de ne pas savoir où elle est.

Deucené, penaud, bredouille en évitant son regard :

— Nous ferons tout ce que nous pouvons pour vous aider à la retrouver… Mais je suis sûr que la police…

— La police ? Vous croyez que c'est important, pour eux ? Tout ce qui les intéresse, c'est publier la nouvelle dans les médias. Ils n'ont qu'une idée en tête : parler aux journalistes. Vous pensez vraiment que Valentine a besoin de cette publicité ? Vous croyez que c'est une jolie façon de commencer sa vie ?

Deucené se tourne vers moi. Il aimerait bien que j'invente une piste. Mais j'étais la première surprise, ce matin-là, quand je ne l'ai pas retrouvée au café en face de l'école. La cliente reprend :

— Je prendrai les frais en charge. Nous ferons un avenant au contrat original. J'offre une prime de cinq mille euros si vous la ramenez en quinze jours. En contrepartie, si vous n'obtenez aucun résultat, je vous ferai vivre l'enfer sur terre. Nous avons des relations et j'imagine qu'une agence comme la vôtre n'a aucune envie de subir toute une série de contrôles… désagréables. Sans parler de la mauvaise publicité.

Sur ces derniers mots, elle relève son regard pour le planter dans celui de Deucené, très joli mouvement, assez lent, on se croirait dans un film en noir et blanc. Elle a dû bosser ce geste toute sa vie. Elle se penche à nouveau sur un extrait de rapport. Ce sont mes dossiers qui sont sur la table. Non seulement les pièces que j'ai rassemblées toute la journée et la soirée d'hier, mais aussi celles qu'ils sont venus récupérer, eux-mêmes, dans ma bécane. Pas besoin de se gêner

avec quelqu'un comme moi : évidemment qu'ils véri-
fient que j'ai tout sorti et que je n'ai rien oublié, ou
caché. J'ai passé des heures à sélectionner les pièces
importantes, les classer, ils ont foutu un bordel effa-
rant là-dedans, du coup tout y est : de la note du café
où je l'ai attendue jusqu'au moindre cliché que j'ai
pris d'elle, y compris ceux où on ne voit qu'un morceau de bras… Une façon de me faire comprendre
que même si je passe 24 heures sur un dossier pour
être sûre qu'il sera nickel à l'heure où on me l'a
demandé, on me tient pour incapable d'évaluer ce qui
est important et ce qui ne l'est pas. Pourquoi se prive-
raient-ils, tous, du plaisir de sadiser son prochain
alors que je suis là, disponible, à la base de la pyramide ? Elle a raison de me traiter de gourde, la vieille.
Si ça peut la soulager. Je suis la gourde mal payée qui
vient de se taper quinze jours de planque pour surveiller une adolescente nymphomane, défoncée à la
coke et hyper active. Une de plus. Depuis bientôt
deux ans que je travaille chez Reldanch, on ne me
confie que ça : la surveillance des adolescents. Je ne
m'en suis pas plus mal tirée qu'un autre, jusqu'à ce
que Valentine disparaisse.

   Ce matin-là, j'étais à quelques pas derrière elle,
dans les couloirs du métro. Il ne m'était pas très difficile de passer inaperçue dans la cohue quotidienne, la
petite décollant rarement les yeux de son iPod.
Quand j'ai passé les portes, une femme âgée, corpu-
lente, a fait un malaise devant moi et j'ai eu le réflexe
de tendre les bras en la voyant partir vers l'arrière.
Ensuite, au lieu de la déposer où elle était et de me
dépêcher pour ne pas lâcher la cible, je suis restée une

minute auprès d'elle, le temps que s'arrêtent d'autres gens. Ça faisait déjà deux semaines que je filais Valentine. J'étais convaincue que je la retrouverais au café à côté de son bahut, en train de se goinfrer de muffins et de Coca, comme tous les matins, avec d'autres gamins de son école, assise un peu en retrait, gardant sa petite distance, tranquille. Sauf que, ce jour-là, Valentine a disparu. Possible qu'elle ait fait une mauvaise rencontre. Évidemment, je me suis demandé si elle m'avait repérée, si elle avait profité de l'événement pour me semer. Mais je n'ai jamais eu la sensation qu'elle se méfiait. Pourtant, à force de leur coller au cul, les ados, je commence à les connaître.

Jacqueline Galtan contemple les photos étalées sur le bureau. Valentine suce un garçon, dans un parc, sur un banc, protégée des regards par un buisson d'un mètre de haut. Valentine se fait une ligne sur son cahier de textes, à 8 heures du matin. Valentine vient de faire le mur, elle monte à l'arrière du scooter d'un parfait inconnu qu'elle accoste au feu rouge, en pleine nuit… Je n'ai pas eu de coéquipier, sur ce coup. Réalisme budgétaire oblige, j'ai été mise en tandem avec un toxico notoire, qui acceptait de travailler à n'importe quel tarif pourvu qu'on le paye en liquide tous les soirs. J'imagine que son fournisseur lui a fait faux bond, en tout cas il n'est jamais venu me relever et sa messagerie était pleine, impossible de le contacter. On n'a pas jugé urgent de le remplacer. Il a fallu être sous les fenêtres de la petite, au cas où elle se taille, aussi bien que devant les grilles de son école, le lendemain matin. En fait, j'ai eu de la chance d'avoir été sur les lieux au moment de sa disparition :

la plupart du temps, je n'avais aucune idée de ce qu'elle fabriquait.

Au début de la surveillance, j'ai opéré de façon classique : j'ai chargé un gamin qui nous rend des services de l'aborder et de lui proposer à petit prix un Smartphone irrésistible, soi-disant « tombé du camion ». Pour la plupart des ados, on se contente d'expliquer aux parents comment piéger le portable de leur progéniture. Mais Valentine n'avait pas de téléphone portable, et elle n'a pas daigné mettre en marche l'appareil que je lui destinais. Ça n'a pas arrangé mes affaires : j'ai rarement l'occasion de filer un gamin sans GPS espion.

La vieille fait glisser les photos les unes à côté des autres, pensive, avant de braquer les yeux sur moi. « C'est vous qui avez rédigé les rapports ? », sur un ton affable, comme si on avait tous eu le temps de digérer son engueulade. Je m'embrouille dans une phrase courte, elle ne m'écoute pas. « Et les photos sont de vous, aussi ? Vous avez fait du bon travail, avant de tout foutre en l'air. » Douche écossaise, la méthode des manipulateurs : je t'insulte, je te complimente, je décide seule et arbitrairement de la tonalité des échanges. Ça fonctionne : ses récriminations étaient si désagréables que le compliment fait l'effet d'un shoot de morphine sur une plaie ouverte. Si j'osais, je me coucherais sur le dos pour qu'elle me gratte le ventre. Elle allume une cigarette, Deucené n'a pas le cœur de lui faire remarquer que c'est interdit, il cherche des yeux ce qu'il pourrait lui offrir comme cendrier.

— J'espère que vous vous occuperez personnellement de la retrouver ?

Génial : elle me trouve bien, comme punching-ball. J'attends que Deucené me donne le nom de l'enquêteur qui va se charger du dossier. Je n'ai jamais fait de disparition, je n'ai aucune expérience en la matière. Mais il se tourne vers moi :

— Vous connaissez bien le dossier.

La cliente approuve, elle a retrouvé le sourire. Le chef me lance une œillade complice. Il a l'air soulagé, ce con.

Un insecte se déplace sur le carreau supérieur gauche de la fenêtre du placard qui me sert de bureau. Ses antennes sont immenses.

Je sors la boîte à fiches. Je ne garde pas grand-chose dans mon ordinateur. Si demain je prends une balle et qu'on fouille mes affaires, on pensera peut-être, en retrouvant mes notes, que j'avais mis au point un système de langage codé à faire passer Enigma pour un aimable bidouillage amateur. La réalité, c'est que moi-même, quand j'essaie de me relire, je me demande bien où j'ai voulu en venir. Heureusement, j'ai une mémoire fiable, et en général je finis par me souvenir de ce que j'ai voulu consigner. Plus ou moins. Je fais défiler les bristols maculés de signes bizarres, parfois mathématiques – comme si j'entendais quoi que ce soit à l'algèbre.

Depuis que je travaille ici, j'enrage d'être cantonnée à la surveillance des adolescents. Aucun gamin ne peut fumer un joint tranquille sans que je lui colle

personnellement au cul. La première année, les filatures ne portaient jamais sur des enfants de moins de
quinze ans. Aujourd'hui, travailler dans le primaire
n'est pas pour me surprendre. La vie des petits appartient aux adultes de ma génération, qui ne sont pas
prêts à ce que la jeunesse leur échappe deux fois. On
ne peut pas dire que je déteste ce que je fais, mais
piéger les portables de gosses n'est ni glorieux, ni
excitant. Je devrais me réjouir d'avoir l'occasion de
diversifier la tâche, sauf que je n'ai pas le début d'une
idée de ce que je dois faire. Deucené m'a congédiée
de son bureau sans me demander si j'avais besoin
d'aide.

Je tape le nom de Valentine Galtan sur internet.
Aucun résultat. Ça ne m'étonne pas. C'est la première gosse que je surveille que je n'ai jamais vue
envoyer un texto. Pourtant, même les gamins qui pla-
nent au crack prennent le temps de poster une
séquence d'eux défoncés sur YouTube.

François Galtan, son père, est romancier. Je l'ai
croisé, brièvement, le jour où la grand-mère est venue
commander l'enquête, il n'a pas dit un mot pendant
l'entretien. Sa page Wikipédia est typique des gens
insécures, qui la rédigent eux-mêmes, en perdant la
décence de vue. À côté de qui était-il assis, dans
quelle école, quelles sont les œuvres qui l'ont formé,
l'état de la météo le jour où il a écrit son premier
poème, l'importance de ses conférences dans des
séminaires improbables, etc. Sur les photos accompa-
gnant les articles qui lui sont consacrés, on voit qu'il
est content de ne pas perdre ses cheveux, qu'il peigne
en arrière, façon grosse crinière ondulée. J'imagine

que la première chose que je dois faire est de prendre contact avec lui.

La mère de Valentine l'a abandonnée peu après sa naissance. La famille prétend n'avoir aucune idée d'où elle pourrait vivre, aujourd'hui. Il va bien falloir que je la retrouve. L'ampleur du bazar m'accable. J'envisage de démissionner. Mais il est préférable qu'on me vire pour incompétence, question d'Assedic. J'en suis à me demander si je ne devrais pas revoir les épisodes télé des enquêtes du privé qui nous a fait tant rigoler, pour trouver une inspiration, quand Jean-Marc frappe à ma porte – j'ai beau ne pas le voir je connais son geste, il plie deux doigts et cogne le bois légèrement, sa façon de casser le poignet est élégante, une nonchalance sexy. Il passe la tête dans l'encadrement pour vérifier que je suis seule, puis se poste à la fenêtre qui donne sur la rue. Je prépare un café. Il fredonne « chérie j'aime tes genoux ». Il marque le rythme en balançant les épaules et gigotant des hanches, sans sortir les mains de ses poches. C'est un garçon grand, mince mais d'allure massive, ossature puissante et une façon de se tenir très droit, de prendre l'espace d'assaut. Les traits sont irréguliers, les yeux légèrement enfoncés, le nez épais et le front protubérant. Il a ce genre de gueule un peu brute, qui plaît souvent aux filles, mais qui affole surtout ses collègues masculins. Ils le prennent pour un dieu. Jean-Marc est le seul de notre équipe qui se sape élégamment. On a plutôt des looks de VRP de province, dans l'ensemble. On ne fait pas un travail où se faire remarquer est une qualité. Cravate noire sur chemise blanche toujours impeccable, il répète à qui veut l'écouter que c'est d'abord en perdant la cravate que les hommes ont perdu la virilité. Renoncer au costard, selon lui, c'est renoncer à incarner la loi. Il me rend rarement visite, sauf quand il a besoin du contact d'un gamin qui pourrait lui servir. J'ai un bon réseau de jeunes gens, qui peuvent rendre service pour pas grand-chose. Aujourd'hui, il vient me voir parce que j'ai écopé d'un gros dossier. Agathe a dû lui raconter la scène. De sa chaise, elle entend et suit tout ce qui se passe dans le bureau du boss. Les locaux de Reldanch sont installés dans un ancien laboratoire d'analyses de sang, les cloisons n'ont pas été conçues pour garantir la discrétion. J'aimerais bien que Jean-Marc me propose de travailler en tandem avec lui, sur cette enquête. Mais il s'imagine que je peux me débrouiller seule :

— Tu vas commencer par quoi ?

— C'est bien ce que je me demande. Cette gamine est à moitié dingue. Je n'ai aucune idée de ce qui a pu lui arriver. Et la grand-mère me terrorise trop pour que je la cuisine. Franchement, je ne sais pas trop… la mère biologique, j'imagine ?

Il me regarde, en silence. Je crois qu'il attend que je lui expose mon plan d'attaque. Je demande :

— Tu as déjà fait des disparitions, toi, non ? Tu as déjà eu peur de découvrir quelque chose de glauque ?

J'ai pris un air dégagé, mais prononcer ces mots décroche un vide en pleine poitrine. Je ne savais pas encore que j'avais peur à ce point.

— Cinq mille euros de prime, comment te dire… Je ne me demande pas si je vais aimer ce que je vais découvrir. Je me demande comment retrouver la gosse. Si tu ne vois pas comment dealer l'affaire toute seule, sous-traite. Tout le monde le fait. Tu partageras la prime. Tu veux des contacts ?

— J'y ai pensé. Je vais proposer le truc à la Hyène, elle connaît bien ce genre de dossier…

C'est le premier nom qui m'est venu à l'esprit et qui soit en mesure de l'impressionner. Je le balance sur le ton de la fille qui passe un coup de fil à la Hyène dès qu'elle se demande où elle a mis ses clefs. C'est vrai que je connais un mec qui la connaît, mais je ne l'ai jamais vue, en vrai.

Jean-Marc a un petit rire étranglé. Il a cessé d'être inquiet et concerné, il est distant. La Hyène a sa réputation. Déclarer que je peux travailler avec elle, c'est déclarer que j'ai des activités clandestines. Je regrette déjà d'avoir menti, mais je m'enfonce dans mon mytho :

— Je vais souvent me rencarder dans un bar où elle traîne. Le patron est un pote à moi, qui est un pote à elle…

— Et, l'un dans l'autre, vous avez fait connaissance.

Je ne réponds pas. Jean-Marc souffle sur son café, puis déclare, songeur :

— Tu sais, Lucie, c'est uniquement une question de chance et d'acharnement. Ça semble impossible au départ mais sans qu'on sache comment, une piste se révèle et ça devient une simple question de fatigue à gérer.

J'acquiesce, comme si je voyais de quoi il me parle.

Jean-Marc a longtemps été l'élément brillant du système, pas seulement parce qu'il rédige ses notes de compte rendu dans un style si éblouissant que même quand il rate une affaire, en fin de page on dirait qu'il a triomphé. Il a longtemps été le bras droit de l'ancien patron, tout le monde pensait qu'un jour il serait le numéro deux officiel, directeur d'une grande succursale. Mais Deucené avait été nommé directeur, et Jean-Marc le mettait mal à l'aise. Trop grand, sans doute.

Jean-Marc referme doucement la porte derrière lui. Je cherche la fiche bristol de Kromag. Je descendrai l'appeler de la cabine téléphonique quand j'irai déjeuner, tout à l'heure. Je me méfie des lignes du bureau, qui sont toutes sur écoute, quoique je me demande bien qui aurait le temps d'écouter nos conversations. Déformation professionnelle, je ne me sers de mon téléphone portable que pour envoyer des textos de joyeux anniversaire, et j'évite d'envoyer des mails. Je sais ce qu'ils coûtent, en cas d'enquête ou de procès. Et je sais que c'est un espace ouvert à la curiosité du premier venu. J'envoie encore souvent des lettres par courrier postal. Surveiller une enveloppe exige un savoir-faire que la plupart des agents n'ont plus. Je n'ai jamais rien eu d'important à dissimuler, mais une certaine paranoïa se développe, avec le métier.

Kromag n'éclate pas de rire quand je lui dis que je cherche à contacter la Hyène. Je lui en suis reconnaissante. Il me demande de rappeler plus tard. Je passe au collège de Valentine, pour prendre un café au bar où chaque midi traînent les enfants de son école. Ils n'ont ni cantine, ni cour de récréation, le petit collège privé où ils sont scolarisés n'a pas été conçu pour accueillir des gamins. Je ne cherche pas à parler avec eux, j'écoute leur conversation. Il n'est pas question de Valentine. Ils ne savent pas encore qu'elle a disparu, ce qui signifie que l'enquête de police n'a pas démarré. J'aurais pourtant parié que les Galtan étaient assez influents pour que les flics se donnent plus de mal que pour une disparition lambda. Les gamins partent en cours. Ils sont vides, bruyants et survoltés. Des silhouettes interchangeables. Je ne m'intéresse pas beaucoup à eux. Ils me le rendent bien, je n'imprime pas leur champ de vision. C'est mon point fort : je suis dispensable. Je reste une grande partie de l'après-midi à lire page à page l'édition d'un journal papier qu'un client a oublié sur une table, en commandant des cafés. Le remords de ne pas commencer l'enquête me tenaille, mais d'assez loin pour ne pas m'empêcher de profiter de mon après-midi libre.

Sur le trottoir du bar où travaille Kromag, un aréopage de gothiques fument des clopes en rigolant beaucoup, ce qui me paraît contraire à leur éthique, mais après tout je ne suis pas spécialiste. Aucun d'entre eux ne me remarque, quand je me faufile un passage au milieu de leur groupe pour entrer.

Kromag m'accueille chaleureusement. Vu son hygiène de vie – alcool, drogues dures, nuits blanches, régime kebabs et clopes au bec – il s'en tire bien. Lui reste un entrain idiot que la plupart des humains perdent à la trentaine, et qui chez lui ne paraît pas surjoué. Les lobes de ses oreilles sont déformés par des anneaux gigantesques, ses dents sont orange nicotine mais il ne lui en manque aucune, c'est déjà ça. Il se penche au-dessus du comptoir pour me chuchoter qu'elle arrivera bientôt. De loin, on doit croire que je viens acheter de la drogue et qu'il me donne des nouvelles du dealer. Il ajoute en se grattant le menton, la tête bien relevée, dans un geste viril mais guère seyant : « Ces jours-ci, elle tourne autour d'une petite qui est souvent là. Ça n'a pas été difficile de la convaincre de passer. »

Je commande une bière au comptoir, j'aurais préféré un chocolat chaud parce qu'il fait froid dehors, mais j'ai rendez-vous avec la Hyène et je ne veux pas qu'elle me prenne pour une petite fille. Je ne bois pas souvent d'alcool dans les bars, ça me donne mal à la tête et je n'aime pas perdre le contrôle. On ne sait jamais ce dont on est capable, une fois désinhibée.

Je connais Kromag depuis longtemps. On a couché ensemble, un hiver, il y a quinze ans de ça. Je le trouvais laid, mais quand il avait bu il insistait tellement pour qu'on rentre ensemble que ça en devenait tentant. Un jour il a débarqué avec une petite amie au bras, extirpée d'une province lointaine, une brune assez jolie pour ne pas avoir honte de s'afficher au bras d'un type comme lui. Kromag m'avait évitée, penaud, quelque temps, de peur que je lui demande des explications ou que je tape un scandale. Mais j'étais restée tranquille et il s'était pris d'affection pour moi, avait toujours pensé à m'appeler quand il passait vers chez moi, pour prendre un café, ou à me prévenir quand il faisait une fête chez lui. C'est lui, il y a deux ans, qui un jour m'avait prévenue qu'ils employaient, chez Reldanch.

Il remplit des soucoupes de cacahuètes, en dépose une devant moi, me gratifie d'un clin d'œil et retourne remplir des verres derrière son comptoir. Il parle volontiers de la Hyène : il adore raconter leurs aventures. Ils ont travaillé ensemble. Ils ont même débuté ensemble. Ils faisaient les recouvrements. Leur premier client était un soi-disant vendeur de tissu, tout petit local, dans le 12e, qui avait oublié de payer un fournisseur. Il s'agissait de lui suggérer de régler au plus vite une créance devenue douloureuse. Avant d'y aller, la Hyène avait proposé à Kromag de faire la brute et qu'il fasse le conciliant, et il avait été froissé, « T'as vu comme je suis bâti ? ». L'argument était plein de bon sens : Kromag ressemble à un colosse, et avec ses petits yeux bruns rapprochés, son expression oscille entre l'idiotie inquiétante et la bestialité. Plus impressionné par la mission que ce qu'il voulait admettre, il avait secoué le type, sans ménagement, comptant sur l'énergie pour pallier le manque d'expérience. Le mec pleurnichait mais ça se voyait qu'il jouait le jeu uniquement pour qu'ils le lâchent. La Hyène était restée en arrière, silencieuse. Au moment de sortir, elle était revenue sur ses pas pour l'empoigner par la nuque, souriante, elle avait claqué des dents trois fois, à côté de son oreille : « Si on revient te voir, salope, je t'arrache la queue avec mes dents, d'accord ? » Kromag raconte que c'était comme rencontrer Hulk, le côté vert en moins : elle s'était transformée en monstre, n'importe qui serait parti en courant à ce moment-là. Pourtant, ensuite elle était abattue, convaincue qu'ils avaient raté leur coup. « Manquait l'odeur de la peur sur lui. Cette putain d'odeur d'ammoniaque, tellement dégueulasse à sentir que quand on la sent chez quelqu'un on a envie de l'abattre sur-le-champ. » Kromag était encore plus mal à l'aise que pendant la séance en elle-même, « T'es malsaine, t'es vraiment malsaine ». Il y avait eu quelque chose, au moment où elle avait chopé le type par le cou, qui l'avait comme éclaboussé. Il appelait ça « de l'envie de tuer, à l'état pur, quelque chose qui ne simule pas ». Et le type avait allongé la thune, le soir même. Petit à petit, ils avaient trouvé leur rythme : il ouvrait la scène, elle tapait un solo de rappel. Une alchimie se dégageait du duo, qui en avait fait de remarquables médiateurs. Il aimait rappeler que c'est lui qui lui avait donné son surnom, « tu l'aurais vue en action, à l'époque, tu pouvais pas penser à autre chose. Une hyène, plus elle était vicieuse et tarée, plus ça la faisait ricaner ». Kromag était plein de théories sur cette époque de sa vie, dont on devinait qu'il les avait élaborées en discutant avec elle. « La peur, c'est animal, ça se passe au-delà du langage, même si certains mots la déclenchent mieux que d'autres, ça se joue à tâtons… au feeling, comme avec une fille, quand tu l'as entre les mains et que tu ne la connais pas, pianotes, agaces dans le noir jusqu'au point précis où tu sens que ça joue, il ne reste plus qu'à tenir la note pour la faire grimper. Des obtus coriaces aux imaginatifs sensibles il faut que ça soit clair dans leur tête : la prochaine fois, une fois chopée la jugulaire, on ne te lâchera plus, et tu le sais. » Il avait aimé travailler avec elle, il s'en vantait volontiers aux gamins qui traînaient dans son bar, comme s'il leur délivrait d'importantes leçons sur la vie : « On faisait une belle équipe, on était d'accord sur des points importants, tels que : il faut prendre souvent de longues pauses, c'est meilleur pour le rendement d'être détendu, il faut toujours accepter les pots-de-vin s'ils sont conséquents, et surtout, la fuite devant le danger trop grand est une stratégie dont l'abus maintient la santé. Et on parlait beaucoup des filles. C'est important d'avoir des centres d'intérêt communs. On ne pouvait pas parler du boulot tout le temps, c'était trop de pression. » Et puis, un matin, il pleuvait sur le 13e arrondissement, ils y cherchaient un Russe – ils venaient de s'installer en ville, c'était il y a déjà longtemps – et Kromag s'était plaint de son ulcère à l'estomac. La Hyène avait demandé : « T'en aurais pas marre, du job ? » et il avait eu un déclic, oui, il en avait sa claque de se lever chaque matin sans savoir qui il allait menacer, sans savoir s'ils seraient plusieurs, s'il aurait peur, ou, pire que tout, s'il aurait pitié, et honte de ce qu'il faisait. Il en avait marre de serrer les fesses chaque soir en tournant la clef dans la serrure de sa porte, avec la trouille au bide à l'idée de découvrir des hommes qui l'attendraient dans le salon, ou le corps de sa petite amie déchiqueté dans la cuisine, ou de se faire plaquer au sol par une brigade de keufs. Oui, il en avait marre de vivre dans la terreur, tout en ne gagnant pas de quoi quitter son trente mètres carrés au-dessus de Belleville. Il ne tenait plus que pour faire équipe avec elle. Elle avait dit « Si t'arrêtes, je vais te regretter. Mais toi, tu es capable de travailler ailleurs. Moi, non. Je ne supporte pas la contrariété. Alors que toi, tu peux t'adapter, c'est dommage que tu te bousilles le corps à faire quelque chose qui te débecte ». Kromag racontait que ça lui avait donné envie de pleurer, parce qu'il avait réalisé, à ce moment-là, qu'il allait arrêter et que c'était terminé, l'équipe avec elle. Mais aussi parce qu'il avait su qu'elle disait vrai : elle était irrécupérable, impropre à la vie normale. La différence entre les vrais durs et ceux qui optent pour la rédemption : il y en a qui ont le choix, d'autres pas. Chaque fois qu'il racontait ce moment de leur histoire, il s'émouvait tout seul, comme s'il avait abandonné un coéquipier blessé tout en haut d'une montagne, sachant qu'il ne tiendrait pas longtemps, et lui se sentant coupable de détaler sur ses deux jambes pour retrouver la vie normale. « La Hyène, c'est du tragique pur, quand tu l'approches de près, tu sais vraiment ce que c'est que la solitude, la tristesse et l'inaptitude. » Quand il attaquait ce chapitre, ça s'entendait qu'il l'aimait. Pas « aimer » au sens de je vais te bouffer la chatte, mais comme quand l'attitude de quelqu'un vous est chère et que chaque souvenir commun est recouvert d'une fine couche dorée. Depuis deux ans que je fais ce boulot, j'ai eu d'autres occasions d'entendre parler d'elle, et j'ai compris qu'elle faisait cet effet-là à beaucoup de monde, alors ça n'est pas à moi qu'il faut venir raconter qu'elle souffre de solitude…

Ils avaient continué à se voir, façon Kromag, de temps en temps, pour un café. Ce type doit consacrer une énergie dingue à soigner ses anciennes relations.

Avec le temps, la Hyène était devenue une star chez les privés, profession qui n'en compte pourtant pas beaucoup, hors la littérature de genre. Spécialité : les disparus. Ensuite, les histoires qu'on raconte à son sujet se diversifient, se contredisent et relèvent de la fiction pure. Tout le monde a quelque chose à raconter sur elle, les avocats, les indics, les RG, les keufs, les autres privés, les journalistes, les coiffeuses, le personnel d'hôtel et les putes… tout ce qui s'agite dans notre petit univers a sa version de ce qu'elle fabrique, où, comment et avec qui. Elle deale aux ministères, couverte par le cabinet de renseignements, elle recrute les putes pour les officiels, elle a des fiches ultrasecrètes sur la Françafrique, elle parle couramment le russe et s'entend bien avec Poutine, elle recherche des otages au Turkistan, elle narcotrafique avec les états sud-américains, elle surveille les intérêts de la scientologie, elle supervise le marché des drogues synthétiques importées d'Asie, les compagnies agroalimentaires lui ont confié la défense de leurs intérêts, le nucléaire n'a aucun secret pour elle, elle est protégée par les islamistes radicaux, elle a une résidence en Suisse, elle voyage souvent en Israël… Mais les récits se recoupent tous sur un point : elle n'a jamais été condamnée devant aucune cour parce que ses fichiers sont trop explosifs pour qu'on ne la couvre pas en toutes circonstances. Et le fait est que, depuis cinq ans que les procès se multiplient, jamais un cabinet d'avocat ne s'est vanté de l'avoir comme cliente. Elle ne travaille plus dans une boîte fixe depuis longtemps, mais son nom revient – avec mépris, admiration, colère ou amusement – dès qu'on cherche quelque chose d'un peu épatant à se dire.

Je surveille la porte d'entrée du coin de l'œil avec une nervosité grandissante. Je répète en boucle les phrases de présentation que j'ai préparées. Je me rassure en me disant qu'elle n'a pas le dixième des activités qu'on lui prête, et qu'en temps de crise, cinq mille euros de prime en cash restent une somme dont on discute. Régulièrement, Kromag me demande si je veux reprendre quelque chose, je refuse et il ferme les yeux en hochant la tête plusieurs fois, un sourire mystérieux flotte sur ses lèvres, le tout signifiant, j'imagine, qu'elle arrive, qu'il faut savoir attendre, qu'elle doit être occupée à régler une mission spéciale. Le bar s'est rempli, un type à voix gutturale braille quelque chose dans les enceintes, je ne comprendrai jamais qu'on écoute ce genre de musique, on se croirait sur un chantier de gros œuvre. Soudain, le visage de Kromag s'éclaire, et la Hyène est à côté de moi. Très grande, les joues creusées, Ray-Ban fumées de mec, blouson étriqué, en cuir blanc, elle se prend pour une star. Kromag me désigne du doigt et elle me tend la main :

— Lucie ? Vous vouliez me voir ?

Elle n'ôte pas ses lunettes, ne me sourit pas, ne me laisse pas le temps de répondre :

— Vous me donnez cinq minutes ? Je dis bonjour à des amis et je reviens vers vous.

Vue de près, elle n'a rien du personnage mythique dont j'ai tant entendu parler. Je l'attends en déchiquetant consciencieusement mon sous-bock, je serre les dents et me répète que même si ma démarche est ridicule, ça ne me tuera pas d'avoir essayé.

— On s'assoit au fond ? On sera plus tranquilles pour parler.

Elle me précède, solide et désinvolte, ses jambes sont longues et fines dans son petit jean blanc, elle a la maigreur chic, un corps qui tend à disparaître et porte bien les fringues. Je me sens courte et replète, une sueur d'angoisse a trempé mon pull, je prends conscience que mes mains tremblent et m'estime heureuse de ne pas me casser la figure en chemin. Elle s'assoit en face de moi, bras relevés sur le dossier de la chaise, jambes écartées, on dirait qu'elle s'évertue à occuper un maximum d'espace avec un minimum de masse corporelle. Je rassemble mes esprits et cherche comment commencer. Elle quitte enfin ses lunettes, promène sur moi un long regard, de haut en bas. Ses yeux sont très grands, sombres, elle est ridée façon vieille Indienne, ça rend son visage expressif.

— Je travaille pour Reldanch.

— Kromag m'a prévenue, oui.

— Avec le temps, je me suis spécialisée dans l'entourage des mineurs.

— Il paraît que ça marche bien.

— C'est le secteur qui marche le mieux, chez nous. J'ai surveillé une ado de quinze ans, je l'ai perdue, dans le métro, sur le trajet de l'école, avant-hier matin. Elle n'est pas rentrée chez elle, n'a donné aucun signe. La grand-mère propose cinq mille euros si on la ramène dans les quinze jours. Et…

— Cinq mille euros, vivante ou non ?

Il faut croire que c'est une question que j'aurais dû penser à poser.

— J'espère qu'on va la retrouver vivante.

— Plutôt fugue ou enlèvement ?

— Je n'en ai pas la moindre idée.

— Quel genre de fille ?

— Remuante. Chaudasse. Inconsciente.

— Quel genre de famille ?

— Le père est écrivain, rentier, fortune industrielle, pharmaceutique, dans le Rhône. Il a élevé la petite seul, avec la grand-mère, très présente. La mère est partie quand Valentine avait deux ans, elle ne la voit pas, pour le moment personne ne sait où elle est.

J'ouvre mon sac et lui tends une photo de la petite, la Hyène hésite à la prendre.

— Je ne vois pas trop ce que je pourrais faire pour toi…

Elle jette un œil au portrait, réfléchit longuement en l'observant. Elle hésite. Ça me rassure.

— Et tu me donnes combien si je travaille avec toi ?

— Les cinq mille de prime. Ça sera en cash. Et, s'il n'y a pas de résultat… il faudrait qu'on s'arrange pour partager ma paye.

— À ce tarif, je préférerais qu'on se fatigue pas trop…

Elle sourit en remettant ses lunettes. Je ne saurais dire si je l'amuse ou si je l'accable.

— Tu me laisses la prime, d'accord, mais toi, tu bosses ou tu fous rien ?

— Je… Je serai plus à l'aise avec une coéquipière, en ce sens que…

— Que tu n'as pas la moindre idée de comment t'y prendre. Ça a le mérite d'être clair. Tu m'as apporté le dossier de filature ?

— Tout est dans mon ordinateur.

Je me penche pour le sortir, elle m'arrête d'un claquement de doigts :

— Tu peux me mettre ça sur une clef USB ?

La Hyène a posé le portrait de Valentine au milieu de la table, face à elle.

— Les gamins, c'est pas mon rayon. En général, ils ont de bonnes raisons de se tailler, non ?

— Elle a peut-être été enlevée.

Elle penche la tête et s'abîme dans la contemplation de la photo. Elle a de belles mains, blanches, longs doigts, je remarque que ses ongles sont rongés jusqu'à la chair. Elle porte une énorme bague à tête de mort, ça me semble un petit peu pathétique, genre pour qui elle se prend, la Keith Richards des fouille-merde ? Elle reste concentrée un moment sur le portrait de Valentine, qui sourit à l'objectif, de trois quarts, les yeux clairs, jolies fossettes, cheveux brillants. Un peu ronde. Comme toutes les filles de son âge, sur les photos de famille, elle a juste l'air d'une bonne gamine. Puis la Hyène me dévisage pensivement, il y a quelque chose de gênant dans l'insistance de son regard.

— Les gamines un peu grosses cherchent à dissimuler les mensonges du père.

Génial. Je voulais faire équipe avec James Bond, je me retrouve avec une disciple de Dolto. Je ne sais pas quoi lui répondre qui ne serait pas désagréable, je fais remarquer, pragmatique :

— Ils boivent beaucoup sucré, les jeunes.

— Et pour quels motifs la famille a commandé une surveillance ?

— Je pense qu'ils considéraient que Valentine se, euh… mettait en danger.

— Quel genre de danger ?

— Il faudrait que vous regardiez les autres photos de la filature, elle…

— Plus tard. Ils envisageaient quoi, pour la protéger ?

— Je n'ai pas eu l'occasion d'en discuter avec eux…

— Mais depuis le temps que tu fais ce boulot, tu dois avoir des idées sur ce que veulent les clients, non ?

— Je ne sais pas. Non. Je ne m'occupe pas de ce que les gens font après les filatures.

— OK. Je veux les cinq mille cash en échange de la petite, tu préviens les clients qu'ils nous préparent la somme. Et tu les préviens qu'il y aura des frais. Ils sont blindés, tu m'as dit ?

— Oui, mais je ne suis pas en mesure de marchander, parce que j'ai perdu la trace de la petite et…

— Tu n'as rien perdu du tout. Tu sais exactement à quelle heure et où elle a disparu. Si elle a fait une fugue, tu n'étais pas payée pour l'en empêcher. Et si elle a été enlevée, tu n'es pas contractée comme garde du corps, tu faisais une filature. Qu'est-ce que tu aurais à te reprocher ? Rassemble tes esprits et dis au père que ça va lui coûter cher.

— Je vois tout avec la grand-mère. Pas une cliente facile à manœuvrer, elle est très agressive, je ne sais pas si…

— Normal. Elle cherche à avoir une enquête au rabais, à sa place on ferait la même chose. Chacun son rôle : ça n'est pas parce qu'elle essaye qu'il faut la laisser faire. Tu veux que je m'occupe de l'appeler ? C'est quoi ton nom ?

Là, tout de suite, je voudrais surtout aller m'acheter un camion pelleteuse, creuser un trou dans le sol et m'ensevelir dedans en attendant que le temps passe. La Hyène sort son portable, me demande le numéro perso de la cliente. Elle a l'air de s'amuser. Moi, pas trop. Madame Galtan décroche immédiatement, la Hyène prend une voix ferme et suave :

— Madame Galtan ? Louise Bizer, avocate au barreau de Paris, je suis l'assistante de mademoiselle Toledo, je suis confuse de vous déranger à une heure aussi tardive, mais nous… Je vous remercie de votre compréhension. Nous avons un petit problème avec ce dossier : mademoiselle Toledo me dit qu'il n'a pas été question des notes de frais… évidemment, madame Galtan, j'en conviens, mais vous comprendrez bien que nous ne pouvons traiter une affaire de cette importance, et dans des délais aussi courts, sans engager un certain nombre de frais, et qu'il serait dommageable pour les résultats de devoir nous limiter à prendre le métro en tous sens, ou vous faire parvenir une note de dix pages avant d'oser prendre un avion… Mais, madame Galtan, je suis au regret de vous informer que le contrat qui vous lie à la société

Reldanch ne prévoit en aucun cas une mission de recherche… non, je ne sais pas ce que monsieur Deucené a cru bon de vous promettre, ce que je vois, moi, c'est un contrat en bonne et due forme, qui ne prévoit qu'un rapport de surveillance… oui, on me parle d'une prime, et si vous connaissez les usages dans notre profession vous savez certainement qu'elle est à peine honnête ? Si, si, je vous assure… négligeable, non, mais en dessous des tarifs d'usage, c'est certain…

Elle se lève et va au comptoir avec son verre vide à la main, fait signe à Kromag de lui remettre un Coca. Un sourire amusé vissé aux lèvres, elle me fait un clin d'œil, de loin. La vieille doit pourtant argumenter ferme, mais la Hyène semble planer, comme si elle tirait sur un bon joint d'herbe. Après quelque dix minutes d'explication, elle raccroche et revient vers moi, enchantée.

— Elle est très bien, finalement, cette Jacqueline. C'est entendu, elle couvrira les frais. Et elle lâche sur la clause absurde des quinze jours. On va prendre un peu de temps, sinon on passera pour des clowns.

— Je n'aurais jamais cru possible de la convaincre de…

— C'est le mot « avocat », cherche pas. Les riches essayent toujours de resquiller, mais au fond ils sont convaincus que si on ne coûte pas cher, c'est que le service est médiocre, et inversement. Pourquoi ça n'est pas le père qui a demandé la filature ?

— Monsieur Galtan n'était pas motivé par l'enquête. Je crois que la grand-mère s'est beaucoup occupée de la petite.

— Tu ne t'intéresses pas beaucoup à ce que tu fais, pas vrai ?

— Je n'ai pas l'habitude de travailler sur ce genre d'affaire…

— À l'avenir, essaye d'écouter le client quand il vient t'exposer son cas. D'une part, ça le met en confiance d'avoir l'impression de t'intéresser. Mais surtout, si tu écoutes ce qu'il te dit, huit fois sur dix tu as ta piste. La vérité qu'ils viennent chercher, si elle ne leur déplaisait pas à ce point, ils n'auraient pas besoin de tes services pour l'entendre. D'ailleurs, tu remarqueras, quand tu présentes tes conclusions, que même avec les photos sous le nez, les gens refusent d'admettre ce qu'ils voient.

Ça va être gai et facile à supporter : si elle me fait la leçon comme ça dès le premier soir, on en sera où dans une semaine ? Elle sort une clef USB de sa poche :

— Tu me mets tout ce que tu as, là-dedans ? Quand tu as fini tu me retrouves au comptoir. J'ai quelqu'un à voir.

Mon quart d'heure est terminé. Elle me plante là, non sans m'avoir tapoté l'épaule en passant. En tournant discrètement la tête je vois que c'est une fille, une petite brune à cheveux courts et grosses lunettes qui ne ressemble pas à grand-chose, qui retient désormais toute son attention. La Hyène a remis ses Ray-Ban, elle l'écoute, immobile. La clef chargée, je la rejoins pour la lui rendre, elle me calcule à peine. Même à travers les verres fumés, on sent qu'elle dévore la fille des yeux. Je remercie Kromag et m'éclipse au plus vite. Sur le seuil, je me retourne et vois la Hyène se pencher lentement vers elle, l'interrompre au beau milieu d'une phrase pour l'embrasser. Seule sa tête s'est rapprochée de celle de l'autre, ses mains et ses bras ne bougent pas. Puis elle reprend sa position initiale. Elle ne sourit toujours pas, ça n'a pas l'air de faire partie de son répertoire.

François

Douche. Shampooing. Crème hydratante. Dans sa salle de bains, debout devant le miroir de l'évier, il s'entraîne à respirer par le nez, lentement. Il regrette d'avoir accepté cette interview, dans son planning déjà chargé. Les cernes sous ses yeux sont marqués, il a trop bu ces derniers jours. Il se trouve le teint vert. Les somnifères, sans doute. Il ne s'habitue pas aux tempes grises. Il ne perd pas ses cheveux, au moins le pire est évité. Se voir dans un miroir reste une surprise désagréable. Il ne s'habitue pas à être cet homme d'un certain âge. À la radio, un ministre parle de garder enfermés à vie les pédophiles susceptibles de récidiver. Trois psychiatres sont invités en même temps que lui, qui contestent cette décision. François est agacé par leur ton précautionneux. Ils ont peur que le pédophile s'ennuie, à la longue ? La veille, François a enregistré une émission télé, à neuf heures du matin, avec le ministre du Travail, qui sortait d'une émission de radio. Il se déplaçait avec une équipe de quatre communicants. On ne l'aurait pas cru si préparé, pourtant, à le voir sur le plateau. Pendant le maquillage, on est venu dire à François Galtan qu'il ne devait jamais répondre directement au ministre, qu'il devait impérativement passer par le présentateur. C'était un peu vexant, comme s'ils craignaient qu'il ne sache pas se tenir. De toute façon, il aurait pu lui sauter sur les genoux pour l'embrasser dans le cou que ça n'aurait pas été bien grave, personne ne regarde ce programme. Les endroits où on l'invite quand il sort un roman offrent une surface publique comparable à celle du bac à sable en bas de chez lui. *Le Figaro* n'a toujours rien fait sur son dernier livre. Il appelle son attachée de presse, une pimprenelle qui se croit charmante. Elle a de grosses cuisses et les chevilles épaisses, il ignore d'où elle tire autant d'assurance. Elle est sortie, évidemment. Sans doute accompagne-t-elle un auteur qui figure en meilleure place dans la liste des ventes. Il demande qu'elle le rappelle, sachant pertinemment qu'elle oubliera de le faire. Il ne s'habitue pas à l'indifférence polie qui accompagne la sortie de ses livres – trois articles mollement louangeurs, deux télés mineures, trois radios en province, et le tour est joué. On ne peut pas dire qu'on l'importune beaucoup avec des demandes de signatures. Il y croit, sincèrement, à chaque fois. Le grand branle-bas, son retour en grâce. Il affecte une indifférence digne face à l'inutilité de ses efforts, mais en quelques semaines il réalise que c'est bien vrai, son roman sort dans le silence. Encore une fois, il a la sensation de traverser l'enfer.

Nourissier avait chroniqué son premier roman. Son enthousiasme n'avait pas surpris François, il pensait qu'il s'agissait d'une juste reconnaissance. Qu'on n'écrivait pas des romans comme les siens en passant inaperçu. Il avait été invité à « Apostrophes » dès la publication du deuxième, *Pluie*. Ça avait un sens, à l'époque. On ne passait pas à la télé pour un oui pour un non, et encore moins pour y parler d'autre chose que de ce qu'on écrivait. De bons articles, une réputation brillante. Même Frank, dans un court paragraphe, à la fin d'une de ses chroniques, avait signalé son ouvrage. Il avait eu quelques petits succès, rien de vulgaire, rien de trop. Remarqué, mais pas de prix. Il n'avait pas trente ans, il était convaincu qu'un jour il aurait son Goncourt. Il ne doutait de rien. Il ne se doutait de rien. Il comptait les voix en rédigeant ses œuvres. Auteur Seuil, il avait été sur les listes, trois fois. Toujours raté. Toujours un autre. On lui disait que ça ne servait à rien de l'avoir trop jeune. Il le prenait avec panache. Il ignorait que c'était déjà ça, son heure de gloire, rien que ça. Des débuts prometteurs. Suivis de peu de choses. Pas les bons appuis, pas les bons réseaux. Pas d'étiquette à brandir pour s'imposer. Rien que ses livres. Et il avait découvert, sur le tard, que ça ne suffirait pas. Il aurait voulu se consoler en restant concentré sur la postérité, des générations de jeunes Japonais émus aux larmes de le découvrir trop tard, écrivant de multiples biographies, indignés du silence grossier qui avait entouré ses publications, de son vivant. Plus le temps avançait, moins la chose lui semblait probable. Il ne perdait pas confiance en son œuvre, mais il doutait du monde à venir. Il avait publié ses premiers romans convaincu d'être un jour lu dans la Pléiade, qu'on considère la chose dans son étendue, qu'on en admire la cohérence, une ligne stable, avec des phases d'évolution nettes, des prises de risques, des intuitions frappantes. Il n'avait pas imaginé ce qui allait se passer au début des années 90. Ce premier effondrement. Les crasseux, les incultes et les publicistes, plébiscités par leurs pairs. Il avait honte, rétrospectivement, de ne pas avoir anticipé ce que deviendrait le livre, une industrie un peu plus bête qu'une autre. Vieille rombière outragée, minaudant dans des robes en lambeaux. Ardisson-Canal+-*Inrocks*. Des ennemis dont on n'avait pas saisi le pouvoir de nuisance. Ni de droite, ni de gauche. Ni classiques, ni modernes. Des gens de télé. Bien de leur époque. Des pitcheurs, avides de chair fraîche, gourmands d'audience. Dans un premier temps, il avait pris le parti d'en rire. Il n'était pas le seul à en rire. Il se souvient, aujourd'hui avec amertume, d'un dîner au cours duquel, évoquant les derniers romans qui marchaient, un éditeur en verve les avait fait s'étrangler de rire, prédisant qu'au train où ça allait, un jour les gens liraient des romans de jeunes filles détaillant l'état de leurs hémorroïdes. À gorge déployée, ça les avait fait rire. Non, il n'avait rien vu venir. Et qui mangerait des ordures, et qui se ferait prendre par papa, et qui serait une pute inculte, et qui se vanterait de baiser des Thaïlandaises prépubères, et qui détaillerait son shopping coké... Rien vu venir. Sans compter que les années 90, comparées à ce qui allait suivre, apparaissaient aimables, finalement. Il aurait pu s'acclimater. Mais il y avait eu internet. Aujourd'hui, il devait faire un effort constant, pour ne pas passer ses journées à tourner en rond sur la toile, hagard et accablé. Les commentaires. Cet anonymat crapuleux, litanie d'insultes obstinées, délivrées par des incompétents. Dès qu'il les avait découverts, il avait compris qu'il pénétrait le dixième cercle de l'enfer. Petits discours parallèles, sourds les uns aux autres, tous mis sur le même plan, lapidaires, hostiles jusqu'à l'écœurement. La médiocrité avait une voix. Les commentaires de la toile. Il ne s'y faisait même pas insulter. Il aurait voulu pouvoir s'affoler, s'offusquer, se plaindre du traitement qui lui était réservé. Mais il n'était même pas jugé assez intéressant pour que les veaux tarés lui fassent l'aumône d'un mauvais sort. Il en était réduit à écrire, lui-même et sous pseudonyme, quelques phrases de louange subtilement critique sur les forums et blogs littéraires. Il avait bien quelques lecteurs fidèles, mais ils ne ressentaient aucun besoin pressant de parler de son œuvre sur internet. Il ne jetait pas le gant. Pour son dernier roman *La Grande Pyramide de Paris*, il avait tenté de s'adapter. Sans trahir. On se félicitait du retour du grand roman, il pensait que son heure allait peut-être enfin venir. Les temps changeaient, lui pas. Ça finirait peut-être par lui rapporter quelque chose. Un peu d'histoire égyptienne, qu'il connaissait bien, une intrigue romanesque, des personnages jeunes, qui écoutaient de la musique dans leur téléphone et parlaient de sexe sans tabou. Mais ça ne démarrait pas très bien. L'écrire avait pourtant été une vraie partie de plaisir, comme il n'en avait plus connu depuis longtemps. Il avait pris ça pour un signe. Il bredouillait les premières pages quand il avait souffert d'une affreuse rage de dents. Le dentiste lui avait prescrit des comprimés de Solupred, qui devaient aider à dégonfler l'abcès afin qu'on puisse extraire la dent. N'en ayant jamais pris, il ignorait être très sensible aux effets de la cortisone. Il avait terminé la boîte, après que sa dent eut été arrachée, puis avait demandé à un ami médecin de lui en prescrire une nouvelle, et encore une autre, et ainsi de suite jusqu'à la fin du livre. Il écrivait douze heures d'affilée, jubilant sur son clavier. L'affaire avait été réglée en cinq semaines, un record pour lui, à qui chaque page demandait d'habitude un effort scrupuleux de relecture, de doute, d'exigence. La peur de se trahir l'avait effleuré, mais de tonitruants espoirs de retour en force grandissaient en lui, d'accueil énamouré quand il visiterait les bureaux de son éditeur, d'incessantes sollicitations pour de prestigieux dîners, de messagerie saturée par les demandes d'entretiens. Ça valait bien la peine de se trahir, si c'était pour réussir son coup. Il avait continué à prendre de la cortisone pendant les corrections, l'effet ne se démentait pas. Quand il n'écrivait pas, il parlait. Il parlait à n'importe qui, lui qui était plutôt réservé de nature. Ça avait été une saison pétillante. Il n'aurait sans doute jamais arrêté s'il n'avait regardé, un soir, la retransmission d'une émission musicale enregistrée au ministère de la Culture, à laquelle il participait, en présence de la ministre. Il avait été assez bon, vif et incisif, lors du bref entretien qui lui était consacré, et il attendait son passage sans angoisse. Sur un plan large, il s'était demandé, amusé, qui pouvait être cette grosse baleine engoncée dans son costume gris, qui sautillait nerveusement au milieu des autres invités. Alors, il s'était reconnu. Sa femme et sa fille lui avaient bien fait remarquer, l'une gentiment, l'autre brutalement, qu'il avait gonflé ces dernières semaines. Mais, se voyant chaque jour dans son miroir, et emporté dans un tourbillon de bonne humeur et d'énergie créatrice, il n'en avait pas tenu compte. Jusqu'à ce soir-là, à la télé, il ne s'était pas vu changer. Il s'était alors regardé, effondré, transpirant comme un porc, de son visage rouge on ne distinguait plus qu'une joyeuse paire de joues obscènes, il pérorait comme un bouffon sans qu'on puisse endiguer sa logorrhée. Le soir même, les boîtes de cortisone soigneusement gardées dans la salle de bains étaient passées à la poubelle. Par la suite, il devait regretter de ne pas avoir écouté les conseils de son ami médecin, qui l'avait pourtant mis en garde, penché sur son bloc d'ordonnance qu'il lui renouvelait pour la septième fois en trois mois, contre les risques d'un sevrage brutal. Il ne l'avait pas non plus empoigné par le col, collé contre un mur et menacé de sa plus grosse voix « tu vas voir ce qui t'arrive si tu arrêtes d'un coup ». Ce qui aurait eu le mérite d'être plus clair. Son ami médecin, qu'il avait surnommé « docteur drogues » pendant cette saison en Solupred, était assez lymphatique, et, comme beaucoup de gens de sa profession, insensible à la douleur des autres. Il s'était donc contenté de l'avertir d'un ton morne « il va falloir que tu arrêtes, et préviens-moi avant de le faire, je t'expliquerai comment t'y prendre ». Mais se voyant ainsi déformé, François s'était senti tenu d'arrêter d'un coup sec. Il se classait avec orgueil parmi les caractères volontaires, son livre était terminé, ça suffisait, les conneries. Le premier jour, il avait pensé que c'était une expérience intéressante, s'il en avait eu la force il aurait pris des notes, car il n'avait jamais souffert aussi pleinement. Aucune parcelle de son anatomie n'échappait au désastre. À la fin de la première semaine, il s'était dit qu'il voulait mourir, qu'il était un imposteur, ses amis inutiles, sa femme laide et vieille, sa fille une grosse imbécile, il n'y aurait pas pour lui de rédemption littéraire, ses livres ne lui survivraient pas, tout le monde le méprisait, il n'avait jamais écrit une seule phrase importante de toute sa vie. Ces accès de lucidité le siphonnaient. Il en venait à penser que le suicide était la seule stratégie valable pour valider son œuvre. Torturé par une faim épouvantable, des crampes musculaires matinales, il avait abordé la deuxième semaine dans un état d'abattement complet. C'est alors que Claire l'avait expédié d'office chez son ostéopathe, une femme d'une force redoutable qui avait entrepris de lui briser tous les os, avant de le soumettre à un régime vitaminé d'une complexité telle que sa simple mise en œuvre avait monopolisé toutes ses forces. Spiruline, jus de betterave lacto-fermenté et amandes fraîches… une série de réjouissances, assorties d'une heure de course quotidienne. Dès le huitième jour de ce régime qu'il avait suivi scrupuleusement, la déprime avait commencé à le laisser tranquille : il n'avait plus la force d'éprouver la moindre émotion. Il avait progressivement récupéré une apparence plus conforme à celle d'avant la cortisone, et un mental lui permettant de passer la journée sans observer le plafond de chaque pièce pour étudier où nouer le drap qui lui servirait de corde. Mais, de la même façon qu'il avait gardé un peu de ventre, lui était resté en fond d'air une vague sensation de mal-être. Et une solide habitude de la vitamine B6. Alors, à quatre semaines de la sortie du roman dont elle savait qu'il attendait tant, Valentine, sa fille, avait disparu.

Valentine. Le vide laissé par son absence. Le soulagement coupable qui en découlait. Ça n'a jamais été facile, Valentine. Il ne se raconte pas d'histoires là-dessus. Ça ne l'empêche pas de l'aimer, d'avoir conscience qu'elle est la femme de sa vie, la seule qu'il aura autant chérie, protégée, qui l'aura autant fait rire. Mais ça n'a jamais été facile. Les enfants, c'est bien pour les femmes. Il voit bien, Claire, avec ses deux filles, c'est différent. Tout est évident. Claire est contente de s'occuper de faire changer l'appareil dentaire de la grande, de surveiller les cours de danse de la petite, leurs résultats scolaires l'intéressent, elle s'entend bien avec leurs maîtresses. Même ce qu'elles mangent pour le goûter fait l'objet d'une conversation. Il aime sa fille. Mais toute cette maintenance qu'il a fallu assurer seul, quelle poisse. Pour écrire, pour sortir, pour écouter un disque tranquille, pour lire le matin, pour l'intimité avec Claire. La poisse, constante. La corde au cou, c'est les enfants, tout le reste est aménageable. Et encore, tant que Valentine était petite, il y avait un côté mignon, les pantoufles Aristochats, lui montrer les films de Buster Keaton, son costume de Cosette pour la fête de l'école. Il y avait une douceur, en plus des emmerdements. Mais ces dernières années, elle a épuisé l'angoisse dont il se sentait capable. Et elle le sait. Il n'en peut plus, des frasques de Valentine. Les coups de fil des écoles, où elle se faisait prendre en train de « faire des choses » avec les garçons dans les toilettes. Quelles choses, combien de garçons, il s'est débrouillé pour ne pas le savoir. Cinq écoles en deux ans. Chaque fois le même scénario. Un budget astronomique en psychologues, qui n'avaient pas la moindre idée de ce qu'elle avait. Elle voulait le faire chier, ça n'était pourtant pas sorcier à comprendre. Elle voulait qu'il quitte Claire, comme il avait quitté les autres. Valentine n'a pas de chance : elle lui ressemble. Dans son visage, son corps, il se reconnaît. Elle aurait pu hériter du physique de sa mère, mais plus elle grandit, plus c'est évident : elle a tout hérité de lui. Très bien, pour un homme. Mais en tant que femme… Il comprend qu'elle souffre. Quand elle porte des petites robes comme en mettent les gosses de son âge, elle ressemble à un rugbyman. Seulement, de là à lui faire subir ce qu'elle lui a fait subir… Elle déborde d'énergie. Forcément, à quinze ans, on ne se fatigue pas facilement. Elle l'emploie, à plein temps, à l'emmerder. Ça n'a jamais été facile. Quand sa mère est partie, la petite était comme une trace empoisonnée de ce qui s'était passé entre eux. Vanessa. Vanessa s'appelait Louisa, quand il l'avait rencontrée. Un jour, elle avait décidé de changer de nom. Vanessa aimait le changement. La netteté du souvenir des années passées avec elle. Quatorze ans plus tard, et c'était comme la veille. Cette illusion cruelle, au réveil, qu'elle était à côté de lui, continuait de le torturer, avec une acuité poignante. Et Valentine incarnait cet échec, celui de sa grande histoire. Abandonnés par la même femme, ils étaient à la fois liés pour toujours, et séparés, du même coup. Et

Valentine était devenue le prétexte idéal pour que sa mère à lui envahisse leurs vies. Exactement ce dont il avait besoin. Sa mère, tous les jours ou presque à la maison. Sa mère, qui ne dit jamais rien d'ouvertement péjoratif, ne pose pas de questions indiscrètes, mais qui porte un regard, constamment dépréciatif, sur ce qu'il fait. Sa mère l'aime trop pour admettre qu'il est un raté vivant à ses crochets. Mais qui le pense, au fond. Une comparaison silencieuse entre son père et lui. Le négociant et l'écrivain. Sa mère, par exemple, découpe chaque article qu'elle trouve concernant le livre numérique, le lui apporte et s'il ne le lit pas immédiatement, le lui résume. C'est ainsi qu'elle lui fait entendre qu'il a tout raté dans sa vie. Une vie consacrée aux livres, et les livres bientôt disparus. De la même façon, elle vient d'engager un détective privé pour retrouver la petite. Histoire de lui faire savoir qu'il ne s'agite pas suffisamment. Comme si ça n'était pas évident, où est la petite. Qu'est-ce qu'il devrait faire ? Aller là-bas la supplier de revenir ? À quoi bon… Il n'a pas assez supplié, il y a quatorze ans ?

Du fond du couloir, la femme de ménage le prévient qu'elle a terminé son repassage et qu'elle s'en va. Il jette un œil à sa montre, midi moins vingt. Évidemment, elle comptera une heure pleine. La perle timide qui est arrivée chez eux il y a deux ans a bien changé. La journaliste italienne est en retard. Déjà que ça ne l'amuse pas plus que ça de la rencontrer. Ses livres ne sont plus traduits en italien depuis longtemps, et un bon entretien dans la *Repubblica* pourrait attirer l'attention sur lui. Elle prépare un dossier sur le paysage littéraire français, ça l'a flatté qu'elle le contacte. Mais son retard est agaçant. Il se demande si elle sera jolie, sa voix au téléphone était agréable, légèrement éraillée. Et puis, il y a l'accent italien. Car les Italiennes ne savent pas seulement s'habiller. Anna lui enfilait un doigt dans le cul chaque fois qu'elle le suçait, juste le bout du doigt, qu'elle faisait coulisser. Sans jamais en faire mention une fois les draps remontés. Dès qu'il entend cet accent-là, il bande. Sa classe d'Italienne, quand il la sortait, sa façon de s'emmitoufler, laissant à peine voir ses yeux bruns, un coin de lèvre ourlée, sa façon nonchalante de le laisser ouvrir les portes, de lui tendre un paquet à porter. Ses manières de reine, dénuées de l'arrogance pénible des Parisiennes. Ne cherchant jamais à briller en soirée par sa conversation, trop belle pour ça. Et au moment de la rupture, une furie. Magnifiquement féminine quand elle l'injuriait en jetant ses vêtements par la porte. Puis elle l'avait criblé de petits coups rapides et hargneux, ses poings serrés si délicats qu'il aurait juré qu'ils ne pouvaient pas faire de mal mais qui, employés comme elle l'avait fait, de façon très répétée et régulière, avaient laissé sur son buste et son dos une constellation de bleus. Il avait dû, pendant plus de quinze jours, inventer une série de ruses pour ne jamais quitter son pull devant Clothilde, sa femme officielle, avec qui il vivait encore. C'était son deuxième mariage. Deux divorces et trois mariages, une moyenne correcte à bientôt cinquante ans. Clothilde n'avait jamais voulu comprendre qu'il la trompait. Il ne le lui avait pas mieux dissimulé qu'aux autres. Mais elle choisissait de ne pas se rendre

52

compte. Elle avait dressé de lui un portrait extrêmement flatteur dans lequel il n'était pas le genre
d'homme à tromper sa femme. Elle n'en démordait
pas. Il pouvait donc raconter qu'il rentrait d'une nuit
de poker entre amis, qu'il faisait des recherches dans
des bars pour son roman, qu'il avait discuté très tard
avec son éditeur. Il suffisait qu'il se donne la peine de
trouver une excuse pour qu'elle choisisse de le croire.
Sa confiance l'avait d'abord harassé de remords. Une
femme aussi aimante, si droite qu'elle n'imaginait
même pas qu'il puisse mentir. Accablé, mais incapable de ne pas se laisser enflammer par une rencontre, une présence, une façon de bouger, d'être
dans la pièce, de sourire, une voix. Ne pouvant pas ne
pas le faire. Il avait culpabilisé de longs mois, avant de
saisir que le manque de jalousie de Clothilde ne se
fondait que sur l'idée profondément méprisante
qu'elle avait de lui. Elle le supportait parce que sa
petite notoriété la valorisait, mais au fond elle le trouvait minable, d'extraction médiocre, d'un savoir-
vivre approximatif, pas très charismatique, et lent
d'esprit. Elle le voyait si petit qu'il en devenait rassu-
rant : un crapaud comme lui ne pouvait qu'adorer
une princesse comme elle, lui être indéfiniment
reconnaissant de le hisser à son niveau. Il avait mis du
temps à comprendre son fonctionnement, mais dès
lors qu'il l'avait déchiffrée, il s'était mis à la haïr. Elle
était arrivée dans sa vie peu de temps après que
Vanessa l'eut quitté. La blessure était encore trop vive
pour qu'il pardonne à Clothilde de le faire se sentir,
une nouvelle fois, nul et insignifiant. Il l'avait quittée
comme un mufle, prenant soin de faire des projets de

vacances en groupe avant de partir, un matin de juillet, sans un seul mot d'explication, chez une autre. Clothilde avait pleuré pendant des mois, s'épanchant chez tous leurs amis, exhibant sa douleur comme une preuve de son ingratitude, à lui, de sa dangerosité. Ce faisant, elle avait réussi à le rendre terriblement désirable aux yeux de ses amies. Une aubaine. Clothilde ne l'avait pas rendu heureux, mais grâce à elle il s'était senti bien, dans la peau d'un salaud, briseur de cœurs et séducteur. N'importe quoi pouvant lui éviter ce goût d'humiliation que Vanessa lui avait inculqué. Un petit garçon abusé et mis en danger.

— Désolée pour le retard, on n'a pas trouvé à se garer.

Légère déception : elle a dans les quarante ans. Mais l'excitation renaît dès qu'elle quitte son manteau, elle s'est mise sur son trente et un, elle est sûre d'elle, caressante sans vulgarité, disponible aux jeux de la séduction, sans se montrer acquise. Mieux que jolie. « On fait d'abord les photos ? Liam a un autre shoot après. » François accepte avec enthousiasme, lui aussi préfère rester seul avec elle. L'attachée de presse l'avait prévenu qu'il y aurait des photos, ce à quoi il a répondu qu'il préférait grouper l'entretien et la séance portrait, il a pris soin de se laver les cheveux pour dissiper le brushing ridicule dont le coiffeur télé de la veille l'a gratifié, en dépit de ses protestations. Le photographe qui la flanque est un abruti. Sous prétexte de « trouver un bon spot » lumineux, sympa et qui l'inspirerait, François doit presque employer la force pour le retenir de se rouler sur son lit – occupé à faire connaissance avec la journaliste il n'a pas eu le temps de l'empêcher de se ruer dans la chambre pour « checker un peu comment ça se passe ». Le photographe agite en tous sens un boîtier noir qui mesure la lumière, il tourne sur lui-même, se colle aux fenêtres, embrasse chaque pièce d'un regard dément, balbutiant des commentaires incompréhensibles et pas toujours gratifiants pour le décor. C'est une petite guenon lâchée dans la maison, on a envie de l'attraper par le col pour le secouer comme on le ferait d'un bébé chat qui aurait uriné partout. Les photographes sont capables de tout. Au début de la semaine, un jeune imbécile à la peau trouée d'acné a insisté dix minutes pour qu'il crie en ouvrant grand la bouche. « Je ne fais que des photos de ce genre-là. » « Vous m'en voyez ravi, mais je ne crie pas sur les photos. » Et le jeune homme boudait, apparemment convaincu que toute personne que son journal l'envoyait photographier était destinée à satisfaire ses moindres caprices d'enfant mal inspiré. Une autre année, il y en avait un qui voulait qu'il saute en l'air devant la Pyramide du Louvre. « C'est pour le mouvement, vous comprenez, sinon c'est trop statique », expliqué sur le ton qu'on emploie pour convaincre un vieillard sénile de rejoindre son pavillon. « On a besoin de photos un peu intéressantes, vous comprenez, je ne peux pas vous prendre dans un fauteuil la tête dans la main, sinon on perd tous nos lecteurs. » François ne pouvait décemment pas sautiller dans la cour du Louvre, au milieu des passants. Il tient bon, dans l'ensemble, mais parfois l'article est annulé et l'attachée de presse le prend de haut « il paraît que vous n'avez pas joué le jeu, pour les photos ? ».

Il tente de maîtriser l'énergumène lâché dans sa maison :

— D'habitude, nous faisons les photos dans mon bureau, ou dans la bibliothèque.

— Oui mais justement – se cabre l'imbécile en s'échappant vers la cuisine – j'aimerais trouver un angle plus quotidien, plus chaleureux, différent.

François a envie de hurler « j'écris des livres, bougre d'imbécile, que veux-tu que j'aille montrer de moi dans une cuisine ? Je ne vais quand même pas apparaître dans la *Repubblica* en train de réchauffer un cassoulet ». La journaliste est consciente du grotesque de la situation, elle se met en quatre pour adoucir les choses, et elle y parvient assez bien. Fausse grande, elle lui arrive à l'épaule tout en donnant l'illusion d'être une longue liane. Elle lui sourit en parlant de son projet, il écoute à peine la liste des auteurs qu'elle pense inclure dans son dossier, lui fourre une tasse de café entre les mains, incapable de se concentrer sur ce qu'elle dit alors que le photographe arpente les 250 mètres carrés de son appartement. Il l'entend ouvrir les portes-fenêtres qui donnent sur la terrasse, et le rejoint, excédé, le crétin est penché par-dessus la rambarde. « Si ça ne vous ennuie pas trop, je préfère qu'on s'en tienne à la bibliothèque. Je n'aime pas les photos, je voudrais qu'on fasse vite. » Le photographe se retourne, appareil en main, et, se contorsionnant de manière ridicule, il le prend en photo « sur le vif » en répétant « oui, oui, c'est bien comme ça, tout y est, la lumière, prenez bien la lumière, tournez votre visage un peu vers la droite, le menton un peu plus bas, un peu plus bas, comme ça, regardez l'objectif, vous êtes très bien, prenez la lumière, bien, comme ça, c'est parfait. On l'a ! » L'espace d'une minute, l'impression aigre-douce d'être traité comme une fille. « Comment ça, on l'a ? » demande François en se penchant vers l'appareil pour voir lui-même le résultat. Il a beau ne pas aimer les séances photo, il sait d'expérience que ça prend un peu plus de temps, d'habitude. Le dégénéré hausse les épaules « Je ne travaille pas au numérique, question de def' et de feeling, désolé, je ne peux rien vous montrer, mais j'ai l'œil, je l'ai senti : on l'a. » Le fourbe. L'Italien. L'incapable. François est convaincu qu'il aura l'air d'un idiot surpris par un crétin gesticulant sur son balcon. Tant pis, il n'est pas là pour faire le beau après tout, il s'occupera de briller pendant l'entretien. Au moment de quitter les lieux, l'imbécile montre un de ses sacs. « Vous avez la Wi-Fi ? je peux regarder mes mails avant de partir ? » François ne retient pas son soupir agacé. « J'ai la Wi-Fi mais ça m'ennuie un peu de vous chercher le code. » « Pas de problème, j'ai ma propre clef, c'est juste que je serai mieux ici que sur mon scoot. » François désigne le fauteuil Mies van der Rohe dans l'entrée « Installez-vous là si ça vous arrange » et lui serre la main en le remerciant, manière de signifier que ça n'est pas la peine qu'il les dérange quand il aura terminé. Il rejoint la journaliste qui l'attend dans son bureau. Elle est calme, légèrement penchée en avant sur son siège, un décolleté savamment dosé, assez profond pour être bouleversant, mais trop sage pour qu'on ne désire pas en voir plus. Il s'assoit face à elle.

— Enfin, nous pouvons commencer.

— Ç'a été, les photos ?

Sur un ton de salope maternelle. Il essaye de calculer la part d'amabilité sincère, et la part de professionnalisme, il évalue ses chances d'obtenir un rendez-vous à dîner.

Beaucoup de choses ont cessé de l'intéresser, depuis quelque temps. Un voile de dépression le sépare du monde. Il est usé. La fugue de sa fille le lui a prouvé. Elle l'a abandonné, et il s'en fout, au fond. Même son incapacité à ressentir quoi que ce soit ne parvient plus à l'inquiéter. Il a l'impression d'avoir vécu treize vies, et qu'il ne lui reste plus la moindre force pour celle qui se déroule en ce moment. Il se sent vaincu, sur bien des fronts. Seules, les femmes continuent de ranimer sa pleine conscience, de temps en temps, telles d'admirables sirènes le retenant aux plaisirs de la vie. Il a passé l'âge d'éprouver des remords à l'idée de tromper son épouse. Ça fait partie de la vie, Claire le sait, ils n'ont pas besoin d'en parler. Les femmes, et quelques verres de vin, certains soirs, en bonne compagnie, de plus en plus rarement. Il répond en plongeant les yeux dans les siens, affectant cet air de tranquillité méprisante entrecoupé d'éclairs de bienveillance dont il sait que les femmes raffolent.

Depuis que je travaille chez Reldanch, j'ai toujours évité de m'intéresser aux gamins que j'ai pistés. Dans le métier, la personne qu'on file s'appelle « la cible », plus on oublie le prénom, mieux on se porte. J'ai un téléphone portable avec objectif Carl Zeiss, angle panoramique et zoom numérique, caméra haute définition et micro son performant. Je m'intéresse davantage à l'état des batteries de mon matériel et aux rayures sur l'objectif qu'à la personne que je traque. Me demander qui est Valentine ne fait pas partie des choses que j'ai apprises à faire. La démarche me semble même contre nature.

Mon portable sonne un peu avant midi, je n'ai pas bougé du sofa où je me suis affalée après le café du matin. Quand je me redresse pour répondre, je me rends compte que j'ai les cervicales défoncées, j'ai dû passer trop de temps dans une position incorrecte, à écouter la radio. J'articule un « allô oui ? » harassé, destiné à faire croire qu'on vient m'interrompre en plein milieu d'une tâche qui réclamait toute ma concentration.

— Salut, c'est la Hyène, t'es où, là ?

Comme si on traînait ensemble, tous les jours, depuis des années. Je regrette déjà de lui avoir demandé quelque chose, je me rends bien compte que le plus sage serait de ne pas réussir cette enquête, et d'attendre tranquillement les conséquences néfastes qui en découleraient. Je reste évasive :

— Écoute, là, je me promène à droite et à gauche, là où j'ai souvent vu Valentine… des fois que quelque chose me revienne.

— Tu joues les commissaires Maigret ? Tu veux que je t'amène des bières et des sandwichs ?

Je ne comprends pas trop son humour, et je trouve sa gaieté tapageuse. Je me demande si elle a couché avec la fille, hier. Je prends un ton un peu sec :

— Je me prépare à appeler le père, pour passer le voir le plus vite possible, je pense qu'il pourrait m'aider à localiser la mère.

— Le père, je préfère que tu attendes demain. J'ai quelqu'un chez lui aujourd'hui. Je t'expliquerai. On peut se voir, là ?

Cette fille est une paumée. Elle cherche quelqu'un avec qui passer la journée, c'est tout. Sa réputation doit être encore plus surfaite que je ne l'avais imaginé, elle est tellement de la lose qu'elle n'a pas bossé depuis des mois et elle se jette sur mon affaire comme la faim sur le monde. C'est bien ma chance.

— J'avais plutôt prévu de…

— Parce que j'ai appelé son lycée, et j'ai rendez-vous avec sa prof principale à 14 heures. Les gamins déjeunent dehors, c'est bien ça ? Je vais passer faire un tour à la sortie de l'école, voir si je peux en interroger un ou deux.

60

J'ai envie de lui rappeler que je l'ai contractée pour qu'elle s'occupe de ce que je ne peux pas faire, pas de ce qui est parfaitement à ma portée. Je prends le ton de la fille débordée qui observe son agenda en espérant pouvoir dégager une heure :

— Et tu préfères que je sois avec toi, c'est ça ? J'avais plutôt prévu…

— Mais t'es chez toi, là ?

— Je viens de te dire que non.

— Parce que moi, je suis pas loin de Pyrénées. Si t'es prête, je peux être en bas dans dix minutes. Je suis en caisse.

— Mais je ne suis pas chez moi ! Je viens de te le dire. Je peux te rejoindre métro Belleville dans… quinze minutes ?

J'arrive un peu en retard. Je dévisage tous les conducteurs de voiture au feu rouge avant de la repérer, qui m'observe, immobile, installée en terrasse du Folies. Quand elle voit que je me dirige vers elle, elle consent à se lever et me rejoint. Elle me tend la main pour me saluer, j'ai envie de lui demander si elle a peur que je lui donne la grippe, ou si à son âge elle ignore encore être née de sexe féminin : dans nos sociétés, entre filles, si on veut se dire bonjour, on se fait la bise. Sinon, on se gratifie d'un petit bonjour et ça suffit. Elle est garée en double file, un caducée de médecin glissé sous son pare-brise, mais là n'est pas le détail saugrenu : elle conduit une vieille Mercedes, rouge, qui doit dater d'avant que je naisse. Parfait, pour un privé : personne ne remarque ce genre de caisse.

— Je me déplace plutôt en métro, d'habitude ; ça roule tellement mal dans Paris.

C'est tout ce que je trouve à dire pour être un peu désagréable, histoire de souligner que je ne suis pas du genre ramollie par la douceur du cuir beige élimé des sièges. Clope au bec, elle démarre sans me répondre, s'arrête au feu rouge et sourit en regardant deux petites Africaines nattées qui se donnent la main pour traverser, elles ont des chaussettes blanches identiques, bien remontées sur les mollets. La Hyène a l'air heureuse. Je me demande si elle est sous Prozac. C'est ce que je me dis de tous les gens que je trouve un peu trop dynamiques. Un GPS débranché est ventousé à son pare-brise. Je ne supporte pas longtemps le silence, on ne se connaît pas assez bien pour rester côte à côte sans rien se dire.

— Tu ne perds pas trop de temps à te garer ?

— Il y a beaucoup de parkings. Ça passe en notes de frais.

— En free lance, tu peux faire beaucoup de notes de frais ?

— Quel rapport ?

— Je ne sais pas. Moi qui suis salariée, je suis très surveillée, là-dessus.

Charitablement, elle s'abstient de me répondre qu'on ne boxe pas dans la même division.

— J'ai faim. On va s'arrêter pour manger vers son lycée, je connais un italien très bien là-bas.

On a quitté le quartier chinois, on passe entre les tours de la station Télégraphe, le quartier se fait plus désolé, moins commerçant.

— Tu m'as dit que tu préférais que j'attende, pour le père ?

— Exact. J'ai un contact qui y passe, aujourd'hui. Elle va m'appeler, d'ailleurs, elle avait rendez-vous en fin de matinée. J'ai vu que la clef Wi-Fi figurait dans le dossier, mais que tu n'avais pas copié le disque dur de Valentine. Je me suis dit que ça nous intéressait, quand même. J'ai demandé les disques durs de toute la famille.

— Tu as quelqu'un qui va se poster dans le couloir pour pirater les systèmes ?

— On a le code, on entre, on ne pirate personne. J'en ai profité pour demander des photos de l'appartement. Ça m'évite d'y aller avec toi. J'ai envie de voir à quoi ça ressemble.

— Et pour les entretiens à l'école, on fait comment ?

— T'en fais pas, je m'occupe de tout. Mais je préfère que tu sois là, on ne sait jamais…

— Comme une assistante, quoi ? Génial.

— Toi, tu vas commencer par te calmer. Tu n'as pas l'ombre d'une idée de comment on mène une enquête, alors t'es gentille, tu me suis et tu m'obéis. Si ça te déplaît, tu descends là, maintenant, et tu te démerdes. D'accord ? Moi, ton enquête payée au Smic, je suis d'accord pour la prendre, mais tes problèmes d'ego, tu les règles toute seule.

Le tout sans s'énerver. Je crois même qu'elle dissimule un sourire, à la fin, en voyant la tête que je fais. On est bloquées par un camion livraison qui crée un petit embouteillage. Je me renfrogne et regarde par la fenêtre. Des crétins klaxonnent, derrière nous. Trois jeunes filles traversent. Parisiennes cheap. Minces, longues jambes, petites bottes plates fourrées, à la mode, fortes poitrines et de grosses besaces à franges. Copies au rabais de l'authentique pétasse du Marais, celle qui quand elle joue son look totale pute fait penser aux pubs pour parfums, pas à la travailleuse des forêts du périf.

La Hyène sort la tête par la fenêtre. Elle les siffle, admirative. Les gamines se retournent vers nous, blasées, mais ne parviennent pas à masquer un mouvement de surprise – ou d'effroi – en comprenant que ça vient de notre voiture. La Hyène leur fait signe en levant le pouce qu'elle les trouve superbes, puis croit bon d'insister en hurlant :

— Oh, les filles, vous êtes super bonnes !

Elles hâtent le pas, et n'éclatent d'un rire nerveux que cent mètres plus loin. La Hyène réajuste ses lunettes noires dans le rétroviseur, hausse les épaules et observe, magnanime :

— Elles n'étaient pas terribles, mais ça leur fait une animation. Non ?

— Elles étaient surtout un peu jeunes.

Comme si c'était « ça », le problème.

— J'aime bien les filles. J'aime trop les filles. Je préfère les gouines, évidemment, mais j'aime bien toutes les filles.

— Et tu ne penses pas que ça peut être blessant, pour elles, d'être sifflées dans la rue ?

— Blessant ? Mais non, c'est des hétéros, elles ont l'habitude d'être traitées comme des chiennes, elles trouvent ça normal. Ce qui les change, c'est que ça vienne d'une superbe créature, comme moi. Même si elles ne s'en rendent pas compte, ça allume une faible lueur d'utopie dans leurs pauvres petites têtes asphyxiées par la beauferie hétérocentrée.

— Comment peux-tu savoir qu'elles sont hétéros, ou pas ? C'est écrit sur leur tête, peut-être ?

— Évidemment. Je repère une gouine de dos à cinq cents mètres. J'ai le radar. On l'a toutes. Comment tu crois qu'on baiserait, entre nous, si on n'avait pas un sixième sens pour se repérer ?

— Excuse-moi, j'ignorais que l'orientation sexuelle pouvait développer un sixième sens.

On dépasse enfin le camion qui bloquait la voie, elle me jette un coup d'œil rapide avant de décréter, toujours souriante :

— Putain, ça doit pas être facile, d'être toi.

Dès qu'on passe la porte du lycée de Valentine, on est pris à la gorge par cette atmosphère caractéristique des petites usines à gosses. Un mélange d'ennui et de chahut. J'ai pris l'habitude des grilles d'école, mais je n'ai jamais l'occasion de faire un tour à l'intérieur. La directrice vient nous chercher et nous traversons le couloir principal, les portes des salles de cours sont restées ouvertes. La vue des tables alignées, du tableau noir et des cartes accrochées aux murs fait monter en moi une brusque envie de pleurer. De l'école, je garde le souvenir que de ma montre. Combien de temps avant la fin du cours, combien de temps avant la fin de la journée. Même le travail, pendant lequel je me suis pourtant souvent ennuyée, ne m'a jamais inspiré autant d'impatience. Pourtant la nostalgie me poignarde, avec la délicatesse sadique qui la caractérise. Je

serais bien en peine de fournir une explication ration-
nelle : je ne regrette rien de mes années de lycée. J'étais
une élève moyenne, je n'ai pas connu de grandes
amitiés, je n'ai été fascinée par aucun professeur.
Années blanches, d'ennui profond. Va comprendre
pourquoi les larmes me montent aux yeux quand je
vois qu'on écrit toujours à la craie sur un grand tableau
noir.

La directrice est une femme obèse, affable et
compétente. Elle porte un ensemble orange et noir
dont elle fait onduler le tissu à chaque mouvement.
La Hyène a enfilé une veste en jean pour masquer les
tatouages sur ses bras, mais elle n'ôte pas ses lunettes
noires pendant le rendez-vous. Elle s'est présentée
comme mon assistante, ce qui n'empêche pas la directrice de ne s'adresser qu'à elle. Elle est plus grande,
plus mince, plus belle, plus sûre d'elle : c'est à elle
qu'on a envie de parler. J'ai l'habitude de provoquer
chez les gens une légère répulsion, je crois que ça tient
à ce que je suis tellement mal à l'aise qu'ils préfèrent,
si c'est possible, éviter de se confronter à moi. Je suis
fascinée par la corpulence de la directrice. Elle prend
tellement de place. La Hyène s'est assise, comme à
son habitude, jambes écartées et menton haut, elle
aligne des questions précises en prenant des notes
dans son carnet, d'une petite écriture serrée. Je me
demande ce que pense la dame de ses grosses bagues
à têtes de mort.

— … beaucoup d'absentéisme, ce qui pour nous
représente un réel problème. Exception faite des
quinze derniers jours, où elle a assisté à tous les cours,
on a beaucoup de mal à la faire venir régulièrement.

Elle ne se présente pas non plus aux heures de colle…
j'ai beaucoup discuté avec ses professeurs, avant la
visite de la police. Elle ne s'est confiée à aucun d'entre
eux en particulier. En tant qu'élève, elle est plutôt
dans une bonne moyenne. Nous sommes un établissement privé, nous avons vocation à aider les élèves en
échec scolaire. Ça n'est pas exactement son cas.
Valentine, sans être une élève particulièrement douée,
n'avait pas de difficulté d'apprentissage à proprement
parler.

— Il y a des matières dans lesquelles elle excelle ?

Je me demande en fonction de quel critère la
Hyène choisit ses questions. Comme si la directrice
allait nous dire qu'elle était bonne en maths et que,
Eurêka, on aille la rechercher dans un tournoi
d'échecs. Le truc, c'est qu'elle interroge avec tellement d'aplomb et un petit air sérieux et concerné,
que l'autre, en face, lui répond sans relever l'absurdité
du propos.

— Non. Il y a les devoirs qu'elle rend, qui sont
généralement passables – la directrice tourne ses bulletins de notes pour que la Hyène puisse lire, elle m'a
complètement effacée de son champ de vision – et les
devoirs et interrogations qu'elle ne daigne pas traiter.
Voyez, c'est comme ça que sa moyenne chute : elle a
des zéro dans toutes les matières, mais les notes
rendues tournent autour de dix. Ce qui, pour l'établissement, est plutôt bien.

La Hyène a d'autres questions chocs en stock. Si
elle continue comme ça, on va y passer l'après-midi.
Je lutte contre le sommeil.

— Et avec ses camarades de classe, ça se passait comment ?

— Là, encore, j'ai fait le point avec les enseignants avant de parler avec la police… et ça n'a pas donné grand-chose, je suis désolée. On n'a jamais eu à la reprendre pour insulte, ou bagarre, mais elle ne posait pas non plus de problèmes particuliers de bavardage. Je la voyais volontiers avec ses petits camarades quand elle était là, mais je ne l'ai pas vue non plus créer des liens avec une bande précise, ou un individu en particulier. Disons que… il lui arrivait de venir parce qu'elle y était tenue, et que nous insistons beaucoup sur la question, et que sa grand-mère suivait tout ça de très près, mais nous n'avons jamais eu la sensation que tout la passionnait beaucoup. Son exclusion a été discutée, plusieurs fois, nous ne pouvons pas accueillir un enfant qui montre aux autres que l'école, c'est optionnel, mais elle n'a jamais été prononcée, parce qu'il est également difficile d'exclure un enfant qui ne pose pas le moindre problème de discipline…

Et blablabla… j'ai jeté un œil aux tarifs de l'école : à trois mille cinq cents euros le trimestre, j'imagine que les gamins qui se font exclure doivent avoir au minimum essayé d'en tuer d'autres à la tronçonneuse.

La directrice nous raccompagne jusqu'à la grande porte d'entrée, en répondant à la Hyène que non, il ne lui a pas semblé que la police avait une idée de ce qui avait pu se passer. J'attends qu'elle s'éloigne :

— Heureusement qu'on est venues, c'était super intéressant. Elle nous a dit un tas de choses qu'elle n'avait pas pensé à dire à la police, ce qui fait qu'on est bien plus avancées qu'eux.

— T'en as jamais marre d'être négative ?

— Je ne suis pas négative. Ses notes à l'école, je pouvais t'en parler avant qu'on aille transpirer dans son bocal : si tu l'as lu, c'est dans le dossier. La grand-mère m'en avait parlé. Et qu'elle ratait l'école, pareil, quel scoop : c'est pour ça que j'ai été embauchée.

— Et ça ne te fait ni chaud ni froid que justement pendant les quinze jours que tu la suis, elle vienne tous les jours à l'école ?

— Si, bien sûr que si. Ça m'énerve. Crois bien que ça m'énerve.

J'ai dit ça sans raison particulière, pour répondre du tac au tac, mais on dirait que j'ai trouvé la vanne de l'année, la Hyène éclate de rire et me regarde comme si elle m'aimait bien. Je n'ai pas l'impression qu'elle me drague, mais en même temps, je n'y connais rien.

— Montre-moi où les gosses déjeunent, maintenant.

L'école est sur les quais de Seine, dans un de ces quartiers de bureaux et de grands appartements où il semble impensable que quelqu'un ait besoin d'acheter une baguette de pain ou un litre de lait. Concessionnaires automobiles, matériel son, réparateurs informatiques. Mais pas grand-chose qui soit convivial, ni bar, ni restau, ni petites boutiques. Je n'ai jamais compris pourquoi là où les riches habitent, il n'y a pas de magasin pratique ou d'endroit sympa pour prendre un café. Est-ce que c'est de mauvais goût, manger dehors ? Les gosses ont donc le choix entre une brasserie hors de prix et éloignée, et un bar minuscule, qui vend des petits plateaux de sushis et propose trois variétés de sandwichs à base de pain de mie. Ç'a été un problème, pour moi : passer inaperçue dans un local si étroit n'était pas évident. Heureusement, les gamins regardent peu les gens de mon âge. Je désigne à la Hyène la table où je reconnais les élèves de la classe de Valentine. Elle a ôté sa veste, qu'elle porte à l'épaule, dévoilant tout le bordel de tatouage marin japonisant qui lui dévore les bras. Elle s'adresse au plus grand d'entre eux, d'instinct, il a une tête d'enfant au regard malicieux sur un corps de vaillant bûcheron.

— Je travaille pour une boîte d'enquête privée, les parents de Valentine ont fait appel à nous, pour appuyer l'enquête de police.

Un petit, frisé, les joues pleines de taches de rousseur, veste à capuche et pantalon trop grand, croit bon de commenter :

— Ils ont raison, la police ne fout rien, y a qu'à voir le chaos que c'est en ville.

— La police, c'est simple : ils sont même pas venus nous parler.

— Y a rien eu à la télé, vous avez vu ? Comme s'ils s'en foutaient.

— C'est vrai ça, la fille, l'été dernier, qui avait disparu huit jours, les gens l'ont reconnue grâce à la photo, sinon comment veux-tu que les gens sachent qu'elle est recherchée ?

La Hyène ne s'est pas encore assise, elle les écoute avec sérieux et les couve d'un regard amusé. Je suis deux pas derrière elle, pas trop surprise qu'aucun d'entre eux ne s'exclame : mais vous êtes tous les jours dans le coin ! Mon talent, c'est d'être invisible.

— Vous la connaissiez bien ? Elle avait des amis, à l'école ?

— Elle n'était pas trop trop copine avec les gens de l'école.

— Si, des fois, à midi, elle mangeait avec nous. Mais le plus souvent, elle prenait son iPod et elle partait marcher toute seule.

— Le plus souvent, elle ne revenait pas, d'ailleurs.

— Elle nous snobait, un peu, en fait. Dès qu'on disait quelque chose elle prenait des airs supérieurs pour dire le contraire. Au début de l'année, elle était plus souple, je trouve...

— Elle n'est copine avec aucun d'entre nous, sur Facebook, non ?

— On ne sait même pas si elle a une page Face de plouc, en fait...

— Mais elle a eu des problèmes avec quelqu'un de l'école ?

— Non, même pas. Elle pensait peut-être qu'elle n'avait rien à faire dans ce lycée... Je sais pas.

— Et personne ne la voyait, en dehors des cours ?

— Si, moi. Mais c'était il y a longtemps. C'était il y a au moins... trois mois de ça. Depuis, on s'est fâchées.

C'est une brune à la peau très blanche qui vient de prendre la parole, elle a un air intelligent mais elle est tellement molle qu'on a surtout envie de la secouer, pour voir si elle s'allume.

— Qu'est-ce qui s'est passé entre vous ?

La petite arrondit la bouche et regarde le plafond, moue hésitante, elle ne trouve pas comment répondre. Les autres enfants éclatent de rire. Le frisé qui trouve que la police n'intervient pas assez prend la parole :

— Valentine, elle est spéciale. Elle est sympa, mais elle est spéciale. Spécialement relou. Surtout quand elle a bu.

— Elle, il faudrait la filmer pour faire des campagnes contre l'alcoolisme des jeunes. Tu veux tellement pas être elle quand elle est bourrée…

La brune reprend son explication, elle s'exprime comme une petite fille. Sa voix est nasillarde, désagréable :

— Tu rigoles bien avec elle, si t'es toute seule, tout va bien. Elle est gentille. Mais elle te fait galérer, dès que c'est en plan sortir, tu galères avec elle. Elle boit. Elle boit jusqu'à tomber par terre, dès qu'il y a une fête tu peux être sûre qu'au lieu de t'éclater tu vas la prendre sur ton dos pour la traîner jusqu'au taxi, et elle vomira dedans, et il faudra la remonter chez elle. Et tu galères…

La Hyène fait oui de la tête, sans arrêt, les dévisage à tour de rôle, puis demande brusquement :

— Et avec les garçons, elle se conduit comment ?

Un grand benêt au visage allongé, chevalin, intervient :

— Elle peut te dire, cash « j'ai envie de te sucer, si ça t'intéresse, tu me le dis ». Enfin, quand elle est arrivée, c'est ce qu'elle a fait. Les mecs qui lui plaisaient, elle est allée les voir, direct. Mais après, elle

72

s'est calmée. En fait, ces derniers temps, elle nous calculait plus tellement.

La brune reprend :

— En soirée, franchement, avec les mecs, elle te met la honte. Elle boit, et après elle fait n'importe quoi avec n'importe qui. Mais je crois que dans son bahut d'avant, toutes les filles font comme ça. Enfin, c'est ce qu'elle m'a dit.

— Alors ça t'a fatiguée de sortir avec elle ?

— Ouais, et puis elle met le wild. Elle raconte des conneries… dures.

— Quel genre ?

— Ça peut être n'importe quoi, pourvu que ça fasse chier quelqu'un. Si t'es blonde, ça sera sur les blondes, si t'es juif, ça sera sur Israël, si t'es noir, c'est sur les bananiers, si t'es PD, c'est sur les sidaïques, et ainsi de suite, ça n'a pas de fin… ah, y en a pour tout le monde, avec Valentine. Mais au bout d'un moment, tu peux plus… Tu veux passer une soirée tranquille !

Peu de réactions autour de la table. Leur apathie n'est pas troublée. Une fille sympa, sans problèmes. Rien à signaler. Mieux je connais cette génération, plus je l'imagine à l'âge adulte, et moins j'envisage de faire de vieux os.

— Attention, c'est pas non plus la bouffonne du coin… À jeun, elle est même plutôt discrète… Et elle touche, à l'école. Quand elle est arrivée, on était scotchés par son niveau.

— Elle est bonne dans toutes les matières. Elle lit, et tout. Mais elle touche en maths, aussi. En chimie. Tout, elle fait tout.

— Les profs l'aiment bien. Mais elle rate trop les cours. C'est pour ça qu'elle était dans notre école. Elle avait été virée de partout, ailleurs.

— Elle vient pas à l'école.

— Valentine, elle s'en fout des études : son père est écrivain. Quand elle voudra travailler, il la fera publier et c'est tout. C'est comme ça que ça fonctionne.

Ils sont trois à parler, la brune et les deux garçons. Les deux autres filles restent sur la réserve, rient aux bons moments mais pour l'instant se taisent. La Hyène demande :

— Mais les garçons qui l'intéressaient, ils étaient où, alors ?

— À l'époque où on était encore copines, elle aimait bien la musique métal. Elle ne ratait aucun concert de PDTC, elle était très copine avec eux. Enfin, copine… J'ai pas voulu aller les voir avec elle, c'était déjà l'époque où elle me gavait de trop avec ses plans chelous.

— Comment tu dis, PDTC ?

La Hyène a sorti son petit carnet. Amandine confirme :

— PDTC : Panique Dans Ton Cul. Ils font du métal. Enfin, du hardcore. Enfin, je sais pas, c'est pas ma came, à moi…

— Je pense que je vais me souvenir du nom.

— Je sais pas si elle a continué à traîner avec eux… parce qu'elle a changé, Valentine, dans l'année.

— Et elle vous parlait de ses parents ? De la maison ?

— Pas trop non.

— Je sais qu'elle adore son père.

— Mais la belle-mère, moyen, normal, quoi… c'est pas elle qui couche avec.

— Vous avez pensé quoi, vous, quand on vous a dit qu'elle avait disparu ?

— On a flippé pour elle.

Une blonde, avec un nez tellement petit qu'on se demande comment elle réussit à y faire passer la dose d'oxygène recommandée, habillée comme une Roumaine, mais dont chaque ruine de fringue doit coûter une fortune dans le Marais, intervient pour la première fois :

— On pense tous à quelque chose d'horrible, évidemment. Si une fille disparaît, on a toujours peur de récupérer son corps dans un fossé, complètement amoché.

— Et aucun d'entre vous ne s'est dit qu'elle aurait pu faire une fugue ?

Cette option les choque plus que la version fossé. « Fuguer » ? Laisser derrière soi la PS3, le frigidaire rempli, la femme de ménage, la carte de crédit de papa…

— Si. C'est possible, évidemment. Elle avait beaucoup changé, ces derniers temps. Elle avait changé de look, elle était moins marrante, elle était plus distante… elle avait quelque chose en tête, quand même. Ça se voyait, non ?

La fille qui vient de prendre la parole est d'une beauté stupéfiante, depuis qu'on est installés dans ce bar son visage est tellement radieux qu'on croirait que la lumière du jour a été braquée sur elle. Elle a un look qu'on qualifiait de BCBG quand j'étais gosse, bleu blanc beige, qu'elle porte avec ce qu'il faut d'allure salope pour rendre la chose passionnante. Son corps est longiligne, d'une souplesse élégante, un joli cliché de ce que l'aristocratie aura donné de mieux en matière de chienne. L'animal fatal s'exprime avec une grande lenteur, elle doit fumer des pétards à longueur de journée. La Hyène la regarde d'une drôle de façon :

— Et tu as discuté avec elle, depuis que tu l'as trouvée changée ?

— Non. On se fréquentait pas. Mais je la voyais. Elle était pas pareil.

— C'est clair que niveau look, elle avait bien lâché l'affaire, ces derniers mois.

— Peut-être qu'elle a breaké dépression ? Elle portait beaucoup de noir, mais style Noir Kennedy, plus en mode j'abandonne la vie.

— C'est vrai. Elle portait quasi aucune marque. Alors qu'avant, elle aimait bien les sapes…

— Ouais, avant, elle était coquette.

— Au bout d'un moment, je veux pas critiquer, mais elle avait un peu une dégaine… genre quand t'écoutes Manu Chao.

La beauté fatale hausse les épaules :

— Oui. Je crois qu'elle avait envie de se distinguer.

Les gamins autour de la table sont particulièrement doux, comparés à ceux que je croise d'habitude, les uns avec les autres. Ils s'invectivent, se bâchent, mais ne s'agressent pas. On ne repère aucun tyran parmi eux, ni l'habituelle crânerie des petits Parisiens riches. Et je les trouve calmes, quand ils parlent de Valentine. Le côté chaudasse ne rend pourtant pas très populaire, de nos jours. Ceux-là sont résignés à ne pas faire vraiment partie de l'élite. Ils sont entre défaillants. Ils n'ont pas l'ivresse juvénile de leurs homologues de Neuilly : ils savent déjà ce que rater veut dire. Ils ont tous lu dans le regard de leurs parents la déception de devoir les inscrire dans une école spéciale, pour enfants qui ne savent pas apprendre.

On rejoint la voiture. La Hyène est concentrée sur un point précis :

— La petite très jolie, là, j'ai pas compris si c'était un bébé gouine ou si je la trouvais tellement ravissante que j'ai pris mes désirs pour des réalités.

— Mais il n'y a que ça qui t'intéresse, toi ? Atterris : elle est beaucoup trop jolie pour être gouine.

Je regrette ce que j'ai dit au moment où je le dis, parce que ça me semble particulièrement blessant, mais elle me regarde fixement deux secondes, puis éclate de rire :

— Toi, ton cerveau, c'est Jurassic Park en live.

— Quoi qu'il en soit, elle a seize ans, grand maximum. Elle t'intéresse ?

— Elles m'intéressent toutes. C'est simple, c'est facile à retenir, même toi tu devrais y arriver. Bon, maintenant je vais voir Antonella, celle qui est passée ce matin chez le père. Je te dépose chez toi ou tu m'accompagnes ?

— Comme tu le sens. Peut-être que tu préfères garder la confidentialité sur ton contact ?

— Garder quoi sur mon quoi ? T'es vraiment pas bien, toi… T'as de la chance de me rencontrer, dis donc, parce que toute seule, t'étais pas au bout de tes peines.

La Hyène ralentit devant un passage pour piétons, laisse passer une femme enceinte en hochant la tête :

— T'as vu sa gueule, celle-là ? Ne me dis pas qu'elle aurait pas pu réfléchir un peu avant de se reproduire… y en a, rien ne les arrête.

— Ça t'arrive, quand t'es sur une enquête comme ça, d'avoir peur ? Je veux dire, peur de ce que tu pourrais découvrir ?

— Oui. Ça m'est déjà arrivé.

— Et là, ça ne t'angoisse pas ? Tu ne t'imagines pas que peut-être Valentine est entre les mains d'un sadique atroce qui la torture ? Ou qui l'a déjà tuée ? Et nous, on est là, on prend notre temps…

— Là, non. Je pense qu'elle est chez sa mère. Je pense qu'on va tournicoter trois ou quatre jours à Paris, histoire de dire que c'est fait, et ensuite on file chez la mère. Non ? Si ta mère t'avait abandonnée, t'aurais pas envie d'aller voir à quoi elle ressemble ?

— Je ne sais pas, la mienne ne m'a pas abandonnée. Au contraire, elle m'appelle tout le temps.

— Bon, ben, demain, quand tu vas voir ses parents, tu seras gentille de faire attention aux réactions du père quand tu lui parles de la vraie mère. Et aux réactions de la belle-mère aussi. La belle-mère, premièrement, tu la tiens pour suspecte, d'accord ?

— Et pourquoi ?

— Principe de base. Les belles-mères sont suspectes. Tu connais pas tes contes de fées ?

J'éclate de rire, elle me jette un coup d'œil en biais. Ça doit être la première fois que je ris de bon cœur à une blague qu'elle fait. Je demande :

— Et pourquoi on ne va pas directement chercher sa mère, alors ?

— Ben, parce qu'on laisse le temps à Rafik de chercher où elle est.

— Ah. Tu connais Rafik ?

Rafik, c'est la clef de voûte de Reldanch, le gars qui supervise le service informatique. Tout passe par lui, au point que c'est difficile de lui demander quelque chose.

— Bien sûr que je connais Rafik. Comment voudrais-tu que je vive, sans Rafik ?

Au parc des Buttes-Chaumont, il y a un peu de soleil et beaucoup de chiens. On attend, sur un banc, que la fameuse Antonella arrive. Elle a vingt bonnes minutes de retard. La Hyène est d'humeur causante.

— Antonella est méchante, mais drôle. Tous ceux qui l'ont connue à son arrivée à Paris savent qu'elle n'est plus que l'ombre d'elle-même. Elle était une diva. Elle était dans la presse écrite, correspondante pour l'Italie. À l'époque, journaliste de ce niveau-là, tu remplissais vite ton carnet d'adresses et si quelque chose se passait, en ville, c'était pas compliqué de t'y rendre. Je ne sais pas comment elle a commencé à renseigner, j'imagine qu'elle a eu une histoire avec un politique – elle faisait plutôt des papiers culture, mais l'un dans l'autre, on finit toujours par se croiser.

Quand je l'ai connue, elle était très consultée, et très protégée. Avec les guerres internes dans les grands partis, la demande en renseignements a explosé, pendant quelques années, Antonella a régné. Mais les temps ont changé… chute de l'empire média, disgrâce des protecteurs. Maintenant, elle bricole. C'est un peu l'histoire de tout le monde, tu me diras. Elle est assez chère. Les autres journalistes travaillent contre des renseignements mais Antonella n'a pas de problèmes de sources, elle veut du cash. Je l'ai chargée de récupérer le contenu de tous les ordinateurs de l'appartement, elle a un acolyte qui fait ça très bien. Elle, son intérêt, c'est surtout que ça lui permet de traîner, on ne sait jamais, elle peut tomber sur un renseignement intéressant, par hasard…

— Comment elle est arrivée chez lui aussi facilement ?

— Les artistes aiment s'adresser à la presse.

Difficile de la rater quand elle arrive : elle porte d'énormes bottes après-ski rose fuchsia. J'imagine que c'est prescrit par la mode, qui ne laisse pas de m'étonner. Sans s'excuser de son retard, elle fourre une grosse enveloppe dans le sac de la Hyène. Elle a une jolie voix rauque, qui ne colle pas avec son physique de pétasse éthérée.

— C'est la chaudière de l'enfer, ton client ! À l'âge qu'il a, remarque, ils sont tous plus ou moins nymphomanes.

— Arrête ton cirque, Antonella, tu les rends fous, c'est tout.

— Ah… ne me parle pas du passé. Comment vas-tu ?

Elle ne m'a pas dit bonjour, ni jeté le moindre regard. C'est humiliant mais je commence à m'habituer. C'est comme quand on est petite et qu'on sort avec la bombe de l'école, au bout d'un moment, l'ombre a un côté reposant. On se dirige toutes les trois vers la sortie, la Hyène demande :

— Tu connais, ce qu'il écrit ?

— Des drames bourgeois. Droite chrétienne, mais à l'ancienne, ni belliqueux, ni raciste, ni antisémite… Ça n'intéresse pas grand monde, son affaire. Il ferait mieux de s'atteler à un grand roman sur les camps, qu'on le prenne au sérieux, ça changerait…

— Du succès ?

— Plus grand-chose. Mais encore un peu de visibilité. Une petite télé, les radios d'État, trois signatures en librairie… Il publie des articles à droite et à gauche, là où on le laisse faire, il a l'âge et le profil pour faire partie d'un jury de prix littéraire, je n'ai pas bien saisi pourquoi il était isolé à ce point. Il n'est pas très agressif, c'est toujours décrédibilisant. Les éditeurs ont pris l'habitude de le soigner, on m'a parlé de quinze mille euros par livre. Il n'en vend pas cinq mille. On comprend qu'il publie beaucoup.

— Il va être déçu quand il verra qu'il n'y a pas d'article.

— Non, on m'a vraiment demandé un dossier sur le nouveau livre d'un journaliste du *Times* qui redécouvre chaque année que la France n'a plus de rayonnement international. Quel scoop ! Je vais reprendre une phrase méchante et bien gaulée, sur Sollers et son importance, et ça ira comme ça. Il râlera de m'avoir parlé deux heures en me faisant les yeux doux pour que je ne garde qu'une petite attaque, mais dans le fond il sera content d'être cité. Sans toi, ça ne risquait pas de lui arriver...

Antonella la drague outrageusement. Je me demande si elles ont déjà couché ensemble.

— Il t'a parlé de sa fille ?

— Non. De son père, oui, de sa mère, un peu, mais de sa fille, non.

— Pudeur ?

— C'est rare que les hommes de son âge parlent de leurs enfants. Ils sont les enfants de leurs parents, mais ne sont les parents de personne. À moins qu'il y ait un drame, les enfants ne font pas de très bons sujets de livres, pour les hommes. Si la petite meurt, à la rigueur, ça peut faire un roman... et encore, le deuil du père, ça n'a rien de porteur. Mais si elle rentre pour le traiter de vieux con, que veux-tu qu'il en fasse ? Il préfère penser à autre chose.

Claire

Quand Claire se laisse glisser en arrière dans la baignoire pour plonger la tête sous l'eau chaude, elle entend les bruits de l'appartement du dessous. Comme souvent, les voisins se disputent. Amplifiés par l'eau, les sons deviennent étranges, mous et graves. Souvent, le mari est violent. Claire entend la femme glapir deux ou trois mots, puis lui qui renâcle dans une pièce, avant de finalement traverser l'appartement à grands pas, et c'est alors qu'il cogne. Elle hurle et proteste, parfois elle court pour lui échapper. Puis la scène s'entrecoupe de chocs plus forts que d'autres, difficiles à identifier, pas forcément des coups. Ensuite, il y a le silence. Les premières fois, Claire craignait qu'il l'ait tuée, mais à la longue elle sait que c'est le calme après la dispute. On ne dirait pas, à les voir, que c'est ce genre de couple. Lui, elle le croise souvent dans l'ascenseur, est juge d'instruction. Visage rouge bouffi, nez gonflé d'alcoolique, mais toujours élégant, poli et parfumé. Il a été probablement beau, jeune. Il est resté galant. Il a deux enfants, un fils et une fille, qui ont deux ans d'écart. Quand Claire a emménagé chez François, elle les voyait souvent jouer avec la petite des concierges, sur le trottoir devant chez eux. Ils sont grands, maintenant, il ne sera plus question pour eux de trottinettes et de billes avant qu'ils fassent eux-mêmes des enfants. Elle ne les entend jamais s'interposer quand le père lève la main sur la mère. Comme tous les gens à qui ça n'arrive pas, Claire est convaincue, elle y pense chaque fois qu'elle croise quelqu'un de la famille d'en dessous dans l'ascenseur, qu'elle n'aurait pas supporté ce que la voisine endure. Ne serait-ce que pour ses filles, elle aurait trouvé le courage de partir, de faire ses valises, quoi qu'il en coûte 'elle les aurait protégées d'un père violent. Christophe, lui, n'a jamais levé la main sur Claire, ni sur ses filles, d'ailleurs.

Il est parti un peu avant les six ans de la grande. Claire l'avait aimé obstinément, entièrement, pendant plus de dix ans. Il était arrivé dans sa vie quand elle avait vingt-deux ans, un soir de Saint-Sylvestre chez des amis. Elle avait senti ses yeux sur elle, qui cherchaient toujours à savoir où elle était dans la pièce, et son grand corps se déplaçant, restant à quelques mètres d'elle, la suivant, de conversation en conversation. Une traque légère, qu'il ne cherchait pas à dissimuler. Il la voulait. Ça plaisait à Claire. Elle attendait. Ce soir-là, il portait un simple pull noir, et une barbe de trois jours, ça lui allait bien. Elle était jeune, pas étonnée que la vie lui tourne autour, la cherche et la cajole pour lui faire ses plus beaux cadeaux. Après quelques nuits passées dans ses bras, elle l'avait supplié de se raser. Le visage de Claire était en feu, sa peau fine était irritée et douloureuse. Il était son premier petit ami sérieux. Christophe, elle l'avait rencontré l'année où sa mère l'avait conduite d'autorité chez un diététicien, et ça avait bien marché, elle avait fondu, refait sa garde-robe, était devenue radieuse. Elle avait réussi à rester mince deux ans, mais après la naissance de sa première fille, Mathilde, elle avait repris cinq kilos dont elle ne s'était plus débarrassée. C'était angoissant, mais ça ne la tirait plus vers le fond comme ça l'aurait fait avant qu'elle soit mère. Quelque chose s'était produit en elle, avec la maternité, qui lui donnait assise et confiance. La présence de ce bébé, dans sa vie, avait bouleversé le regard qu'elle portait sur les choses.

Avant Mathilde, il y avait eu des voyages, l'Égypte, New York, l'Irlande, la Suède, il y avait eu des amis en commun, des dîners, des soirées au cinéma, il y avait eu leur premier appartement ensemble, des fêtes de famille, et beaucoup de grasses matinées. Puis l'enchantement de l'annonce de sa grossesse, les décisions à prendre ensemble, aménager la chambre, l'échographie, trouver un prénom. Ses parents à elle avaient changé d'attitude, complètement, quand elle leur avait annoncé la nouvelle. Claire avait une sœur, de trois ans sa cadette, qui avait toujours été la favorite de sa mère. Claire était celle qui était un peu trop grosse, un peu trop calme, elle ne parvenait pas à fixer l'attention de ses parents. Quand ils avaient divorcé, elle avait douze ans, et là encore sa mère s'était repliée sur la petite sœur, consacrée à elle. Claire ne faisait pas assez de bêtises, elle n'étourdissait pas la mère. Et elle était la moins jolie. Elle ne pouvait rien faire sans s'attirer des reproches. Jamais personne autour d'elle ne s'était donné la peine de remarquer qu'elle n'avait pas supporté le divorce. Il faut dire qu'elle n'avait rien fait de spectaculaire pour le faire savoir. Elle avait juste pris quelques kilos, lentement, et s'était renfermée sur elle-même. Dans sa chambre d'enfant, pendant des années, elle avait collé en cachette les cartes postales envoyées par la mère en vacances contre les cartes postales envoyées par le père en vacances, faisant coïncider une colline vosgienne avec une montagne péruvienne, ou la Méditerranée avec l'océan Pacifique. Un bout de Scotch, pour rassembler les deux morceaux. C'était une époque où, à l'école, les enfants de divorcés devaient expliquer aux autres enfants comment c'était d'avoir deux maisons, où c'était encore une différence. Sa sœur, Aline, n'avait pas eu besoin d'une année de deuil pour frimer dans les cours de récré avec les doubles cadeaux à Noël, les doubles cadeaux d'anniversaire, et toutes les autorisations de sortie ou de dépense arrachées par la culpabilité, ou le trafic de paroles « maman a dit que oui » « papa m'a promis que ». Claire avait souvent envie d'étrangler sa sœur. Mais quand elle était tombée enceinte de Mathilde, tout avait changé. Les deux parents avaient pris l'habitude de l'appeler sans arrêt, et lui revenait la responsabilité d'organiser les visites, pour qu'ils ne se croisent pas trop souvent. Le jour de l'accouchement, ils avaient été ensemble, dans sa chambre, ils étaient venus sans leurs conjoints, et elle avait lu la joie sur leurs visages, une émotion commune, leur premier petit-enfant. Et ça avait continué comme ça jusqu'à la naissance de la deuxième, Élisabeth. Aline était tombée enceinte, juste après, d'un garçon inconnu, mais ça ne rendait pas l'enfant à venir moins attirant. Au contraire, comme à son habitude elle avait réussi à tout compliquer, exigeant le maximum de l'attention. Un jour, Aline arrivait chez sa mère en déclarant, péremptoire, qu'elle n'aurait pas le courage d'accoucher, qu'elle allait trouver à se faire avorter au sixième mois, le lendemain elle passait chez le père, annonçait qu'elle accoucherait sous X, qu'elle ne se sentait pas capable d'assumer un enfant seule. La semaine d'après, enceinte jusqu'aux yeux, elle pleurnichait dans la cuisine de la mère, buvant sa cinquième bière et fumant clope sur clope, soi-disant qu'elle sentait que le petit serait mort-né, et bien sûr, elle envisageait de ne jamais s'en remettre. Son pauvre petit enfant, mort, elle passait la soirée à torturer sa mère. Il n'y en avait que pour elle. La mauvaise attitude était payante. Les parents s'étaient mis à se téléphoner, chaque jour, se tenant au courant de ce qu'ils venaient d'endurer, et décuplant leurs efforts pour éloigner leur fille du seuil de la folie. Aline avait toujours tout fait n'importe comment, et ça lui avait réussi. Elle avait mis son fils au monde. Un fils, évidemment. Elle s'était extasiée trois mois sur la joie extraordinaire de la maternité, puis elle avait retrouvé la ligne, enfilé une robe, laissé le fils à la mère et repris la même vie qu'avant, beaucoup d'aventures, trop d'alcool et de gros découverts.

Mathilde venait d'avoir cinq ans, cet âge où les enfants cessent d'être des anges et deviennent de petites personnes, moins gracieuses, moins magiques pour les adultes. La grand-mère continuait de s'en occuper avec plaisir, mais ne comptait que Thibaut, le premier fils. Le sublime, l'extraordinaire, le téméraire, le capricieux, l'insupportable Thibaut. Claire était déjà en analyse, elle avait l'impression d'avoir pris sa vie en main, d'être capable d'avancer seule, sans le soutien de ses parents. Elle avait tout ce qu'elle pouvait désirer : un mari, deux filles, un très bel appartement. Elle avait passé beaucoup de temps à étudier les journaux de décoration intérieure, pour que dans les limites de leur budget leur maison ressemble à quelque chose. Que Christophe soit fier d'inviter ses collègues de travail, et qu'il soit heureux de rentrer chez lui, le soir. Elle avait pensé à être reconnaissante de ce que la vie lui avait donné, pendant les neuf ans passés avec lui, chaque fois qu'elle discutait avec une amie dont le mari était infidèle, ou incapable de réussir professionnellement, ou désagréable. Elle avait pensé à être reconnaissante en croisant des amies de jeunesse qui n'avaient toujours pas eu d'enfants, et imaginaient pouvoir remplir leur vie autrement. Comme si on pouvait passer à côté de cet amour-là sans passer à côté de l'essentiel de la vie. Elle essayait, en échange, de s'occuper correctement de tout, établissant de longues listes dont elle ne venait jamais à bout. Elle se chargeait de prendre les rendez-vous de santé, de sortir les vêtements de saison, de penser aux vacances, de surveiller les devoirs, de trouver des activités intéressantes, d'assortir les assiettes à la nappe, d'avoir le bon dentiste, d'organiser de jolies fêtes d'anniversaire, de régler les factures, de conduire les enfants à la piscine, de changer les chemises de son mari avant qu'elles n'aient l'air élimées, de recruter la femme de ménage, de trouver la bonne assurance voiture… Elle n'avait jamais pensé que Christophe puisse sous-estimer le bonheur qu'ils avaient, et le bonheur que c'était d'avoir une femme comme elle, à la maison. Une femme qui aide ses enfants à bien grandir, qui ne dépense pas trop, toujours gaie, qui s'occupe de tout sans se plaindre.

Un vendredi soir, il avait prévenu à 20 heures qu'il avait un week-end de travail devant lui, qu'il ne rentrerait pas. Mathilde regardait « Buffy » à la télé, et la plus jeune jouait dans un bain peuplé de Barbies. Il y avait eu cette boule qui s'était formée dans la gorge de Claire. Les autres fois, le doute ne l'avait pas effleurée mais une liste s'était créée, dans l'angle mort de la raison, toutes ces fois récentes où il n'avait pas pu rentrer avant deux heures du matin, ces séminaires en province, ces rendez-vous de week-end. Et ce soir-là, malgré elle qui ne voulait pas comprendre, les pièces s'étaient assemblées. Beaucoup d'absences, récemment. Il n'avait pas appelé, du week-end, et le lundi soir, quand il était revenu, il n'avait pas sa tête de d'habitude. Claire s'était mise à parler, c'était une stratégie inconsciente. Sa bouche s'ouvrait et les mots venaient sans s'arrêter parce qu'elle sentait qu'à la première pause qu'elle ferait, il dirait ce qu'il avait à dire. Ça avait marché, d'autres fois, elle le savait sans se l'avouer. Il suffisait qu'elle gagne un peu de temps pour qu'il abandonne et se taise. Mais ce soir-là, les filles à peine couchées, il l'avait interrompue. « J'ai rencontré une autre femme. Et je vais partir. » C'était absurde. Elle aurait voulu effacer les mots. Cliché. Pas eux. Ça ne leur ressemblait pas. Avant de croire qu'il était capable de la quitter, elle lui en avait voulu d'avoir prononcé ces mots. Leur amour ne serait plus jamais intact. Il lui faudrait encore plusieurs années pour admettre qu'il n'avait pas dit quelque chose qu'il regretterait. Son grand amour impeccable, il l'avait bazardé. Ensuite, très rapidement, elle avait tout perdu.

Le ton navré de sa mère, au téléphone, et le sale sentiment qu'à part elle tout le monde s'en doutait. La pitié infamante des autres. Dix ans qu'elle était convaincue que chaque personne qu'elle rencontrait était impressionnée par son bonheur. Peut-être même jaloux, car beaucoup de gens n'étaient pas heureux en amour, ou n'avaient pas d'enfants, ou bien devaient les élever seuls. Devoir endurer leur simulacre de compréhension, leur pitié satisfaite et leurs encouragements humiliants. Ils avaient tous été très rapides à attendre qu'elle se remette. Comme si leur histoire avait été de celles dont on fait le deuil, un amour comme les autres. Longtemps, Claire avait attendu que la vie leur donne tort, que Christophe revienne et pouvoir leur montrer, à eux tous, de quoi leur amour était fait. Un amour en pierre brute, invincible, un couple que rien ne peut diviser. Elle n'avait pas été furieuse contre lui, jamais. Elle l'avait attendu. Rien de ce qui s'était passé à partir de son départ ne lui convenait, elle voulait son ancienne vie, elle ne voulait prendre sérieusement en compte aucune des nouvelles données. Les réflexions malsaines de ses amies, les sous-entendus débités sur un ton faussement amical, comme quoi elle aurait dû comprendre depuis

90

longtemps qu'il n'était pas fidèle, qu'il s'ennuyait avec elle, qu'il avait pris une décision saine.

Elle s'était éloignée de ses amies. Elle ne voulait pas qu'on la désigne comme « mère élevant seule ses deux filles », ni comme « célibataire », encore moins comme « devant penser à refaire sa vie ». Elle n'avait rien en commun avec toutes ces paumées, elles s'égaraient en s'adressant à elle comme à quelqu'un de proche. Même ses rapports avec les filles avaient été touchés. Au fond, elle pensait que les petites auraient dû ramener Christophe à la maison. Elle avait l'impression qu'elles n'y mettaient pas assez du leur. Elles auraient pu tomber malades, refuser de voir leur père, être odieuses avec ses nouvelles femmes, ne jamais se plaire en vacances avec lui, elles auraient pu insister, être solidaires avec la mère, se débrouiller pour obtenir, pour le bien de tous, ce que la mère désirait : leur vie, comme avant. Au lieu de quoi elles avaient grandi, s'étaient focalisées sur leurs histoires d'école, Mathilde était devenue coquette, elle n'avait pas neuf ans qu'elle voulait déjà du vernis à ongles, des robes de marque et du brillant pour les lèvres. Le reste ne semblait pas beaucoup la toucher. Élisabeth s'était mise à jouer du piano, et à aimer la gymnastique. Elles n'avaient pas l'air de se rendre compte qu'elles étaient lésées, toutes les trois, de la vie qui leur revenait.

Et maintenant qu'elles grandissaient, Claire avait la sensation que ses filles la jugeaient. Sans rien dire ouvertement. Mais peut-être, dans son dos, quand elles étaient toutes les deux seules. Elles devenaient sournoises, avec le temps. Elles semblaient mépriser leur mère. Cette femme abandonnée condamnée à vivre petitement sur une pension alimentaire somme toute dérisoire, puisque même son divorce, elle avait été incapable de le réussir, de choisir l'avocat le plus brutal, celui qui lui obtiendrait le maximum. À la fin des séances, le psychologue expliquait à Claire que ses filles l'écoutaient moins parce qu'elles étaient plus grandes, mais qu'elles ne la jugeaient pas. Là, encore, elle voulait sa vie d'avant : être l'idole de ses enfants, le centre de leur monde. Elle voulait leurs petits corps doux et leurs bras autour de son cou. Qu'elles redeviennent petites, quand elle savait toujours les rendre heureuses, et qu'elle avait réponse à tout.

Claire s'était aussi éloignée de sa mère, qui à peine quatre mois après la rupture lui assenait « écoute ma petite il va falloir t'en remettre. D'autant que, entre nous, c'était pas la perle rare, ton coco, je sais qu'il est le père des petites, mais soyons franches : il était inculte et très égoïste ». Claire avait été incapable de lui raccrocher au nez, ou de dire combien ces mots la blessaient. De longs couteaux enfoncés dans sa gorge. Comprendre que pour les autres leur amour n'avait pas été aveuglant, que sa chance n'avait pas été éblouissante. Un couple quelconque, une rupture quelconque, la vie, quelconque. Elle était brisée, et à vif, son psychiatre lui avait ordonné un traitement à base de Deroxat, elle avait perdu quinze kilos. Son poids l'obsédait de nouveau et cette transformation avait suffi à ce qu'elle se sente mieux. Claire voulait qu'on pense qu'elle allait bien. Au fond, ce qu'elle ressentait n'avait aucune espèce d'importance. Elle guettait le regard des autres, l'interprétait, et si elle pouvait se convaincre qu'ils pensaient qu'elle était formidable et qu'elle avait de la chance, elle se sentait bien.

Elle avait trouvé un emploi à mi-temps, comme secrétaire dans un club de sport huppé, ses filles réussissaient à l'école, elle les mettait en avant comme si elles étaient la preuve vivante de son propre équilibre, elle les brandissait à la face du monde, elles étaient sa mention Très Bien au grand examen de la réussite. Les femmes quittées après cinquante ans par des maris qui veulent de la jeunesse affirment volontiers « j'aurais préféré qu'il me quitte plus tôt, j'aurais pu refaire ma vie ». Elles ne savent pas ce qu'elles disent. Il n'y a rien de pire qu'être quittée avant trente-cinq ans. C'est être quittée pour ce qu'on est, sans pouvoir rien mettre sur le compte de la vieillesse, c'est priver les enfants d'une vie entière avec leurs deux parents, c'est être laissée sur le dos, comme une bestiole idiote qui ne pourrait plus se remettre sur ses pattes.

Les seules compagnes que Claire supportait, à présent, étaient des amies célibataires de son âge qui n'avaient pas eu d'enfants. C'étaient les seules femmes qu'elle plaçait en dessous d'elle, et donc qu'elle pouvait fréquenter sans craindre que la comparaison ne tourne à son désavantage. Mais même celles-là finissaient par la rendre nerveuse. Élise, sa meilleure amie depuis deux ans, avait quarante ans. Elle n'avait pas eu d'enfant, la pauvre prétendait que ça ne lui manquait pas. Claire l'écoutait mentir avec la patience maternelle de celle qui sait que l'autre n'ose pas admettre sa détresse. Ce que ça devait être de faire une

vie de femme sans enfanter, sans ce repère fonda-
mental autour duquel une vie s'organise, Claire préférait ne pas trop y penser, et supportait les diatribes
d'Élise sans sourciller, avec une grande bienveillance.
Mais même Élise n'était pas assez triste, à son goût.
Aux dernières nouvelles, elle projetait de partir en
mer pour plusieurs mois avec son dernier amant en
date, un paumé de dix ans de moins qu'elle, qui de
toute évidence se servait de cette vieille maîtresse
pour régler les factures de son bateau. Et Élise était
convaincue que c'était l'appel de l'amour, et avait
décidé de plaquer son boulot et de laisser son appartement pour prendre la mer. En boucle, Claire formu-
lait mentalement toutes les critiques qu'elle avait à
opposer à cette décision, pour le bien de son amie.
Elle se rendait compte que ça l'obsédait, et reconnaissait, sur le divan du psy, qu'il y avait un fond de
jalousie dans cette inquiétude. Quarante ans, il n'était
même pas trop tard pour qu'Élise tombe enceinte.
Elle ne souhaitait pas qu'elle souffre. Simplement, elle
désirait qu'elle reste dans une gêne légèrement supérieure à la sienne.

Et puis, quand même, il y avait eu François. Rencontré dans un TGV, première classe, sur le trajet
retour de Lyon où elle avait déposé Élisabeth pour un
stage d'équitation. Claire lisait un livre de Paul
Morand, qu'elle trouvait ennuyeux, mais n'ayant rien
emporté d'autre, elle l'avait ouvert et essayait de s'y
intéresser. L'homme assis à côté d'elle avait hésité
quelque temps avant de lui adresser la parole. Au
début, tout ce qui lui plaisait chez lui, c'était qu'il
s'intéresse à elle. Il lui avait arraché son numéro de

portable avant de la quitter à la gare, et avait rappelé dès le lendemain, insistant pour l'emmener dîner.

Elle le trouvait grassouillet, un peu vieux, les traits fatigués et ses mains courtes et rougeaudes avaient quelque chose de paysan. Plus imbu de lui-même que charismatique. Mais elle avait apprécié qu'il la complimente pendant trois heures de trajet, même si le pathétique de la situation ne lui échappait pas : draguer sa voisine de wagon n'avait rien de prestigieux. Il avait dit qu'il écrivait, et avait répété son nom sur le message qu'il avait laissé sur sa boîte vocale. Quand elle l'avait tapé sur Google, ses sentiments avaient changé. Intérieurement, elle s'était moquée d'elle-même, « alors voilà, trois articles laudateurs le concernant, et tu le trouves plus fréquentable… à ton âge, un comportement de groupie, tu devrais avoir honte ». Puis elle avait appelé Lucette, sa manucure qui lisait sans arrêt – Lucette et elle étaient devenues assez proches, elle restait pour le thé après lui avoir fait les ongles, et elles papotaient, de tout et de rien. Lucette avait un fils et une fille, mais aucun des deux pères n'avait reconnu les petits ni n'était resté pour les rencontrer. Elle avait de grosses difficultés financières, une famille qui lui prenait tout ce qu'elle gagnait, l'un dans l'autre être amie avec elle était agréable, d'autant qu'elle avait de l'humour, et un joli brin d'esprit. Lucette lisait beaucoup, elle essayait d'oublier ses chagrins en s'évadant dans les livres. À l'évocation du nom du nouveau prétendant, elle avait très bien réagi : « *Mata Hari dans tous mes rêves… * un roman fabuleux, tu ne l'as pas lu ? Je te l'apporte si tu veux ? Tu l'as rencontré ? Non ? » Sa réaction avait donné envie à Claire d'accepter le rendez-vous à dîner.

Elle s'y était plutôt ennuyée, quoique appréciant le luxe de l'endroit, restaurant de fruits de mer, très beau cadre, bon vin, grosse addition. Ça n'avait pas été bien compliqué de s'en tenir au « pas le premier soir ». Elle l'avait laissé toucher sa main, dans le taxi, au retour, intérieurement convaincue qu'il ne sortirait rien de plus de cette aventure. Quand il ne parlait pas de lui, il se lançait dans des diatribes sur les prix littéraires, les journalistes publiant de mauvais livres mais obtenant de bonnes critiques des confrères, les auteurs traduits alors qu'ils ne le méritent pas, ou les succès injustifiés. Mais François s'était acharné, et dès le lendemain il voulait qu'elle l'accompagne au théâtre, voir l'adaptation d'un roman écrit par un ami à lui.

Elle avait accepté, projetant de lui faire faux bond à la dernière minute. Néanmoins, à la librairie de son quartier, Claire avait trouvé une édition poche de *Mata Hari dans tous mes rêves*, reproduction d'un détail d'un Botticelli en couverture, pas très excitant. Et cet après-midi-là, allongée tout habillée sur son lit, elle était tombée amoureuse. Glissée sous son pouvoir, au fil des pages et des descriptions. Une envie presque douloureuse avait pris forme dans son ventre, envie d'appartenir à l'homme dont la main rédigeait ces lignes, envie de se placer sous son regard, d'être traversée par sa lucidité, dépecée vive, exhibée, vue, retranscrite. L'écriture avait une autorité. Chaque phrase devenait érotique, parce que décidée, telle quelle, par le pouvoir de l'homme qui la désirait. Elle n'avait encore jamais lu un roman en pensant, physiquement, à celui qui l'avait écrit. Certaines pages étaient particulièrement agressives à l'égard des femmes, qui avaient déclenché chez Claire un désir sauvagement sexuel.

Claire avait passé tout l'après-midi au lit, à lire. C'était plus bouleversant que de coucher vraiment avec lui. Les filles à peine rentrées, ce soir-là, elle les avait laissées seules, le temps d'un aller et retour en métro au Virgin Megastore, ouvert jusqu'à minuit, où elle avait trouvé deux romans de lui en poche et une édition grand format. Trouver des romans portant le nom de cet homme dans ce grand magasin avait achevé de la transporter dans un délire érotique insensé. Elle avait peu dormi, enfoncée dans les pages, avec la sensation d'être bien vivante, quelque chose dont elle avait oublié le goût depuis longtemps. Lui plaisait jusqu'à ce qui lui paraissait un peu puéril, comme cette façon de se donner toujours le beau rôle, même dans les situations où il était évident que le narrateur n'en menait pas large. Il fallait toujours que François torde la scène de façon à ce qu'elle descende au niveau de son personnage, qu'il puisse la dominer. Mais ça aussi, ça lui plaisait, un côté enfantin, peut-être une fragilité, un point de lui qu'elle pourrait protéger. Ses romans chuchotaient, au creux du cœur, elle y avait rencontré un homme qu'elle pouvait aimer.

Dans les faits, quand ils avaient effectivement couché ensemble, quelques jours plus tard, ça ne s'était pas passé comme dans un livre de lui. François était plus âgé que ne l'était Christophe.

Quoi qu'on puisse dire contre la pornographie, elle avait eu le mérite d'apprendre aux hommes de son âge qu'on ne fait pas l'amour affalé sur sa partenaire, sans même se soulever de temps à autre pour regarder la tête qu'elle fait. François n'était pas un mauvais amant, mais il était d'une autre époque. Il frottait les parties de son corps qu'il pensait concernées contre les siennes, donnant l'impression de profiter de ce qu'elle se laisse faire. Claire n'était pourtant pas femme à s'attendre à jouir. Ça lui était arrivé quelquefois, on aurait pu parler d'inadvertance. Elle ne trouvait pas ça spécialement intéressant. Mais, quand même, un peu de sensualité, un minimum de formalités ne lui aurait pas déplu. Elle avait toujours été intimement convaincue que c'était pareil pour tout le monde, et que les autres faisaient comme elle : elles jouaient sur les mots quand elles parlaient d'orgasme. Sauf les malades, bien entendu. Mais les femmes normales, comme elle, aimaient bien le moment du sexe, sentir que l'autre y prenait du plaisir, et que ça passait par elles. Ça remplaçait l'orgasme, en fait, ce goût qu'elle avait de la peau de l'autre, de son membre, de son plaisir. C'était, selon elle, la vraie jouissance de la femme. Ce partage.

François s'était donc tortillé sur elle deux minutes, avait joui, eu l'air content, déclaré que pour une première fois c'était drôlement bien réussi, et qu'ils allaient faire mieux – il ne doutait pas qu'elle voudrait de lui, pourtant il était vieux par rapport à elle, mais il était sûr de lui : elle l'aimait, elle le voulait. Là-dessus il s'était endormi et avait ronflé. Dépitée, Claire avait pensé au sexe avec Christophe, le souvenir qu'elle en gardait, cette alchimie parfaite, entière ; son corps à elle donné, appartenant, marié, et profondément heureux de l'être. Cette expérience, dans la chair, de leur complémentarité. Se souvenir de ses mains, la taille parfaite de ses mains enserrant ses hanches, l'autorité joueuse avec laquelle il la pliait, la tendait, la cherchait dans son ventre qui semblait s'être déployé, elle était un ventre noir et chaud, sans fin, et lui la remplissait entièrement. Mais, en fait, on pouvait faire l'amour comme ça et puis se quitter deux jours après. Claire ne se racontait jamais l'histoire dans son ordre chronologique, en remonter les événements ne l'intéressait pas, elle s'en souvenait chaotiquement. Ce qui dans son esprit représentait le sexe avec Christophe une fois pour toutes s'était déroulé les premières années de leur histoire. Ils avaient à peine eu le temps de recommencer à faire l'amour après la naissance de Mathilde, et ensuite il y avait eu Élisabeth, et Christophe pendant des mois n'avait plus essayé de la toucher.

Cette première nuit auprès de François avait été la pire de toutes. Elle avait pensé à rentrer chez elle, sans le réveiller. Les petites étaient chez sa mère, elle pourrait profiter d'une matinée tranquille. Mais elle ne connaissait pas le quartier où il habitait, elle avait peur de ne pas trouver de taxi. Et puis, elle ne voulait pas le blesser, même en laissant un mot, il aurait pu trouver son geste hostile. Elle rédigeait dans sa tête les bribes du roman qu'il aurait pu écrire, sur elle, si jamais elle ne se comportait pas correctement avec lui. Cette habitude, prise dès le premier rendez-vous, devait par la suite conditionner son attitude avec lui.

Elle essayait toujours de se conduire en bonne héroïne. Au fil du temps, elle devait comprendre qu'elle n'interviendrait jamais dans les romans de son mari. Elle ne faisait pas partie de son imaginaire romanesque, il en faisait un point d'honneur. Ça l'avait déçue, comme tant d'autres choses. La vie passe, une série de capitulations.

Elle était restée, d'abord avec, puis chez François, et les premiers temps, il y avait eu un état de grâce. Sexuellement, il l'avait étonnée. S'il ne montrait guère de sophistication dans un lit, il s'était révélé autrement inspiré du jour – ça n'avait pas tardé, il le lui demandait au bout d'une semaine – où il avait proposé de l'attacher. Claire avait aussitôt répondu oui, sans rien montrer du dégoût que la proposition provoquait en elle. C'était des jeux de vieux couple, pour pimenter le rapport, sinon pourquoi ferait-on des choses pareilles. Ça, c'était avant qu'elle y passe. Parce qu'une fois debout, bâillonnée, petite culotte baissée aux genoux, les bras en l'air, ligotée par les poignets au dernier barreau de l'étagère à livres, elle avait découvert que, par moments, elle oubliait de se demander si elle était trop grosse ou acceptable, si son partenaire se sentait bien, si elle ne faisait pas trop de bruit, car tout ce qui l'intéressait, c'était son sexe entre ses cuisses qui battait la mesure, comme un marteau furieux. Elle avait demandé, gémi, attendu. Changé, radicalement, d'avis sur le sexe. Il y avait eu un temps d'extase. Ça se voyait, tout le monde lui faisait la remarque : elle était épanouie. Les copines lui trouvaient une mine formidable. Ça avait été une révélation, et le ciment de leur couple. Le ciment du socle, en tout cas. Parce qu'ensuite, c'est sûr, ils avaient espacé les jeux, puis oublié de jouer.

C'est difficile, un couple, avec trois filles. Ça fait beaucoup de temps sans être seuls. Les amies de Claire lui avaient conseillé de se méfier. Sa mère en avait parlé tout de suite : « Valentine fera tout ce qu'elle peut pour t'éloigner de son père. » Ce qui lui avait paru déplacé. On ne met pas les deux amours sur le même plan. Elle se souvenait très bien des femmes de son père à elle, les femmes dont l'âge ne variait pas au fur et à mesure que son père devenait un vieil homme, et que Claire avait de plus en plus le même âge qu'elles. Les très jeunes filles qui couchent avec de vieux messieurs ont toujours quelque chose de tordu. Des filles de moins en moins intéressantes, qui savaient de moins en moins bien s'habiller, mais le vieillard s'en contentait. D'ailleurs, au bout d'un moment, son père semblait sénile, ses petites amies auraient pu faire caca sur la table qu'il aurait crié « au popo » et trouvé ça charmant. Il faisait ce qu'il pouvait, avec ce qui lui restait. Il avait l'air content, du reste.

Les femmes de son père se succédaient, chez elle, et chacune se comportait comme si elle était la première et la dernière de toutes, la définitive. Une série de belles salopes. Exactement ce que Claire ne voulait pas être pour Valentine. Ni hostile, ni intrusive, ni injuste. Une adulte respectueuse, et ouverte. Mais la petite avait été infecte avec elle. Claire avait entrepris de la neutraliser par la bonté, de la submerger de tact, d'amour et de compréhension. Valentine avait décrété tout de go que Claire était demeurée. Puis elle n'en avait plus démordu. La plupart du temps, elle refusait purement et simplement de lui adresser la parole. « Tu me lâches, s'il te plaît », étaient les mots qu'elle l'avait entendue prononcer le plus souvent. L'adolescente, en revanche, s'était toujours montrée correcte avec Mathilde et Élisabeth. Les trois filles semblaient avoir établi un accord tacite de non-agression.

Claire avait voulu se convaincre que tout allait s'arranger, à force de bonne volonté. Un jour, Valentine était venue lui faire lire une nouvelle qu'elle venait d'écrire. Claire aurait dû se douter que ça n'était pas vraiment pour avoir son avis. C'était l'histoire d'une « juive infâme » – Claire était protestante, au début ça l'avait rassurée, elle avait pensé que ça ne la concernait pas – d'une lubricité redoutable, se promenant à quatre pattes dans la maison en réclamant à grands cris qu'on la corrige sur les fesses. Suivaient de longues descriptions des paquets de graisse sur ses grosses cuisses tremblantes sous chaque coup. Comment Valentine avait pu connaître autant de détails sur la nature de leurs rapports ? Mystère. Ils n'avaient jamais rien fait quand les enfants étaient dans la maison. Claire n'avait osé parler à personne de l'histoire écrite par la petite. Mais son obscénité, aberrante, l'avait démoralisée. Valentine lui fait peur. Ça remonte à un moment, déjà. C'est atroce de l'admettre, mais c'est mieux quand elle n'est pas là.

Elle sort du bain. Réconfortante chaleur de l'épaisse serviette-éponge grise, accrochée au-dessus du radiateur. Buée sur le miroir. La salle de bains est en désordre, les filles ont pris leurs douches avant elle et ont laissé traîner tout ce dont elles se sont servies. Elles ont une salle de bains à côté de leur chambre, mais dans la sienne la baignoire est plus grande, et les étagères chargées de produits de beauté qu'elles vandalisent consciencieusement. Elle a beau savoir et se répéter que ça n'est pas dirigé contre elle, ça lui donne toujours l'impression que ses filles l'agressent « t'es vieille t'es moche alors laisse-nous la belle salle de bains et les produits qui sentent bon, toi ton tour est passé ». Le psy sous-entend que c'est son agressivité à elle qu'elle imagine exprimée par les autres.

Ça ne s'était pas arrangé, avec le temps. Valentine refusait de s'asseoir à la même table pour manger et si on l'y contraignait, elle était odieuse. François ne savait pas comment réagir. Il pensait que ça passerait. Au fond, il trouvait ça normal que la petite ne s'entende pas avec sa belle-mère. Jacqueline Galtan prenait le parti de sa belle-fille. Elle pensait que Valentine avait besoin d'être recadrée. L'adolescente était devenue violente, physiquement. La première fois qu'elle avait mis une claque à Claire, elles étaient seules dans la cuisine. Valentine buvait du Coca en ouvrant une glace, et gentiment Claire avait fait remarquer que ça faisait beaucoup de calories. « T'en fais pas pour moi, quand je serai grande, je veux pas être pute, comme toi. » Aussitôt, les larmes étaient montées aux yeux de Claire. La vulgarité ne faisait pas partie de son mode de communication. Elle avait trouvé la force de répondre, pour une fois « mais qu'est-ce que tu t'imagines, ma petite ? Que ta famille est assez riche pour qu'on soit avec ton père pour l'argent ? ». Et Valentine l'avait giflée. « Pauvre pouilleuse, tu bosses pas, tu fous rien, tu vas pas m'emmerder, en prime. » La conversation n'avait pas de sens. C'était la terreur qui comptait. Claire avait raconté la scène à François. Il avait ensuite longuement discuté avec Jacqueline. Il avait été convenu de venir en aide à l'adolescente. Restait à choisir le centre qui lui conviendrait le mieux. Le grand-père de Valentine, qui s'était toujours opposé à ce qu'elle soit mise en pension ou même rencontre un psychologue, était mort quelques mois auparavant. Claire le regrettait, elle aurait tellement aimé que ça se passe bien. Mais on ne pouvait plus laisser l'adolescente partir à la dérive. Puis la gamine avait disparu.

Ça ne s'est pas bien passé avec la détective. Depuis qu'elle est partie, Claire sent dans son ventre un désagrément familier, comme quand on vient de casser un objet de valeur, ou de rater un rendez-vous sans pouvoir prévenir la personne à qui on pose un lapin. Une sensation de mal fait.

Elle n'avait pas imaginé ça comme ça. Jacqueline leur a annoncé qu'elle avait engagé une privée, et ça paraissait être une excellente idée. La police, c'est trop compliqué. Forcément, ils ont l'habitude. Ils ne s'affolent pas. Et puis la publicité que ça peut faire, on ne sait jamais. François ne le supporterait pas.

C'est difficile de ne pas savoir où est Valentine. François ne s'en rend pas compte, mais il est transformé depuis que sa fille est partie. Il a pris dix ans, en quelques semaines. On croit que c'est une image quand on entend d'autres le dire. Mais l'expression dépeint exactement ce qui se passe : il a pris dix ans.

Un visage d'homme vieux a remplacé celui de l'homme mûr. Il aime tellement sa fille.

Il a mal réagi, quand la détective est venue. « Je n'ai pas grand-chose à vous dire. À quoi ça servirait que je vous raconte la vie de Valentine ? Je suis ravi que vous puissiez profiter de la douleur des familles pour nous extorquer une fortune, mais, sans vouloir vous faire de peine… Si je ne sais pas où la chercher, je doute que vous en soyez capable. » La détective regardait autour d'elle, elle n'a pas eu l'air blessé. Ses yeux fouillaient l'espace. Elle se tenait, voûtée, sur le bord du canapé, semblait chercher ses questions avec peine. François n'a pas pu dire non quand elle a demandé si elle pouvait passer un peu de temps seule dans la chambre de la petite. Assis sur le canapé, il soupirait rageusement. Il voulait qu'elle sorte de chez lui. Claire n'a pas bien compris la violence de sa réaction. Elle s'est assise devant la télé, préférant ne pas intervenir. Au bout d'un moment, il est venu la voir, hors de lui : « Une laide, en plus. Il ne manquait plus que ça, non ? Ça ne m'étonne pas de ma mère. Tout ce qu'elle peut faire pour m'emmerder… elle n'en rate pas une. » La privée n'était pas restée enfermée longtemps dans la chambre de Valentine. Après son départ, tout était en place, si elle avait fouillé – elle l'avait certainement fait – c'était en se souciant de ne rien déranger.

François n'avait pas parlé des coups. Ni des insultes. Il aurait peut-être fallu le faire. Valentine leur avait coupé le souffle, l'appétit, l'envie de rire, la parole. Et il a refusé de parler de Vanessa. Son premier mariage, à lui. Tout ce que Claire en sait, c'est

105

Jacqueline qui le lui a raconté, ou bien elle l'a déduit de la lecture des romans qu'il a écrits pendant les années qui ont suivi. Elle comprend bien ce silence. Elle n'aime pas parler de son premier mariage, elle non plus. Elle déteste la légèreté avec laquelle les gens l'écoutent. Mais c'est idiot de ne pas avoir dit à la détective que Vanessa habite Barcelone. Ça lui ferait gagner du temps. Valentine est sans doute allée la rencontrer. En dépit des mises en garde des adultes autour d'elle, l'adolescente aura voulu se rendre compte, par elle-même, de ce que sa mère ne veut pas entendre parler d'elle. On ne peut pas lui vouloir de ça. Mais si François apprenait que Claire s'est permis d'appeler Vanessa pour la prévenir, il serait hors de lui. D'autant que, pour le lui avouer, il faudrait qu'elle explique qu'elle lui avait déjà téléphoné, auparavant. Au début de leur histoire. Pour la rencontrer. Voir comment elle était. Vanessa n'est pas une bonne personne, elle est aussi négative et empoisonnée que le portrait que Jacqueline en dresse. Mais Claire a pensé qu'elle devait être prévenue.

La main droite de Rafik passe de la souris à la tasse Thermos argentée pleine de café brûlant, ses yeux sont rivés à l'écran. Il convertit les infos piratées en données auxquelles j'ai une chance de comprendre quelque chose. Je reste assise à côté de lui, sans oser me plaindre que tout ça prend beaucoup de temps.

Rafik est arrivé à Reldanch au milieu des années 90, il s'est d'abord installé dans un placard au fond du 4e étage, avec un ordinateur doté d'une énorme tour. Jean-Marc raconte que sa connexion internet passait par une ligne de téléphone et qu'elle faisait un bruit sauvage, qu'ils entendaient mugir à intervalles réguliers. Deux ans plus tard, il s'installait dans un petit appartement qui venait de se libérer, au rez-de-chaussée de l'immeuble, pour avoir la place de mettre ses machines et d'embaucher des assistants, puis il a annexé la loge de la concierge, remerciée sans être remplacée. Dans son local toujours obscur, les bécanes clignotent obstinément, le bruit des ventilateurs crée un fond sonore abrutissant et les gens qui travaillent là portent presque tous des casques. Ça ne leur viendrait pas à l'idée d'ouvrir les volets, ils disent que c'est pour ne pas se faire braquer, mais vu l'épaisseur des barreaux qu'ils ont posés aux fenêtres, même un gang de Tchétchènes motivés laisserait tomber l'affaire. D'autant que les locaux sont rarement vides, l'équipe de Rafik n'est pas du genre à quitter les lieux pour dormir. Il règne entre eux une compétition implacable, ils doivent se dire que s'ils s'éloignent trop longtemps de ce centre de pouvoir, ils perdront leur place dans la course. Le domaine de Rafik est devenu le cœur, les poumons, le cerveau et les yeux de la boîte.

Quand il est arrivé, tout le monde a trouvé épatant qu'il ait accès aux comptes bancaires, factures de téléphone, fiches d'identité civile ou historiques légaux aussi facilement. Puis Rafik a convaincu le boss qu'il fallait se mettre en cheville avec un cabinet d'avocats spécialisés dans le contrôle des données sur le net. Les anciens se sont dit qu'il déraillait : ça ne pouvait intéresser que trois VIP égarés de surveiller l'occurrence de leurs noms sur internet. Mais Rafik a eu gain de cause et mis au point son service exactement un an avant que les forums, blogs et autres commentaires d'articles n'explosent, faisant de son secteur le plus rentable de toute notre activité. Ils nettoient la toile. Nos avocats partenaires envoient des mails d'une agressivité telle que les hébergeurs n'opposent guère de résistance. Quand, d'aventure, ils font les réticents, il suffit de défoncer la page en question, et basta. Quand on voit opérer l'équipe de Rafik, on comprend vite que tout discours éthique concernant la censure a mal saisi l'esprit de la modernité : tout contenu virtuel est effaçable, soumis par nature à réécriture, rature et manipulation. Les clients se sont vite donné l'adresse de Reldanch. Il leur arrive de plus en plus souvent de payer l'équipe pour égratigner la concurrence.

C'est encore Rafik qui est allé prévenir l'ancien boss que la surveillance des ados allait générer un gros chiffre d'affaires, qu'il fallait qu'on se spécialise avant les autres. Il était le premier à apporter un téléphone espion au bureau, et à imaginer que sa fonction principale ne serait pas la détection d'adultère. Les lois sur le divorce n'avaient pas encore changé, qui devaient rendre le flagrant délit inutile et rendre une partie de nos activités désuète. Rafik aime la technologie, il en prévoit bien les applications. Il a vu juste : le portable est devenu une prothèse indissociable des enfants, et les parents ne voient pas pourquoi ils n'y auraient pas recours pour savoir, en temps réel, ce qu'ils font, disent, envoient, reçoivent et dans quels lieux ça se déroule. Le chiffre d'affaires est exponentiel. Reldanch était une des premières boîtes sur le coup. D'une certaine façon, c'est au flair de Rafik que je dois d'avoir été embauchée.

Ce matin, quand je suis arrivée, lestée d'un disque dur qui pesait trois kilos dans mon sac à main, je m'attendais à ce que, comme d'habitude quand j'ai quelque chose à demander au rez-de-chaussée, on me fasse attendre une demi-heure sans prendre la peine de me désigner une chaise où m'asseoir. Dans l'équipe de Rafik, être aimable ou accueillant équivaut à une marque de faiblesse. C'est leur service qui fait marcher la boîte. Nous, ceux de l'étage, ne sommes qu'une bande d'antiques pachydermes, tolérés dans leurs pattes. Mais aujourd'hui, Rafik s'est levé dès qu'il m'a vue – je ne pense pas qu'il ait déjà pris la peine de me dire bonjour, auparavant, au point que ça m'a surprise qu'il soit capable de me reconnaître aussi facilement. Il a fait comme si on avait toujours été de bons amis. J'ai senti les regards de l'équipe se poser sur moi, un par un, m'évaluant de haut en bas, sans la moindre bienveillance, dans un mélange désagréable d'envie et d'hostilité.

Rafik m'a demandé de m'installer au fond de l'open space, à sa droite. J'en ai finement déduit qu'il avait été prévenu par la Hyène, et qu'elle ne m'avait pas menti : elle le connaît, et bien. Je suis contente du traitement de faveur, mais surprise de la malveillance immédiate qu'il suscite à mon endroit. Je sens les coups d'œil méfiants et hostiles me poignarder dans le dos.

Je n'ai jamais aimé son équipe. Leurs petits tons pointus, leur lexique auquel on ne comprend rien, cette discrétion qui relève davantage du complexe de supériorité que de la timidité. Je n'aime pas la fausse gaieté tapageuse des couleurs de leurs fringues, ni les montures de lunettes qu'ils choisissent. Je n'aime pas leur humour. Leurs réflexions systématiquement racistes qu'il faudrait prendre au troisième degré pour ne pas être politiquement correct, quand ils sont incapables de voir un Noir, un Chinois, un Indien ou un Rebeu sans aussitôt le renvoyer à sa race. Dans l'équipe de Rafik, en général, ils sont pour le libéralisme, ils sont joyeusement proaméricains et envisagent de devenir prochinois, et ils alignent tout ça sur le ton du gars qui n'a pas peur de se mettre à l'écart, qui n'a pas peur d'assumer ses opinions. Toujours du côté du pouvoir, ils ont l'impression d'être à l'avant-garde de la subversion. J'imagine avec perplexité cette France qu'ils évoquent, où collectivisme et bolchevisme seraient les mères de tous nos vices. Une France impitoyablement végétarienne, de partouze interraciale où chacune sodomise son voisin en brandissant des étendards « Sandinista ». Quant au courage de dire à voix haute ce que personne d'autre n'ose dire, ces jeunes gens ne peuvent même pas prononcer les mots « heures sups » quand ils passent trois nuits blanches d'affilée au rez-de-chaussée, et lorsqu'ils se font engueuler, la faible lueur de haine au fond de leurs yeux n'a de chance de se muer en grand incendie que le jour où la pyromanie sera inscrite au programme scolaire. Ils en ont contre les grévistes, ils en ont contre les émeutiers, ils en ont contre les artistes, ils en ont contre les étrangers, ils en ont contre les vieux, ils en ont contre les fonctionnaires, ils en ont contre les assistés – sans que ça les gêne pour toucher les allocs logement ou les indemnités chômage dès qu'ils en ont l'occasion. Rafik leur parle mal, les paye mal, ne les remercie jamais, ne les félicite pas. Rafik les traite comme ils aiment être traités, et ils le respectent, et en retour, ils travaillent impeccablement bien. Ils sont méprisants avec tous ceux qui n'officient pas à leur étage, et nous avons fini par intégrer nous aussi l'idée qu'on appartient au passé.

Rafik se démène sur son clavier, on croirait qu'il va faire décoller une fusée. Il marmonne « ne t'en fais pas, j'en ai pour cinq minutes », ce qui en langage commun se traduit par « tu vas passer toute la journée assise à poireauter à côté de moi ». J'ai envie d'être dehors, j'ai envie d'être chez moi à zoner sur internet, j'ai envie d'entrer dans un cinéma et de voir un bon film. Je me fous de savoir ce qu'il y a dans les ordinateurs de gens que je ne connais pas et qui m'ont paru parfaitement odieux quand je suis passée chez eux. L'appartement m'a agressée, d'emblée. Trop grand, trop propre, trop cher. J'avais vaguement préparé une série de questions. Ses fréquentations, ses sorties, sa mère. Tout, dans l'attitude de François Galtan, sa façon de répondre sèchement, d'éviter de me regarder comme si ça le catastrophait de devoir me souffrir cinq minutes chez lui, hurlait « sors de chez moi, tu n'es pas capable de retrouver ma fille ». La belle-mère s'est montrée moins désagréable, mais dans son amabilité, je décelais un mépris de classe encore plus humiliant. Quand elle a fini par admettre que ça ne se passait pas très bien entre elle et la petite, François Galtan a levé les yeux au ciel : « Tu es sa belle-mère, Dieu du ciel, depuis quand les filles d'un premier mariage s'entendent-elles avec leur belle-mère ? » Je n'ai rien appris sur la mère biologique de la petite, ils prétendent n'avoir aucune nouvelle d'elle depuis plus de dix ans. Ils mentaient, mais je n'ai pas eu le courage d'insister. Je n'avais qu'une idée en tête : quitter les lieux au plus vite.

Rafik se lève et entreprend de brancher divers câbles sur la machine à côté de la sienne, puis allume l'écran devant moi, que je puisse voir ce qu'il voit. Il s'adresse à moi à voix basse, sur un ton hypnotique, typique des gens qui font deux choses en même temps :

— Pour retrouver la mère, j'ai mis quelqu'un d'extérieur sur le coup, toute mon équipe était occupée, ça ira plus vite, et je préfère que ça reste entre nous. On aura une fiche dans la soirée, je pense.

J'acquiesce, en jouant la fille pas étonnée. C'est donc ça, faire partie du gratin : ne rien foutre et laisser les autres se démener. Je me concentre sur l'historique internet que Rafik détaille à voix haute, en faisant défiler de longues listes sur les deux écrans. Il commence par l'ordinateur de François Galtan. Je garde pour moi la réflexion qui me vient à l'esprit : on s'en tape un peu de ce qui se passe sur le disque dur du père. C'est un connard, mais il est peu probable qu'il séquestre sa propre gamine dans sa cave, et quand bien même ce serait son genre, je doute qu'il s'en vante sur internet. Rafik m'explique que ce qui s'affiche correspond à la navigation internaute du père.

Des logos « A » soulignés d'une virgule jaune s'affichent sur toute une colonne, je clique sur l'un d'eux et tombe sur la page de vente de son dernier roman, *La Grande Pyramide de Paris*.

— Mais qu'est-ce qu'il fout sur Amazon à regarder son livre trente fois par jour ?

Derrière nous, un assistant dont je ne soupçonnais pas la présence éclaire ma lanterne, pas gêné de révéler qu'il écoute tout ce qu'on chuchote :

— Il regarde son classement dans les ventes. Il change toutes les heures.

Je jette un regard par-dessus mon épaule, surprise de ce qu'il ait réussi à prononcer une phrase entière sans prononcer « firewall » ou « routeur ».

— J'ai un copain qui a publié un essai. Le classement des ventes l'a rendu fou. Il s'est mis à commander son propre livre. Il en commandait un par jour, il essayait de ne pas le faire, mais il regardait son livre chuter, il ne pouvait pas le supporter. Il en a commandé plus de cinquante avant que sa mère ne l'emmène en vacances, de force, à Saint-Domingue, dans un bungalow sans connexion.

— Galtan ne doit pas beaucoup commander le sien. Il est 77 000e. C'est pas bon, ça, si ? Peut-être qu'on devrait lui en prendre quelques-uns ? Déjà qu'il n'a plus de fille, le pauvre.

Rafik et le gosse éclatent de rire, comme si mon humour était dévastateur. L'assistant rigole parce que je suis assise à la droite de Rafik, qui rigole parce que je suis envoyée par la Hyène. Ça doit être ça, « un cercle vertueux ». À part ça, le père consulte les pages livres du Figaro, les Échos, Bibliobs, le classement l'Express, ouvre Livres Hebdo et des blogs qui s'éreintent très sérieusement sur ce qu'est LA littérature. Galtan laisse moult commentaires ignobles, sous des identités diverses. On les retrace, sans problème : « qu'elle aille se faire enculer, avec son énorme cul plein de merde » à propos d'une collègue. On sent l'homme épanoui, sans aigreur ni trouble personnel. Les commentaires sont postés après la disparition de sa fille. Voilà quelqu'un qui ne se laisse pas déconcentrer facilement.

Je parcours ses boîtes mail, il en a trois : une pour son activité d'écrivain, presque exclusivement consacrée à son attachée de presse, qu'il bombarde de mails dragueurs et faussement légers « je me demande bien pourquoi je ne suis·pas invité à "La grande librairie", je pensais qu'il s'agissait d'une émission littéraire et comme j'écris des livres... je me demande également si tu portes cette robe rouge qui te rend si attirante », on se doute qu'il aimerait être capable de se modérer, mais il lui écrit dix fois dans la journée. Si la fille a des lacunes dans son listing presse, il est là pour les combler : il lui signale tout ce qui existe, tous supports confondus, et qui parle de romans. Une deuxième adresse est personnelle, elle sert pour les proches et la famille. Je n'y trouve aucune mention directe de la disparition de la petite. Il se contente de signaler, régulièrement, qu'il est « au plus mal » et s'excuse de ne pas participer à telle fête, anniversaire ou soirée. La dernière adresse est clandestine, elle sert à ses maîtresses. Il conserve soigneusement toute sa correspondance. On peut reconstituer, sur les deux dernières années, la valse lourdingue et peu fournie de ses maîtresses consécutives, avec ordre des ruptures. Il est lâche. Quand il quitte – et il ne quitte que quand il est assuré d'en serrer une nouvelle, pas de temps mort entre deux adultères – il se contente de disparaître, et bien que les messages envoyés par les répudiées ne soient même plus ouverts, ils sont consignés, chacun dans son dossier. De son côté, Rafik s'attaque aux documents Word, versions de sa biographie, ébauches de quatrième de couverture, les premières lignes d'un texte sur les femmes, une lettre officielle à un ancien opérateur de téléphonie qui n'a pas résilié son abonnement, et quelques notes sur les bordels à Paris au siècle dernier. Le défilement rapide des pages sur écran me donne la nausée. J'ai envie de faire une pause.

— Le seul truc intéressant, c'est qu'il ne parle jamais de sa fille.

— C'est normal : c'est un homme, et les hommes n'aiment pas se plaindre.

Il m'explique ça comme si jamais de ma vie je n'avais eu la chance d'observer directement comment vivent les hommes, cette race humaine méconnue dont on sait qu'ils avancent dans l'existence dignes et droits, silencieux et forts. Rafik ouvre le disque dur de la belle-mère, j'ai l'impression d'être punie. Elle s'intéresse de près aux différentes façons de préparer le canard, le bœuf et les tartes au citron. Elle poste sur des forums de mamans, des commentaires débiles sur les lectures de ses filles. Je suis déjà en pilote automatique, quand je passe aux mails. Elle en envoie un nombre terrifiant. Il est vite question de Valentine. « C'est terrible de voir sa chambre vide. » Oui, on se doute qu'elle ne va pas annoncer tout de go qu'elle pense en faire un dressing-room. « Je serre mes filles contre moi en priant de ne jamais être dans cette situation atroce, ne même pas savoir où elles sont. » Attentive depuis trente secondes, je me sens déjà appelée par les sirènes de l'ennui le plus profond, sauf qu'en remontant un tout petit peu avant la disparition, ça devient plus intéressant. « Ça recommence. Ça s'est passé de nouveau dans la cuisine, elle m'a plaquée contre l'évier en me hurlant des choses terribles, je venais de lui conseiller de faire attention à ce qu'elle mange, elle m'a traitée de tous les noms. Maintenant j'ai peur quand je l'entends rentrer. Elle va dans sa chambre sans me parler, mais je sais qu'elle est là et j'ai peur qu'à n'importe quel moment elle en sorte et me frappe. J'ai peur le soir avant de m'endormir, je me dis que dans la nuit elle pourrait prendre un couteau et m'égorger. François me répète de ne pas m'en faire, que ça va lui passer, mais lui ne l'a jamais vue quand elle fait une crise. Elle est méconnaissable, c'est un monstre. » Rafik est tendu, silencieux, il ouvre mécaniquement les mails, je suis redressée sur mon siège et scotchée à l'écran. Plusieurs sensations se mêlent, la jubilation de tomber sur quelque chose, mais aussi une certaine joie d'imaginer la connasse à gilet beige qui m'a méprisée dans son salon, ce matin, se tortiller contre un évier, terrorisée. « Ce matin Valentine m'a giflée, avant de partir à l'école. Je sais que tu vas me dire que je dois parler à François et que je ne peux plus rester dans cette maison avec elle. Je suis comme pétrifiée par la situation. J'ai passé toute la journée à pleurer. » Rafik me demande, en même temps qu'il continue de lire :

— Tu l'as trouvée comment, la belle-mère ?

— Maxi baffable.

Ses doigts lâchent le clavier une seconde, il se tourne vers moi :

— Si c'était son mec qui la frappait tu trouverais ça scandaleux, mais quand ça vient de sa belle-fille, tu trouves ça drôle, c'est ça ?

— Non, je te jure : si c'était son mec, je trouverais ça formidable, aussi.

Rafik hésite, puis sourit d'un air entendu, je vois que j'ai marqué des points.

— Ça ne m'étonne pas que tu fasses équipe avec « elle »…

Je m'abstiens de lui raconter que moi aussi, j'ai grandi avec une belle-mère, et que ça me rend plutôt sympathique n'importe quelle branleuse qui cognerait sur la sienne. Rafik trouve une série d'échanges entre Claire et Galtan mère, qui contiennent plusieurs liens vers des sites d'établissements psychiatriques privés. Suisse, Angleterre, Canada, États-Unis. Elles ont ratissé large. Claire assure à la grand-mère son soutien actif auprès du père, qui paraît rétif à l'idée de faire enfermer la petite. Il serait dans une forme de déni bien compréhensible, heureusement que les deux femmes s'occupent de tout. Rafik me tend la main, comme si je devais me féliciter de quelque chose. Toujours à mi-voix, il me dit en ouvrant le dernier disque dur :

— Je te laisse décortiquer ça dans le détail toute seule, mais ça ouvre quelques perspectives.

— Si Valentine s'est doutée de quelque chose, on comprend mieux qu'elle ait jugé utile de se sauver.

— Et on comprend aussi pourquoi ils t'ont embauchée… Pour ce genre d'établissement, il faut un dossier, c'est comme une grande école.

— Le dossier, j'aime autant te dire qu'elles l'ont.

— Il paraît que c'est gratiné ?

— Elle le fait pas avec des chiens, mais franchement c'est sa seule limite.

La nuit est déjà tombée quand on se retrouve dans un petit bar de la Goutte d'Or, pas loin du bureau. C'est ramadan, la salle est bondée. Clientèle exclusivement masculine. Odeurs mêlées de café, thé à la menthe et nourriture épicée en provenance de l'arrière-salle. On est installés dans un petit recoin à gauche du comptoir. Le chibani qui tient l'endroit a l'air de bien connaître la Hyène, encore un qui l'a à la bonne. Rafik ne s'en remet pas :

— Il faut remonter à plus de deux mois en arrière pour retrouver une activité téléphonique normale, avec échange de coups de fil et SMS. Presque trois mois. On n'a jamais vu ça... Si t'as quinze ans et que tu cesses toute activité internet et portable... comment ça s'explique, ça ? Une déprime, même profonde... ça ne t'empêche pas d'updater tes mails, de temps à autre. La drogue ? Impossible... Au contraire, on trouverait sa trace sur le web à toute heure du jour et de la nuit. L'amour ? Sans portable ? T'imagines, une love story sans SMS ?

La Hyène se laisse moins perturber :

— Elle fait peut-être partie d'une secte dont on n'a pas encore entendu parler. Une secte qui ferait un ramadan de l'électronique ?

— Trois mois sans téléphone portable, sans mail, sans Twitter, sans RIEN. Pas le moindre post sur un blog. Je te trouve trop calme : t'as une idée derrière la tête et tu la gardes pour toi, voilà ce qui se passe.

Je suis assise en face d'eux, et personne n'attend que je dise quoi que ce soit. Mon ego est plus piétiné qu'un vieux mégot sur un trottoir. Je commence à m'habituer. Je vois le côté reposant de la situation. Je ne risque pas de dire une connerie, par exemple. On ne me demande rien. Pas même de payer mon verre. J'ai une légère migraine, d'avoir passé la journée entière devant un écran d'ordinateur. Rafik retourne l'énigme dans tous les sens :

— À moins qu'elle ait mis des trucs de cul tellement hardcore sur internet que son père ait préféré raquer pour tout faire disparaître, et qu'ensuite ils lui aient expressément interdit toute mise en ligne de toute information...

— Ça n'explique pas qu'elle n'envoie aucun mail.

— Et tu es formelle : tu es sûre de ne l'avoir jamais vue dans un cybercafé ? Ni utiliser le portable d'un pote ? Jamais ?

Cette question m'était destinée, mais le temps que je me réveille, ils sont déjà passés à autre chose. La Hyène n'a qu'une seule idée en tête :

— Et les infos sur la mère, Rafik, t'auras ça quand ?

— Ça tombera demain dans la journée. Pour l'instant, je n'ai rien à son nom, ni sécu, ni impôts, ni compte bancaire. Mais ça va remonter, je ne m'en fais pas. On peut faire comme aujourd'hui : je déroule avec Lucie, et le soir...

— Non, demain, on a un truc à faire ensemble. On va à Bourges, il y a concert de « Panique Dans Ton Cul ». On va aux balances. T'écoutes pas ça, toi, Rafik, entre Rihanna et Lady Gaga ?

Cette fois, j'interviens dans la conversation :

— Ravie d'apprendre que je suis en déplacement, demain.

120

— Qu'est-ce qui t'arrive, Derrick, t'avais d'autres plans pour ta journée ?

Elle prend Rafik à témoin, hilare :

— J'ai rarement vu quelqu'un qui voulait autant ne rien foutre.

— Ça serait trop demander de me tenir au courant ? Il s'agit de mon temps, quand même.

— Pas de problème, Derrick, la prochaine fois je te notifie ça par fax.

Je lève les yeux au ciel, en soupirant bruyamment, histoire de signifier que j'en ai marre qu'elle m'appelle Derrick, et qu'elle se foute de moi. Elle prend Rafik à témoin :

— Ça y est, t'as vu ? Elle est folle de moi. Ça leur fait toutes ça. C'est presque un problème, à la longue. Je te l'ai toujours dit, Rafik, l'important, avec la testo, c'est pas la quantité, c'est la qualité. La mienne, ça les rend comme des chiennes, elles ne comprennent pas ce qui leur arrive. Elles m'aiment, c'est tout.

Le lendemain, la Hyène m'attend en bas de chez moi. Cette fois, elle roule en 4 × 4 gris métallisé, je n'ai pas saisi d'où elle avait sorti ce monstre. On traverse Paris avec lenteur, dans cette voiture j'ai l'impression d'être en carrosse, on est assis super haut, ça donne envie de saluer les piétons en secouant doucement la main, comme ferait le pape ou la reine d'Angleterre. France Gall chante « Si, maman si, si, maman si », je n'avais pas entendu cette chanson depuis longtemps. En surimpression, images bizarrement nettes, que je n'avais jamais reconvoquées, de dimanche matin dans la voiture de mes parents, à l'arrière, quand on allait pour le week-end voir les grands-parents et qu'on écoutait « Stop ou Encore ? » sur le trajet. Puis Michel Berger commence à chanter « Si tu crois un jour que tu m'aimes », et je réalise que ça n'est pas la radio. La Hyène roule en silence, absorbée dans ses pensées, elle conduit loin du volant, bras tendus.

— On ne va pas arriver un peu tôt pour un concert ?

— Je connais quelqu'un de l'organisation, j'ai appelé pour savoir quand ils faisaient les balances. Je me suis dit que pris dans une ville de province où ils ne connaissent personne, juste avant de monter sur scène, ils seront plus faciles à aborder.

— Tu as réfléchi à ce qu'on allait leur demander ?

— De quoi je pourrais leur parler ? La situation en Israël ? La taxe carbone ?

— Je veux bien que tu arrêtes de toujours t'adresser à moi comme à une mongole.

— Change de genre de questions, ça m'aidera.

— C'est vrai que c'est Kromag qui t'a appelée la Hyène ?

— Non. Je m'appelais déjà comme ça quand j'ai commencé à taffer. C'est parce que j'ai un énorme clit.

Je lève les yeux au ciel. Je n'aime pas ce genre d'humour. J'ai l'impression qu'elle me fourre ses parties génitales sous le nez. On met un peu de temps pour entrer sur l'autoroute, j'essaye de m'intéresser à ce qu'on fait :

— Tu as trouvé beaucoup de renseignements sur ce groupe ?

— J'ai vu leur page Facebook. Gosses de riches, hargneux, ils ont l'air gentiment White Power.

— « Gentiment » White Power ?

— Je me suis un peu renseignée, ils magouillent leur connerie, dans leur coin… c'est plutôt des branleurs, je crois. Des gosses de riches qui aimeraient être fils de prolos. Ça devrait leur passer dès qu'ils intégreront l'entreprise à papa.

— T'es du genre que ça ne choque pas, le racisme ?

— Je suis vieille, tu sais. Quand je vois des gosses blancs qui ont besoin de déclarer « I'm white and I'm proud », tout ce que j'en pense, c'est que de mon temps ça ne nous aurait jamais traversé l'esprit de préciser qu'on était fiers d'être blancs… Si on y pensait, c'était pour avoir pitié des autres, point barre.

— Qu'ils ne soient pas affiliés à un groupe précis ne les empêche pas d'être politiques, si ?

— Si t'as pas d'interface avec le politique, que ton groupe est pas très connu et que tu restes entre potes dans une cave… C'est plus comme si t'étais poète, en un sens. La poésie, on ne peut pas en vouloir aux gens d'avoir envie d'en faire, si ?

— Tu ne les prends pas trop au sérieux, si je comprends bien.

— Écoute, ils doivent avoir dix-sept ans… ils se déclarent extrême droite sur leur site, et où ils vont jouer ? Dans une salle tenue par des gouines. C'est pour ça que je connais l'organisation. Bref, l'un dans l'autre, non, je n'envisage pas de leur délivrer un cours de bonne conduite morale.

Elle n'a que ça à la bouche, ma parole. Gouine, gouine, gouine, je n'ai jamais autant entendu répéter ce mot que ces derniers jours. Comme si j'en avais quoi que ce soit à foutre. En ce qui me concerne, qu'elle soit lesbienne, folle de la queue ou abstinente, le tarif est le même : il faut que je la supporte, et je me contre-tape de savoir ce qu'elle fabrique avec ses fesses quand enfin elle me lâche. Elle reprend :

— L'extrême droite, c'est plus ce que c'était… ils auraient plus vite fait de se rebaptiser « l'amicale des gros culs geignards », on comprendrait mieux de quoi on parle. Valentine, bien sûr, tu ne l'as jamais vue traîner dans des trucs faf, ou religieux, ou quoi que ce soit d'un peu politique ?

— Si elle tenait un stand de tir à la kermesse de soutien à la Palestine, j'aurais pensé à t'en parler.

— Peut-être qu'elle t'avait repérée, et qu'elle se cachait.

— C'est sûr que… il m'est arrivé de la perdre… Tu crois qu'elle a fait une fugue pour faire des Sieg Heil, déguisée en Jeanne d'Arc ? Pourquoi elle se cacherait pour le faire ? C'est pas comme si elle craignait de faire des conneries…

— Ça peut être un problème pour son père. Aucun romancier respectable n'a envie de voir sa fille avec une croix gammée tatouée sur le front, c'est un coup à faire jaser dans les dîners.

L'autoroute n'est pas trop chargée. Zone industrielle. Hangars surmontés d'enseignes immenses, parkings devant, comme un long couloir commercial. J'avais oublié que j'aime faire de la voiture, sortir de

Paris et regarder le bitume s'enfiler en bas du pare-brise. Très vite, champs et forêts encadrent la route.

On arrive vite à Bourges. Je reconnais ce froid et cette lumière d'hiver. Les arbres sont dénudés, le paysage est plat, carrés des champs, marron et jaune, le ciel est bas, les contours nets. Une rigueur de France rurale. J'ai des remontées d'enfance, encore une fois, cartable sur le dos, bus scolaire, gants perdus et vélo dans les terrains vagues.

On se gare dans une cour carrée, graffitée. Une tête de clown, énorme, est peinte au-dessus de la porte d'une école de cirque. Il est cinq heures et il fait déjà sombre. Je suis la Hyène dans la salle de concert, vide, aucun technicien ne prête attention à nous. On passe un escalier à droite de la scène, on longe un couloir, la Hyène se tourne vers moi, me demande si je suis prête, puis me conseille en chuchotant :

— Tu restes derrière moi. Quoi qu'il arrive, tu ne souris pas, tu gardes les yeux au-dessus de leurs têtes, tu ne parles pas, tu ne bouges pas. On y va ?

Je fais signe que oui, pas que je me sente si prête que ça, mais le moment serait mal choisi pour avoir besoin d'une préparation. Je trouve qu'elle aurait pu me briefer sur tout ça pendant les trois heures de voyage. Elle entre dans la loge sans frapper. Pièce carrée, sans fenêtre, murs peints en jaune, miroirs encadrés d'ampoules rondes, salles de douche sur le côté. Le local est rempli de fumée, qui ne parvient pas à masquer tout à fait l'odeur de jeunes fauves. Je reste appuyée contre la porte, mains dans les poches, assez longtemps, malgré les consignes je me retrouve avec un léger sourire aux lèvres, histoire de dissimuler mon malaise.

Ils sont nombreux dans ce petit endroit, tous de sexe masculin, ils ont dû nous prendre pour des gens de la salle, ne font pas tout de suite attention à nous. J'ai physiquement peur d'être là. Je me raisonne en les observant à la dérobée, ce sont tous des gamins. Mais des gamins grands, très tatoués, très piercés, deminus, bien foutus. Habitués les uns aux autres, ils sont bruyants. Je ne pense qu'à ma respiration, la contrôler, partant du principe que tant que le rythme cardiaque ne change pas, on n'émet rien que les animaux en face puissent interpréter comme de la peur. Ils sont sept, j'ai à peine le temps de les compter que la Hyène, debout au centre de la pièce, pousse un cri bref. Déplacé, mais efficace. Comme si elle était un coach sportif chargé de ramener un peu d'ordre sous les douches. Autant je me sens rabougrie, autant elle me donne l'impression de s'être déployée. D'habitude je la trouve frêle et maigre, mais pour la première fois je remarque qu'elle est carrée, elle a des épaules de nageuse. Elle en fait trop. Bizarrement, ça lui va bien. Je m'attends à la voir se frapper la poitrine comme Tarzan et à hurler « je vous prends, tous ». Au lieu de quoi elle les dévisage un par un, jusqu'à ce qu'ils fassent le silence, et avant qu'ils aient le temps de commencer à la vanner, elle jette son dévolu sur un petit brun. C'est, à mon goût, le plus beau. On dirait qu'elle l'a choisi.

— J'ai besoin de parler à l'un d'entre vous. Je suis chargée d'une enquête sur la disparition de Valentine.

126

Un blond hilare, qui pourrait être, à l'allure, le plus vieux de la bande, répond du tac au tac :

— Vous êtes quoi ? Vous êtes keuf ? Vous avez vos papiers ?

Il a de mauvaises dents, ça lui donne un côté prolo que les autres n'ont pas. Pas encore, ou pas du tout. Ils sentent le savon, sous les odeurs de jeunes mâles. La Hyène a enfoncé ses mains dans ses poches, elle sourit :

— Non, mon enfant. La police, ça sera seulement si on la retrouve en pièces détachées, la petite. Là, on est venues pour discuter, tranquilles.

Le petit brun qu'elle a avisé dès son arrivée la prend de haut, mais lui répond, et du coup la légitime :

— Et qu'est-ce qui vous fait croire qu'on la connaîtrait, votre Valentine ?

Il a les traits délicats. Rien ne dit qu'il sera encore beau, plus tard, mais pour le moment il est sublime. Malgré les piercings et son air torve, il a quelque chose d'angélique. Ce que la vie va lui mettre, il peut toujours faire le malin, ça se voit qu'il n'en a pas le début d'une idée, et c'est ce qui fait son charme. Son nez se retrousse légèrement quand il veut faire le type qui n'est pas impressionné. Je suis surprise par le silence qu'elle a réussi à imposer. Dompteuse de lourds. Il y a quelque chose en elle, dans sa façon de se tenir au milieu de la pièce, de les regarder bien en face, dans son sourire et son calme même, de légèrement inquiétant. On ne peut pas dire qu'elle fasse peur, mais ses yeux brillent un peu trop, sa bonne humeur est comme grinçante. Je repense à Kromag et

aux dizaines de fois où il m'a raconté leurs expédi-
tions ensemble. Oui, maintenant que je suis collée à la
porte avec les bras croisés et que je la regarde faire, je
commence à comprendre ce que ça a de fascinant. De
malsain. C'est le plaisir qu'elle y prend qui est le plus
dérangeant. Elle a un don pour suggérer que ça pourrait dégénérer, qu'elle ne demande pas mieux. Elle
s'adresse au petit brun avec une douceur sous laquelle
elle ne cherche pas à cacher une part de démence
pure :

— Parce qu'on m'a beaucoup parlé de vous. Beaucoup parlé de vous.

Capharnaüm de rires, éclats de voix, ils sont tous
revenus à la vie, sur un signal invisible, comme un
groupe d'oiseaux qui prend son virage, synchrone. Ils
s'apostrophent, protestent, rigolent, se remettent à
bouger. La Hyène ne lâche pas le petit brun des yeux,
elle fait un pas vers lui, change de ton, se fait plus
menaçante :

— Est-ce que tu as peur d'être sans tes copains
cinq minutes ? Tu vas te pisser dessus si tu leur lâches
la main ? J'ai trois questions à te poser. C'est au-delà
de tes forces ?

— Non. Mais j'ai rien à vous dire. Je la connais
pas.

— Si. Si. Tu la connais, tu la connais bien, même.
Tu crois que j'ai fait la route depuis Paris sans être un
petit peu au courant ?

On dirait un serpent, les mots sifflent et s'enrou-
lent. Il cherche ses potes des yeux, l'ambiance est
retombée, ils continuent de ricaner mais le cœur n'y
est plus. Je ne comprends pas comment ça se passe, ni

pourquoi un des gros balaises ne l'attrape pas par le colback pour simplement la foutre dehors. Le gamin ferait mieux de refuser tout net, mais il est trop jeune pour le savoir. Il se lève en roulant des mécaniques. Il se comporte déjà avec elle comme il doit le faire avec le proviseur de son lycée, et au final il n'a pas dû se faire renvoyer souvent d'un lycée. Il sauve la face devant ses potes, l'accompagne à la porte en déclarant crânement :

— Si tu veux vraiment me voir en tête à tête, madame… Je vais pas t'obliger à me le demander à genoux. Oh, les gars, si je ne suis pas de retour dans un quart d'heure, vous préviendrez police secours ?

Elle le fait passer devant nous, regarde son cul pendant qu'il marche, il n'a pas fait cent mètres qu'elle déclare, pensive :

— Putain, on peut dire que tu te laisses embobiner facilement, toi… Tu te laisses toujours séparer de la meute aussi vite ?

Il se retourne, surpris de son ton. Je crois que son instinct l'a prévenu depuis le départ que cette bonne femme était chelou, mais il a préféré écouter sa raison, et se dire qu'il n'y avait rien à craindre d'une vieille qui cherchait à retrouver une gosse. Elle le pousse en avant, juste un coup de paume dans le dos pour le mettre en route, elle lui dit « t'en fais pas, ça va être rapide ».

Petite cour, à côté de la salle. Isolée des regards. Il fait nuit noire, à présent. Derrière les grilles, quelques gamins attendent déjà de pouvoir entrer, j'en vois un qui doit avoir dans les quatorze ans boire de la vodka en tenant la bouteille à deux mains, comme un ourson. Il va bien profiter du concert, lui. La Hyène s'assoit sur un muret, coudes sur les genoux, invite le petit brun à s'asseoir à côté d'elle en tapotant la place avec la paume de la main.

— Tu savais que Valentine avait disparu ?

— J'en ai entendu parler. Je ne l'ai pas revue depuis des mois. Aucune nouvelle.

— Qu'est-ce que tu en as pensé, quand tu as appris qu'elle n'était pas rentrée ?

— Rien. Ça m'a rendu triste pour elle, d'imaginer que ça pourrait être un truc glauque. Mais… rien. J'en ai pensé rien. Je ne sais pas ce qu'on vous a raconté, mais franchement la dernière fois qu'on s'est vus ça remonte à… ça remonte à plus de quatre mois.

— Et c'était comment, la dernière fois que tu l'as vue ?

— À un concert. Elle était bourrée, comme d'hab. Mais bon, nos chemins avaient divergé. Elle s'est mise à traîner avec… je sais pas quoi, des types de sa famille, des rebeus, genre bicots…

— Genre bicots ?

— Des beaufs rebeus, quoi.

— Ah. C'est là que vos chemins ont divergé ?

— Elle est devenue cradingue. Je sais pas ce qu'elle a foutu. J'en ai pas parlé avec elle. Elle est spéciale, Valentine, je sais pas si vous êtes au courant, mais elle a toujours été spéciale. À la fin, c'était trop pour nous, on en avait marre de ses trips. D'ailleurs elle n'avait plus envie de nous voir, elle non plus. Elle nous a lâchés, et tout le monde était soulagé. Mais même avant ça, franchement je ne sais pas pourquoi vous voulez me parler. Elle venait à nos concerts.

Mais on ne la fréquentait pas tant que ça. Elle ne nous a jamais intéressés. Ni comme pote, ni comme copine, ni rien. On voulait juste qu'elle trace, franchement.

— Elle venait à vos répétitions, aussi, non ?

— On lui demandait rien. C'est elle qui nous collait, tout le temps. Elle a le feu au cul, Valentine. Là-dessus, je serais étonné d'apprendre qu'elle a beaucoup changé. Salope un jour... Mais c'est pas mes affaires, si ?

— Non. Et alors, ensuite ?

— Et alors rien. On ne pouvait pas l'empêcher de nous tourner autour. Mais nous, ça ne nous intéresse pas, les filles comme elle. Aucun d'entre nous, on n'est pas comme ça.

La Hyène se frotte le front, comme si elle était soudainement harassée par la fatigue, elle soupire, pour marquer la contrariété, puis elle dit, très doucement :

— Je t'ai dit qu'on en avait pour cinq minutes. J'aimerais bien que ça prenne cinq minutes. Moi, ce que j'entends, c'est un petit garçon qui me ment. Ça me dérange. Le côté cachotteries, tout ça. Ça me dérange. Parce que je ne veux pas te faire rater ton concert. Parle-moi de ce qui s'est vraiment passé avec elle, j'essaye juste de comprendre un peu l'état d'esprit dans lequel elle était avant de disparaître... je ne vais pas te juger. Raconte-moi ce qui s'est passé.

— Rien. Il ne s'est rien passé. Je l'ai pas vue depuis des mois, je vous dis que vous faites fausse route.

Il a parlé un peu trop fort, comme sur le point de s'énerver. Claque. Pas une baffe classique, du plat de la main, une beigne brutale, assénée du tranchant de la paume, la bague de combat trace une ligne rose le

131

long de sa joue. Je ne l'ai pas vue partir. Je crois que lui non plus. Il chancelle, elle le rattrape par la nuque. Dans un film, on dirait que le morphing lycanthrope est un peu rapide et exagéré. Elle est devenue quelqu'un d'autre, sa voix a changé, les prunelles de ses yeux ont changé, son visage est déformé par une colère malsaine, encore contenue. Ses traits sont tirés. Elle n'est plus du tout jolie. Elle est métamorphosée. Et on voit bien qu'elle a de la marge : il ne s'agit que d'un préambule au pire.

Il porte la main à sa joue, la marque est devenue rouge. Il est plus surpris qu'endolori, ouvre la bouche pour protester d'un air mauvais mais quand il voit la tête qu'elle fait il ne cherche même pas à masquer sa terreur. Il se tourne vers moi, pour me prendre à témoin. Je suis pétrifiée, moi aussi. Si j'osais, je m'interposerais, ne serait-ce qu'en pensant à ce que ses parents vont nous mettre, quand il va courir dans les jupes à maman pour lui raconter tout ça. Mais je suis bloquée, mes jambes ne répondent pas, ma raison est figée.

La Hyène se redresse, de son corps pourtant malingre elle tire une force phénoménale, elle le saisit au col, le met bien droit sur ses jambes puis le lance au sol. Un bref instant, il vole. Ensuite elle est à genoux sur sa poitrine, il fait un mouvement des bras pour l'écarter, mais le mieux serait encore la passivité la plus totale, la moindre réticence excite sa fureur et il reprend trois claques, elle le manipule comme une masse négligeable, le retourne sur le ventre, bras bloqué en arrière. Elle appuie son visage dans la poussière pour l'empêcher de crier. Allongée sur lui, elle lui parle à l'oreille :

— Écoute, connasse, je viens de te le dire : on va pas y passer la soirée. T'as un concert, on a de la route, le plus simple c'est que tu fasses vite. Tu doutes encore cinq minutes et je t'ouvre l'anus avec mon poing. Tu sais que je vais te faire super mal quand je vais te fister jusqu'au coude ? Tu veux essayer ?

Tout ça ne me semble pas vraiment nécessaire. Le gamin n'a probablement rien à dire, et quand bien même il en aurait gros à avouer, on aurait pu se débrouiller autrement. Je devrais partir en courant chercher de l'aide. Mais j'ai peur d'elle, et de sa réaction. Elle écarte les genoux du gamin avec ses jambes à elle, lui assène un coup nerveux sur l'arrière du crâne.

— Baisse ton froc, connasse, baisse ton froc je vais te déchirer le cul. Détends-toi, tu vas voir, ça va te plaire.

Les lèvres dans la poussière, il essaye de parler, elle le laisse relever la nuque, sa bouche est pleine de terre et ses yeux remplis de larmes. Il tremble de rage, ou de peur.

— Elle nous a collé au cul pendant des mois, on ne voulait pas la voir, cette meuf, c'est une grosse bourrée, on voulait qu'elle nous foute la paix. Elle était amoureuse de moi, un soir elle m'a bombardé de textos qu'il fallait qu'elle me voie. On était tous un peu partis, je lui ai dit de descendre, elle a fait le mur de chez elle, elle a déboulé à moitié à poil, à la Paris Hilton. On était en voiture. On l'a tous baisée, tous, dans un parking en ville, mais elle était d'accord, elle nous a pas dit de ne pas le faire, elle buvait des bières sans arrêt et elle faisait tout ce qu'on voulait. Après, on l'a laissée là. Mais on lui a pissé dessus avant de partir, elle s'en est même pas rendu compte, elle était à poil, sur le dos. Et le lendemain, elle est revenue à une répétition, comme si on allait continuer à lui dire bonjour et à lui parler. Alors on l'a jetée. Ensuite elle a disparu, changé de bande, je ne sais pas ce qu'elle est devenue. On ne s'en est pas occupé. Je vous jure que c'est vrai.

— Ah, mais quand tu dis la vérité, je l'entends, ne t'en fais pas. Et c'est quoi cette histoire de cousins avec qui elle traîne ?

— C'était avant le parking. Elle m'a dit qu'elle avait retrouvé sa famille, et que c'était des crouilles, mais qu'ils étaient cool avec elle et qu'elle allait les voir. J'en sais pas plus, je parlais pas beaucoup avec elle, je vous jure, j'en sais pas plus.

— Je viens de te le dire : quand tu mens pas, je te crois. Arrête d'avoir peur pour rien.

Au fur et à mesure qu'il a parlé, elle a relâché la pression, il s'est redressé, est d'abord resté un moment sur le ventre puis s'est assis. Autour, personne n'a rien entendu. En tout cas personne n'est intervenu. On entend derrière nous, au loin, les voix des gens qui commencent à entrer pour voir le concert.

Le gamin reste assis au sol, lui jette un regard qu'il voudrait défiant, mais qui fait surtout pitié. Debout devant lui, la Hyène s'époussette soigneusement les genoux, avant de lui tendre la main pour l'aider à se remettre sur pied :

134

— Excuse-moi, pour le dérapage. Mais t'es un peu lent à la détente. Fais pas cette tête, t'en verras d'autres. Tu sais, c'est mieux que je te secoue un peu mais qu'ensuite je ne raconte rien à personne… parce qu'imagine que maintenant j'aille déposer chez les keufs, ou raconter ça aux parents… T'as une idée de la merde dans laquelle je vous mettrais ? Ça serait autre chose qu'une petite raclée, vite fait, à l'arrière d'une salle de concert, non ? Allez, maintenant, file…

Il recule de trois pas, elle claque des doigts en l'air, le prévient :

— Nous, on se tait, mais toi, tu fais pareil, d'accord ? On vient de discuter gentiment, tu te souviens ? Tu passes aux chiottes, tu te jettes un peu d'eau pour nettoyer tout ça, et on oublie que t'as essayé de mentir. Entendu ? Sinon, la prochaine fois que je te serre, morpion, ça sera pas des paroles en l'air : je t'ouvrirai de haut en bas. On est toujours d'accord ?

Elle a prononcé la dernière phrase alors qu'il prenait la fuite. Elle sort une clope de sa veste en jean, son paquet s'est tordu et la cigarette est pliée en deux. Elle se comporte comme si elle avait recouvré tout son calme mais ses mains tremblent encore et son visage n'est pas tout à fait recomposé, quelque chose d'hagard déforme ses traits. Le pire, ça a été la jouissance, la jouissance évidente pendant qu'elle était sur lui. Elle remonte la fermeture de son blouson, fourre les mains dans ses poches et se dirige vers le parking.

— Cette génération, ça va pas être difficile de les faire filer droit. Ils sont en carton-pâte.

Elle m'a demandé de conduire, pour le retour. Je démarre, sans un mot. Je me sens mal. On reste bloquées dans la cour un long moment : devant les grilles de l'entrée quatre gamins sont en train d'en savater un cinquième, au sol, un attroupement s'est créé autour d'eux. Il faudrait leur rouler dessus pour sortir avec le 4 × 4. Je regarde le ciel, pleine lune. J'ai envie de pleurer. Sirène de keuf, dérapage mal contrôlé, une horde de mecs en uniforme sortent de la camionnette, arme au poing et super énervés, ils gueulent encore plus fort que les mômes. J'ai d'abord cru que c'était pour nous, tout mon sang a dégringolé dans mes pieds, suspension cardiaque, blême, mais même pas, ils interviennent pour la bagarre. Ils sont encore plus violents que les gamins bourrés, ils font s'agenouiller tous les gosses au milieu de la route, les mains sur la tête. Un type de l'organisation reconnaît la Hyène, il s'approche de sa vitre en souriant.

— T'es là, toi ? T'as vu l'embrouille ? On est en train d'essayer de calmer les keufs, là. Après, on verra ce qu'on peut faire avec les kids. Tu veux pas rester pour le concert ? Ça va bien se calmer, à un moment donné…

— J'avais juste un truc à dire aux gars du groupe, j'ai pas le temps. Désolée.

Il lui tend un pétard, elle tire deux lattes et le lui rend, il m'interroge du regard, je fais signe que ça ne m'intéresse pas. À quelques mètres de nous, les lumières des gyrophares éclairent la rue, des mômes protestent, certains furieux de ce que les flics veulent entrer sur le lieu, d'autres sont fous de rage qu'ils les empêchent de sortir, et quelques décalés se contentent de pisser debout, en titubant. Le type de l'organisation regarde la scène de loin, visiblement dépité.

— Les concerts de djeunes, on n'en peut plus. Putain, on fait pas ça pour ça…

La Hyène rigole, elle a récupéré tout son calme :

— Les kids ne sont plus très united, on dirait… Vous allez faire quoi ? Devenir un club de jazz ?

— Tu rigoles, mais plus ça va plus j'apprécie les soirées country. Ou la vielle à roue.

Il éclate d'un rire un peu triste. La Hyène demande :

— Mais c'est le public de Panique Dans Ton Cul qui est particulièrement con ?

— Non, tu peux faire un reggae sound system, ici, c'est pareil. C'est rural, Bourges. C'est pas comme à Paris. Maintenant, les gamins, ils viennent, tout ce qui les intéresse, c'est de boire. Le groupe… le groupe, ils le voient pas, ils sont trop déchirés quand le concert commence, ils ne rentrent même pas dans la salle. Ils ont pris leur billet, c'est pas une question d'argent. Ils s'en foutent. Ils se déchirent la tête, ils vomissent et ils pissent…

Cette fois, il rigole de bon cœur, effaré de ce qu'il est en train de raconter. La Hyène déclare doctement :

— Les flics sont trop violents. C'est pas comme ça qu'ils devraient faire leur travail.

— Tu peux même pas leur parler quand ils arrivent, tu peux pas les approcher. Ils sont flippés, t'as vu ? Les mettre à genoux, au milieu de la route, juste après un virage pas éclairé… Je sais pas, moi, ça ne me viendrait pas à l'idée. T'es sûre que vous ne restez pas pour le concert ? On aurait le temps de se prendre une bière ? Ou si vous voulez manger… le groupe a rien touché, je crois que ça les gave grave qu'il y ait une baston avant le set.

— On n'a pas le temps. Ça nous ferait trop tard sur Paris.

Le type déclare qu'il doit y aller, et demande à quelqu'un d'autre de nous faire sortir par l'arrière. J'ai les mains crispées sur le volant, envie de vomir et la gorge sèche. On roule longtemps en silence. Puis elle déclare que je conduis bien, manipule son siège pour le faire basculer. Je ne devrais pas être autant affectée de la scène qu'elle vient de provoquer. J'étais prévenue, elle est connue pour ça : obtenir ce qu'elle veut par la force. Je me sens sale, aussi, de ce que le gosse a fini par dire.

La Hyène sait que je suis secouée, j'ai l'impression qu'elle m'en veut pour ça. J'ai peur d'elle. Elle emprunte mon portable et discute avec Rafik sans me prêter la moindre attention, pendant près d'une demi-heure. Puis elle raccroche, cherche un morceau sur son iPod, opte pour Fever Ray, remonte ses deux pieds sur le tableau de bord et fixe la route.

— Tu vas me faire la gueule comme ça pendant combien de temps ?

— Je ne fais pas la gueule. Je me concentre sur la route.

— Qu'est-ce qui se passe ?

J'ai envie de pleurer. Elle s'adresse à moi sur un ton excédé. J'ai peur que ça la reprenne, et qu'elle me colle une baffe. La créature que j'ai vue émerger dans l'arrière-cour de la salle de concert peut surgir à

138

n'importe quel moment. L'habitacle du 4×4 me semble exigu. Elle pousse un long soupir.

— Quand même, toi, à la longue... on se demande ce que tu fous dans le métier.

Je ne réponds pas. Elle se redresse sur son siège, outrée.

— Oh ! je lui ai mis une baffe ! Une petite baffe ! Il peut bien se prendre une micro-mandale, non ? Ça lui fait pas de mal, merde. C'est pas comme si je l'avais... dépecé à vif, ou suspendu à un crochet. C'est la vie, non ? Tu crois qu'il est en sucre, le petit ? Quand il pisse sur la gosse avec ses potes, tu crois qu'ils se demandent si elle dormira bien le lendemain ? C'est la vie... Ça va, et boum, ça revient...

— C'est clair : je ne suis pas faite pour ce boulot. Je veux plus le faire. J'ai jamais demandé à faire une vraie enquête, moi, j'étais peinarde, à faire la sortie des écoles, c'est Deucené qui m'a...

Les larmes m'empêchent de continuer. À côté de moi, la Hyène me regarde, tendue, puis voyant que je commence à sangloter, elle se met à rire :

— Bon, arrête-toi sur le bas-côté. Je vais conduire. Qu'est-ce que tu veux que je te dise. Une mandale, chérie, je lui ai collé une petite mandale pour qu'il nous raconte ce qui s'était passé. Je te jure qu'à l'heure qu'il est il est moins trauma que toi... je suis sûre qu'il donne un bon concert, ce con. Ça lui a réaligné les chakras, c'est comme ça que ça marche. Allez, mets ton clignotant et arrête-toi. Tu peux pas conduire en chialant, c'est pas prudent. Je le crois pas, ce que tu me fais comme plan. Je le crois pas.

J'arrête le véhicule sur la bande d'arrêt d'urgence. Elle descend pour prendre ma place, je me glisse à la sienne. Elle revient sur ses pas et ouvre la portière de mon côté. C'est nerveux, je ne peux pas m'arrêter de pleurer. Elle me tire doucement à l'extérieur.

— Je suis désolée. Jamais j'aurais pensé que tu… prendrais ça comme ça. Je suis désolée, je t'assure. Allez, calme-toi, maintenant.

Elle me prend dans ses bras et je voudrais la repousser, parce qu'elle me dégoûte et aussi parce qu'elle est lesbienne, je ne veux pas qu'elle en déduise qu'elle m'attire ou je ne sais quoi. Mais son corps est vaste, chaud, ses bras autour de moi, ça n'a rien d'une étreinte de séduction, plutôt comme se serrer contre une statue solide et rassurante. Je laisse ma tête reposer contre son épaule, elle caresse mes cheveux, je pleure.

— Mais y a pas idée d'être sensible comme ça… J'aurais dû te prendre avec moi, aujourd'hui… T'as quelque chose avec la violence ? T'as eu des problèmes ? Tes parents t'ont battue ? T'as été violée ? Mais qu'est-ce que t'as, alors ? Tu vas avoir tes règles ? Écoute, Lucie, j'y peux rien : c'est comme ça qu'on fait parler les gens. Sinon ils t'envoient chier, direct. Y a rien qui marche comme la violence, pour bien communiquer.

Elle reprend le volant. J'ai les yeux gonflés et une soudaine envie de dormir. Elle monologue, en conduisant trop vite.

— C'est un monde, il est comme ça. Je l'ai pas inventé. Y a pas de dignité, y a pas de douceur. Tous ceux qui sont droits, ou qui ont de l'honneur, ou qui sont doux, tous ceux-là ont été exterminés. Ça fait un moment que c'est en route. Y reste que des gens comme moi. La racaille. Les gens comme toi, je sais pas quoi te dire… vous pouvez pas vous en tirer. Tu te rends compte, toi ? Même institutrice, il faut être plus dure que tu ne l'es.

Elle me prend au sérieux, pour la première fois depuis qu'on se connaît. Ça me fait plaisir. Je me promets de penser à pleurer, de temps en temps. Elle me lance de brefs coups d'œil latéraux, pour voir si je change d'humeur :

— T'as entendu, tout à l'heure ? Rafik a bien avancé. Il a l'adresse de la mère, elle est à Barcelone. Ça tombe bien, j'adore aller là-bas. Elle a changé de nom, elle s'est mariée avec un architecte. Ils sont blindés de thunes. Cette histoire de cousins, ça m'intrigue. Il faudrait voir ça avant de quitter Paris. On descendra à Barcelone en 4 × 4, ça te va ?

— Pourquoi on prendrait pas l'avion ?

— Je ne supporte pas les aéroports. La fouille, les portiques, les connards avec leurs petites valises à roulettes qui te passent devant, les connards en uniforme, les connards en famille, les connards qui te fouillent… Ne pas pouvoir fumer, ne pas pouvoir sortir une fois que t'es enregistré, sortir son passeport quarante fois, être bloqué dans un satellite pourri et minuscule sans savoir quand tu seras libéré, enlever tes chaussures tous les cinq cents mètres… Oublie. Dommage, parce que l'avion, par contre, j'aimais bien le coup des petits nuages par le hublot.

Je me demande si elle veut descendre en caisse pour passer la frontière avec des armes. Je préfère éviter le sujet, et parler d'autre chose.

— Tu crois que Valentine a fugué à cause de l'histoire du parking ?

— Je pense pas, non. Elle ne les voit plus. Je pense que c'est vrai. Il s'est passé autre chose.

— Quand même, ils l'ont violée.

— T'as vu la brochette de connards ? Tu serais allée les rejoindre la nuit pour boire de la bière avec, toi ?

— Non. Sauf s'il nous a menti et qu'il avait été cool avec elle, avant, et qu'elle n'avait pas compris ce qui allait se passer.

— T'as raison, c'est possible. Mais quoi qu'il en soit, c'est pas une raison pour fuguer : si toutes les gamines qui se font violer se sauvaient, il n'y en aurait plus beaucoup dans les maisons… Quand j'étais jeune, je croyais que lesbienne c'était ce qu'il y a de plus difficile au monde, mais en vérité, vous, les femelles hétéros, vous mangez bien de la merde, aussi. On vous répète tellement que c'est bon que vous finissez par faire miam miam, mais vous mangez, putain, vous mangez.

— Et on ne va rien dire aux parents de Valentine ?

— Non. Je ne vois pas en quoi ça les regarde.

Pleins phares, nous sommes seules sur cette autoroute. Les radars nous flashent, à intervalles réguliers. On ne distingue rien du paysage, plongé dans l'obscurité. Je regarde défiler du noir, l'épaule appuyée contre ma fenêtre.

— Ôte-moi d'un doute : quand on va aller voir sa vraie mère, Valentine, tu vas lui sauter dessus à pieds joints, si elle refuse de te parler ?

Elle éclate de rire, sans me répondre.

Impossible de dormir, après qu'elle m'a laissée en bas de chez moi. J'ai noté le nom de jeune fille de la mère de Valentine, que j'entre sur le moteur de recherche internet. Composition d'une équipe de foot algérienne, les paroles d'une chanson allemande, une société de gardiennage à Nantes, un article dans *El Watan* sur un village sinistré… peut-être que dans cette famille, personne n'ouvre de page à son vrai nom. Découragement, mêlé de fatigue et d'énervement. Mon salon minuscule n'est éclairé que par la lumière bleue de l'écran, j'éprouve vite une légère nausée à faire défiler les pages. Un mal de mer informatique. Je travaille mécaniquement, en même temps concentrée et absente. Copains d'avant. Une fiche qui pourrait être celle d'une tante de Valentine. Lycée d'Aulnay-sous-Bois, puis des études de droit, vite abandonnées, vu les dates. Ça peut cadrer, elle a une quarantaine d'années. Lien avec son Facebook, où figure sa date de naissance. Le nom de famille est écrit différemment, ce qui explique qu'au départ je n'ai trouvé personne. Je note les prénoms des enfants. Trouve une page MySpace au nom d'un des fils. Tedj. Il s'est ouvert une page, mais ça ne l'a pas amusé long-temps : elle est presque vide et complètement aban-donnée. Le gamin a 34 amis. Je vais les voir, un par un, et finis par tomber, de lien en lien, sur la page Facebook d'une cousine. Puis chez un autre cousin, la famille virtuelle s'étend. Je tiens le fil. Ils laissent beaucoup de messages sur les murs les uns des autres. Une Nadja a posté des photos par centaines, elle documente bien sa vie de famille. Je fais « pomme F », « Valentine », systématiquement, à chaque nouvelle page. Ne réfléchis plus trop à ce que je fais au moment où, bingo, trois occurrences. J'y suis. Rush d'adrénaline, une explosion nerveuse. Valentine, au centre d'une photo de famille, prise autour d'une table. Deux mois avant la disparition. J'observe les visages, autour d'elle. Un petit binoclard qui rigole, un gros ronchon, deux gamines voilées, un frimeur en Lacoste, une cousine à l'allure sage et d'autres plus délurées. Je reconnais Nadja, la cousine, sur la photo, ça fait deux heures que je la regarde sous tous les angles. Elle est belle, mais pas dans un genre tendre. On n'a aucune envie de l'emmerder. Et son frère, Yacine. Qui n'aime pas être photographié, mais à qui elle ne laisse pas le choix. Valentine n'apparaît que dans une seule série.

J'appelle Rafik. Ça ne m'étonne qu'à moitié qu'il réponde à quatre heures du matin.

— À base d'un Facebook, tu peux me retrouver une adresse ?

— Ça serait quoi, mon boulot, sinon ?

5

Yacine

Il salue d'un signe de tête les lascars de son immeuble. Court silence sur son passage. Très bien, ça lui fait des vacances. Il sait que dans son dos ça va encore parler, mais face à lui, ils gardent leurs grandes bouches fermées. Il a sa réputation. Le couteau. Les flingues, ça les fascine tous, mais les flingues dans une baston deux fois sur trois tu manques ta cible. Il faut être un tireur d'élite pour que ça vaille la peine. Le couteau, si tu sais t'en servir, tu ne rates jamais. Il suffit d'être prêt à saigner. Et motivé par une philosophie, une idée qui te dépasse. Qu'il y en ait un qui la ramène. Tout le monde a envie de le défier, mais il est trop fort pour qu'ils s'y aventurent. Ils sont blindés au shit, rien ne les tient debout, ils ont la colonne molle. Personne ne lui adresse la parole. Ça ne lui manque pas. Qu'il soit né ici ne l'oblige en rien à leur ressembler. Tocards. Ça ne l'intéresse pas non plus, leur hip-hop à un euro douze. Il écoute la musique qu'écoutait son père. De la funk, de la soul. De la vraie musique. Quand les Renois n'étaient pas encore des bouffeurs de merde à même le cul des Blancs, prêts à jouer des abdos pour n'importe quelle caméra

145

télé. Dans l'escalier, des gamins jouent avec un chien. Il leur fait signe de dégager. Les chiards se dispersent sans insister. Ils ont peur de lui. Qu'est-ce qu'ils cherchent, au juste ? Se faire attraper la gueule par le molosse et après ça sera encore la une dans les journaux parce que la tour, chaque fois qu'on la voit quelque part c'est qu'il y a eu un mort ? Il se demande qu'est-ce que foutent les mères, pendant ce temps. Encore en train de se peindre la face, elles ne savent même pas se maquiller, tant qu'à être des putes elles pourraient au moins faire un effort, apprendre à s'arranger. Mais même ça, être des salopes correctes, c'est au-delà de leur force. Torcher leurs gosses, c'est trop leur demander, être belles, c'est trop leur demander. Elles ne savent rien foutre. Et celles qui se mettent en mode foulard ne valent pas mieux que les autres. Elles friment tout ce qu'elles veulent à faire la sortie des écoles, la bande à Dark Vador, jamais ça ne fera d'elles de bonnes croyantes. Rentrées chez elles, elles sont des chiennes, des feignasses et des ignorantes. Pas étonnant que plus tard les gamins deviennent les racailles qu'il croise tous les jours. Sa mère à lui ne les a jamais laissés traîner toute la journée dans les escaliers. Chez lui, ça ne se passait pas comme ça. Même s'il n'y avait pas de bonhomme à la maison, elle sortait le ceinturon et personne ne mouftait. Maintenant, il est un homme, si quelqu'un sort le ceinturon, c'est lui.

Dans son entrée, il retient sa respiration. Odeur de cumin, de clope froide et de pisse. Des animaux. Ils ont Allah à la bouche toute la journée, mais ils se tiennent comme des bestiaux. Ce sont des adultes qui font ça. Et pas que les bourrés. Tous. Incapables de se retenir pour aller pisser dans un coin. Moins que des clébards. Si ça ne tenait qu'à lui, il pourrait leur apprendre. Tous. À se tenir. Trancher les couilles du premier qu'on chope à pisser dans les ascenseurs. Ça les remettrait d'aplomb, tout de suite.

Il perd son temps avec l'école. Sa mère veut qu'il y aille parce qu'elle dit qu'elle ne veut pas de problème, ni avec les allocs, ni qu'aucun de ces connards sociaux ne se permette d'entrer chez eux. Une fois, son grand frère a déconné à l'école et sa mère a dû aller voir la prof et la directrice. Elle l'a massacré, au retour, elle l'a massacré jusqu'à ce que ça lui fasse mal à l'épaule. Puis elle l'a laissé là, à terre, dans le salon. Elle a regardé son autre fils et ses deux filles : la prochaine fois que je dois passer dix minutes chez ces enculés à me faire insulter parce que l'un d'entre vous n'a pas filé droit je le jure je le tue, je vous tue tous et je me tire une balle dans la bouche, compris ? Ils obéissent. Ils respectent leur mère. Yacine comprend ce qu'elle veut dire : elle n'a pas envie d'être assise dans un bureau à l'école à écouter ces enculés lui faire la leçon. Elle ne leur demande pas de bien travailler. Elle ne regarde pas les bulletins de notes. Elle ne dit rien s'ils redoublent. Elle leur demande de fermer leur gueule et d'y aller, jusqu'à seize ans. Pas d'histoires. Elle ne veut pas d'ennuis. Elle a raison. Mais il n'écoute pas, à l'école, rien de ce qu'on lui raconte. Cette culture-là n'est pas pour eux. On ne peut la leur faire rentrer de force dans le crâne. L'enseignement des français de souche. Ça ne le regarde pas. Il a une tante qui a fait des études, elle se la pète parce qu'elle

147

est devenue prof en fac et qu'elle prépare une thèse. Elle peut se la péter tant qu'elle veut. Qu'est-ce qu'elle croit ? Qu'on la prend moins pour une bicote parce qu'elle a singé leur culture ? T'as raison, Laïla, t'as raison, on est sûrs que tes collègues te traitent comme une des leurs. Rêve, crevarde, rêve. Ça lui semble pire que d'être la pute du quartier, ou le dealer de crack du coin. Et elle ne gagne pas une thune, avec ça. Elle roule en Clio et vit comme eux. Elle fait attention à tout ce qu'elle met dans son Caddie et n'a pas de quoi quitter la ville pour les vacances.

Il n'écoute pas à l'école, son instruction, il la fait tout seul. Il n'écoute pas, mais il entend, à travers le brouhaha pénible des cours où tout le monde braille. Il l'entend, la pute au tableau, qui balbutie que la violence vient de la peur de l'autre. Conneries. Ils n'ont peur de personne, c'est bien ça le problème. Il ne fout pas le bordel, en classe. Il se contente de la fixer, parfois son regard tamponne le sien. Elle l'aime bien, elle aimerait bien l'accrocher. Elle se dit qu'elle aimerait bien qu'il participe, elle pense qu'elle pourrait lui apporter quelque chose. Cette clocharde. Elle aimerait surtout qu'il la baise, il le sait quand elle le regarde et qu'il la fixe en retour sans sourire, elle aimerait qu'il vienne la voir à la fin du cours et lui demande d'aller discuter littérature en privé. Ça la ferait kiffer. Il ne fourre pas n'importe quelle pute. Ça non plus, il n'est pas comme ça. Il se tient droit. Personne ne peut lui ôter ça. Sa dignité.

Quand il arrive à la maison, il sait immédiatement que les bruits ne sont pas ceux de d'habitude. Sa mère n'est pas dans la cuisine, où elle est toujours à cette heure-là. Sa sœur ne crie pas de sa chambre où elle regarde la télé « je sens d'ici que t'as fumé ». Elle se fout de lui, tout le temps, avec ça. Elle dit qu'un bon musulman ne fume pas. On ne sait pas où elle est allée inventer ça. Nadja pense qu'il faut fournir des efforts, constants, il n'y a que comme ça qu'on reste dans le droit chemin. S'avachir, c'est régresser. Ils sont tout le temps ensemble, depuis qu'ils sont petits. Son autre sœur est partie, mariée. L'appartement est plus grand depuis qu'elle n'est plus là. Raouda faisait bien la cuisine, s'occupait de la maison et c'était plus facile pour sa mère. Mais elle prenait trop de place. Parlait tout le temps, écoutait des conneries à la radio.

Quand il arrive chez lui, son visage change. Se détend. Il pose le masque. Aujourd'hui, il sent que quelque chose n'est pas comme d'habitude, il se recompose un visage avant d'entrer dans le salon.

Une femme brune à cheveux courts est assise sur le canapé. Jambes écartées. Comme un mec. Pas comme une lascarde, vraiment comme un bonhomme. Elle est encore belle. C'est à cause de sa peau, le grain de sa peau chope la lumière et la rend lumineuse. Et la finesse de son nez, aussi. Elle a de grands yeux, sérieux. Elle ne lui sourit pas quand il entre, elle le regarde droit, pile le temps qu'il faut pour lui faire savoir qu'elle n'a rien à se reprocher. Il voit que sa mère lui a préparé un café, la tasse est vide sur la table basse. Sa mère explique :

— Elle cherche ta cousine Valentine. Elle a fugué. Tu le savais ?

— Non.

Nadja se lève, en passant à sa hauteur elle pose sa main sur son épaule. Tout le monde dit qu'ils se ressemblent. Elle est exactement de sa taille. Il aurait été beau en fille, aussi. Sa sœur est belle. D'une beauté grave et majestueuse. Pas la pétasse voilée modèle courant, celle qui se met comme ça parce que c'est la saison et qui se tient comme une pute dès qu'elle doit prendre le bus. L'islam moderne, cette connerie de bicots de France. Elle s'est voilée avant que lui ne porte la barbe. Pendant deux ans elle lui a pincé la joue quand ils étaient tous les deux : « Tu crois que ça va pousser, un jour, ou tu seras toujours un bébé ? » Elle dit « je te fais un café ? » et file à la cuisine. À l'attitude des deux femmes, il sait que l'étrangère a dû se comporter correctement. Elles n'ont pas besoin de l'attendre si elles veulent foutre quelqu'un dehors. Même si elle a l'air physique, la dame. Pas épaisse, mais le genre à pousser un peu de fonte. Épaules larges, dos droit. Keuf en civil, peut-être. Elle ne se fait pas chier à sourire avant de s'adresser à lui. Ça repose. Les Français sont tellement hypocrites. Des commerçants. Ils commencent toujours par minauder quand ils veulent t'enculer.

— Je cherche Valentine. Je travaille pour une boîte de privés. Elle a disparu il y a quinze jours. J'ai vu sur internet qu'elle avait retrouvé sa famille maternelle, ces derniers temps… je me suis permis de passer vous voir pour demander si elle vous avait parlé de… quelque chose qui pourrait me mettre sur une piste ?

Quand même ça se voit qu'elle fait un effort pour bien leur parler, qu'ils ne se sentent pas insultés. Et ça, en soi, c'est insultant. De toute façon, elle peut le prendre comme elle veut, il n'y a pas moyen que ça se passe bien, entre les gens comme elle et les gens comme eux. Il n'y a que les Français les plus menteurs pour imaginer que c'est encore possible de s'entendre. Ceux qui ne voient jamais de rats. Là où ils vivent, comme ils vivent. Il n'y a pas d'entente possible. Il n'y aura pas de pardon. Il n'y aura pas de discussion. Ceux qui ne les aiment pas ont raison. Le jour où Yacine aura quelque chose à leur dire, il aura son couteau sur lui. Pour le moment, c'est la guerre froide. Quand ça saignera, il sera là. Et la guerre, c'est comme le football : les champions du monde, ça sera eux. Yacine prend le café que lui tend sa sœur, tire une chaise et s'assoit en face de la femme. La mère prend la parole, ni aimable ni agressive, elle récapitule ce qu'elle a dit, spontanément, pour que Yacine connaisse la marche à suivre.

— On ne l'a pas revue depuis Noël. Tu ne l'as pas revue non plus, toi ? C'est ce que je disais. Elle voudrait savoir où est Louisa. Nous aussi, on aimerait bien.

Sa mère aime sa sœur, Louisa. Il sait qu'elle lui manque, qu'elles étaient proches quand elles étaient petites. Que de toutes ses sœurs, même si elles ne se voient plus, elle reste quand même sa préférée. C'est pour ça que quand Valentine est arrivée, sa mère était sincèrement contente. La fille de Louisa. Elle ne ressemblait pas à sa mère, mais c'était quand même un peu d'elle qui revenait, un peu de sa vie qui réapparaissait. Louisa, depuis qu'elle se fait appeler Vanessa, les snobe, tous. Il paraît qu'elle habite un palais à présent. Barcelone. La belle vie. Le vice est souvent payant. Elle s'est toujours servie de son boule pour se creuser une place au soleil, et a préféré s'embrouiller avec toute sa famille plutôt que voir cette bande de crevards venir lui tacher ses tapis. Un jour ou l'autre, Sheitan en personne viendra lui dire qu'il aime beaucoup sa façon d'être, en attendant, elle a raison d'être comme elle est. La famille, plus tu donnes et plus ils t'en veulent. Mais les parents, c'est autre chose. Vanessa ne parle plus aux siens. Ça étonne Yacine que sa mère, qui est tellement fière, droite et intransigeante, regrette sa sœur à ce point alors qu'elle est capable de ne pas s'occuper de savoir si ses propres parents vont bien. Rien. Pas un coup de fil. Rien. Il faut dire, elle a bien abandonné sa fille, aussi. Dans de beaux draps, mais quand même. Il a demandé à Valentine si c'était vrai qu'elle n'avait jamais eu de nouvelles, pas « ça », rien. Chez eux, les photos de Louisa ont toutes été brûlées, ou soigneusement découpées, silhouette évidée sur certains clichés de famille. Pour le mauvais œil. Parce que longtemps, à chaque fois qu'un gamin avait le rhume ou qu'un bon à rien perdait son boulot, c'était Louisa, qui leur mettait le mauvais œil. Avec Nadja, en loucedé, ça les faisait rigoler : bien sûr, elle vit en centre-ville, elle est traitée comme une princesse, elle va au hammam chez les feujs et elle mange que de la marque dans des assiettes en porcelaine, mais le soir, au fond de son lit, elle envie sa famille. Ce ramassis de crevards. Normal, logique, ça coule de source. N'empêche qu'il ne l'a jamais vue. Même sa mère n'a plus de photo d'elle. Il sait que ça lui a coûté, le jour où il a fallu les ramener, toutes, pour qu'ils les brûlent en famille. Mais elle l'a fait, sans tricher. Sa mère est comme ça, droite, honnête. Rien qu'elle trafique dans le dos, elle agit toujours de face. Les bonnes actions sont rarement récompensées, de toute la famille sa mère est probablement celle qui a le plus encaissé. Et de sales boulots, à récurer la merde des autres, et de sales plans, son père qui est parti, et de saletés que font les gens quand ils voient que vous essayez de vous tenir correctement. Plus correctement qu'eux. Parce que mis en face de l'attitude décente, ils se sentent menacés. Mais, au moins, ses enfant se tiennent bien. Il n'y en a pas un qui a fait la mauviette « ah c'est la société qui m'a poussé à vendre du shit, ah c'est la société française qui m'a forcé à boire du vin, ah c'est la société qui a fait de moi moins qu'une chiasse moisie avachie dans ma cage d'escalier ». Droit. Il est responsable de ses actes. Il sait où est Louisa. Il ne connaît pas son adresse, mais elle vit à Barcelone. C'est son cousin qui lui a dit, ce gros débile, le fils de Radia. Va savoir comment il le savait... Il s'intéressait de très près à Valentine et il était dégoûté parce qu'elle ne jurait que par Yacine.

Quand la gamine est arrivée, un dimanche, son cousin, on aurait dit un dessin animé rétro, avec le loup, la langue qui pend et les dollars qui roulent en lui sortant des yeux. Blindée. Personne n'a rien dit tant qu'elle était là, mais les jeunes de la famille on pouvait lire dans leurs pensées : des euros comme s'il en pleuvait. Même sa façon de poser son cul sur une chaise valait de là thune. Elle l'a tout de suite eu à la bonne. Elle l'a repéré, au milieu des babouins qui mettaient l'émeute autour d'elle. Il l'a raccompagnée

chez elle. Elle lui faisait pitié. Valentine était pétée de
thunes, son sac à main, sa petite coupe de cheveux, les
petites Nike dernier cri aux pieds… mais Yacine, tout
de suite, a capté que la princesse était une loqueteuse.
Il ne s'est pas méfié d'elle longtemps, parce qu'elle
était trop vulnérable. Folle à lier, sans limite ni respect
d'elle-même. Il aurait voulu pouvoir faire quelque
chose pour elle, mais elle était trop éloignée. Avec ses
deux cents mètres carrés d'appartement en plein
centre, où rien que sa chambre était plus grande que
leur salon, avec de l'argent de poche comme s'il suffisait de le sortir des murs. Pas une fois, il ne l'avait vue
sans qu'elle ait au moins un billet sur elle. Mais Valentine n'avait aucun sol sur lequel poser les pieds. Elle
planait, larguée dans la stratosphère. Son père s'en
battait les couilles, de sa fille, sa belle-mère voulait
qu'elle dégage, la grand-mère ne pouvait pas la saquer
et sa pute de mère avait oublié jusqu'à la date de son
anniversaire. Au début, Yacine l'a calculée parce qu'il
trouvait qu'elle ne ressemblait à rien de ce qu'il
connaissait. Elle l'a amadoué. Valentine rigolait tout
le temps. Elle se contredisait de phrase en phrase,
avec une insouciance comique. Vue de loin, elle donnait l'illusion d'une grande légèreté. Mais dès qu'on
approchait, ça se compliquait. En la côtoyant, pour la
première fois de sa vie il a compris qu'il existe une
misère de riche. Il n'irait pas jusqu'à pleurer sur son
sort, mais il a fini par la calculer, sa tristesse. Valentine n'avait pas grand-chose. Socialement, elle s'en
sortirait forcément mieux qu'eux, les portes du
monde lui étaient grandes ouvertes. Même en ne fou-
tant rien, même en faisant des conneries. La richesse

est un épais matelas, elle amortit les chutes, permet de se relever. Chez lui, c'est autre chose. Les murs se resserrent, mois après mois, le courrier en recommandé, toujours le même truc martelé : tu n'y arrives pas, tu n'y arriveras jamais. Tu prends toujours trop de place. Tu en demandes toujours trop. Tu as toujours trop faim.

La crise. Quelle crise. Il a jamais connu que ça, lui, la crise. Ça ne va pas lui faire peur. Moins que ce qu'ils ont, ils feraient comment pour leur laisser moins que ce qu'ils ont ? Leur couper l'eau chaude ? Vas-y, envoie, on s'y fera, comme on s'est fait au reste. N'empêche. Valentine était plus larguée que lui. Achète-toi tout ce que tu veux, ça ne remplira jamais le vide qui te dévore le cœur. S'il comparait Nadja et Valentine, il voyait une reine et une défoncée. Valentine faisait l'effort, quand elle le voyait, mais elle pouvait toujours surveiller ce qu'elle disait, il la voyait. Toute de traviole, et raturée. Et l'obscurité, enfouie en elle, qui ne demandait qu'à exploser. Il l'avait touchée, de près.

Il a couché avec elle. Ça n'avait pas traîné. Il ne l'a jamais dit à Nadja. Il n'avait pas encore remis son ben que déjà il avait regretté. Mais il avait recommencé. Souvent. L'animal en lui tirait sur sa laisse. Elle l'appelait. Chaque millimètre de sa peau lui hurlait de venir en elle. Yacine savait qu'elle couchait avec n'importe qui. Ça aurait dû le dégoûter. Mais il doutait qu'avec un autre ça soit comme avec lui. La première fois, elle avait commencé par faire ses trucs de fille facile qui déroule son petit numéro. Tassepé un peu paumée qui fait son affranchie, enchaîne les positions porno en faisant trop de bruit. Mais ça avait basculé, très vite. Elle ne s'y attendait pas non plus. Ils s'étaient immobilisés, enlacés, en sueur, étonnés, sur le seuil d'un gouffre, ils s'étaient regardés en se demandant ce qui se passait. Surpris par la violence de ce qu'ils ouvraient. Pas la brutalité courante, à base de petites beignes et de sodomie brutale. Pas ce genre. C'était muet, et indicible. Un chemin magnétique, impossible de s'en écarter. Et il la voyait, à ce moment-là, transfigurée : une Vierge noire. En son centre un noyau rouge ardent se déployait pour l'engloutir. Un coup de poing invisible, d'une force phénoménale, le propulsait dans des ténèbres pleines de bruissements. Ils évoluaient dans une intense moiteur, jungle obscure et surchargée. Quand ils se frottaient l'un à l'autre, ils accédaient à un autre niveau de sensations. Valentine se transformait, elle devenait déesse de la destruction, sacrée et terrifiante. Et lui aussi se modifiait. Et ça lui faisait peur.

Elle, non. Juste après, elle se contentait de rester un moment silencieuse, laissait le prosaïque reprendre possession de son corps. Ses ailes se détachaient. Elle ne s'en faisait pas plus que ça. Lui manquait le sens du sacré pour craindre les forces qu'ils déchaînaient. Elle était trop triviale pour s'en faire. Elle redevenait cette gamine. Avec sa bouille marrante. Qui rigolait pour un rien, avec au fond de l'œil une fragilité, quelque chose qui vacillait. Une fille. Attirante, agaçante. Normale. Il n'aimait pas la puissance qu'il avait entrevue. Ça le faisait flipper. Et ce qui l'attirait le plus était exactement ce qui le faisait fuir. Cette force démesurée, qu'il était seul à convoquer. Il ne s'endormait jamais à côté d'elle : il pensait qu'elle était capable de lui enfoncer un couteau dans le ventre.

Il ne pouvait rien arriver de juste, entre eux. Elle était pleine de belles conneries de Française qui se croit libérée. Comme si la liberté, ça pouvait être de se faire enfiler comme une pute par un mec qui ne veut même pas de toi une fois que t'es rhabillée. Yacine a l'habitude des filles, il discute souvent avec elles, elles ne lui font pas peur. Valentine n'était pas la première à lui taper son petit solo sur la liberté sexuelle, le droit des filles à aimer ça et pas se sentir salies parce que quelqu'un met les doigts, et patati, et patata. Ça lui plairait que ça puisse être vrai, il serait content de rencontrer une femme qui s'en tire bien. Pas qui se la raconte, pas qui se la prend dans le cul et quand elle ne peut plus s'asseoir vient monter un mytho comme quoi debout elle se sent mieux. Ça lui plairait de croire que ça peut marcher comme ça. Mais les murs restent des murs. La souris peut toujours se monter la tête, comme quoi elle s'entend bien avec le chat, le jour où il lui mettra un coup de croc dans la nuque, elle sera au sol et lui repu. C'est comme le bitume qui les entoure, tangible, indépassable, et tout le monde s'en tape que ça leur plaise ou pas. Il y a un ordre.

Il avait arrêté de la voir. Il l'avait dérouillée, une dernière fois, dans une allée, n'importe qui pouvait les voir, par-derrière, tirée comme une pute. Ça n'avait pas suffi à rendre les choses assez glauques pour qu'il se débarrasse de cette image d'elle. C'était somptueux, encore une fois. Quand elle s'était retournée pour planter ses yeux dans les siens, il n'y avait rien à faire : ils savaient l'un comme l'autre qu'ils avaient passé les frontières. Elle était une divinité. Trop attirante. Le plaisir dans une abjection. La toucher le rendait, lui, trop fiévreux. Il n'avait aucune envie d'en apprendre plus sur l'étranger en lui, celui qui se manifestait à son contact.

Juste après qu'il avait déchargé sur son cul, elle était restée appuyée, le front contre le mur. Il était parti sans un mot. Quand elle l'avait rappelé, il avait répondu qu'elle lâche l'affaire, qu'elle l'oublie, qu'elle arrête. Qu'il ne voulait plus qu'elle s'approche de lui. Jamais. Elle n'avait pas insisté. Elle s'était retirée de sa vie.

Ça lui avait manqué, ne plus la voir. Même sa connerie lui manquait. Quand elle s'énervait, elle ressemblait à un chaton furieux. Mais il respire mieux sans la voir. Un danger écarté.

Sa mère et Nadja parlent longuement avec la détective. Il est surpris de leur amabilité. La privée sait s'y prendre. Elles ne sont pas du genre causantes, d'habitude. Surtout qu'elles connaissent à peine Valentine, en vrai. Elles brodent, sur sa joie de découvrir qu'elle avait une famille, de rencontrer ses grands-parents, sa fausse timidité. Yacine se tait. Il se relève pour faire un café, en propose un à la femme qui accepte aussitôt, il se demande si elle pense camper là. Elle mène bien sa barque, elle place bien ses petits « ah bon » et « vous êtes sûrs » pour relancer la conversation, ça se voit que mentalement elle imprime chaque mot.

Dans la cuisine, il fait chauffer de l'eau. Une cuiller de café soluble dans chaque verre. La détective le rejoint, s'arrête à la porte de la cuisine, elle demande « je peux te parler, cinq minutes, seule à seul ? ». Il désigne une chaise, de la tête. Elle a des manières de keuf, à la Clint Eastwood. Elle a dû regarder tous ses films quand elle était jeune et trouver que c'était une bonne influence. Yacine se demande quel genre de bonhomme se met avec une femme comme ça. Il doit en avoir une paire en plomb, son zigue. Elle est belle. Mais elle est trop virile. C'est excitant, à la limite, mais tu t'imagines mal rentrer le soir et lui demander ce qu'elle a fait à manger. T'aurais trop peur de te prendre une beigne. Yacine fixe le sol, les mains croisées entre ses jambes, sans bouger. Elle se tait. Il rompt le silence :

— J'ai rien dit dans le salon parce que j'ai rien à dire.

— Je sais que Valentine était amoureuse de toi, et je pense que vous vous êtes vus sans que personne le sache, et ça me plairait que tu me dises – vite fait – comment ça s'est passé.

Comment elle peut savoir ça. Elle a parlé en faisant attention à baisser la voix, qu'on ne l'entende pas d'à côté. Il n'aime pas du tout ce qu'elle vient de dire. Il garde son calme :

— Vous vous demandez dans quelle cave j'ai bien pu la séquestrer et à combien je la fais tourner ? Désolé, madame, mauvaise adresse. Mais y a des Africains, sur le palier en face, allez donc voir chez eux, des fois qu'ils l'aient mangée ?

Elle le fixe, glacée, puis modifie sa tactique, pouffe de rire. Elle se défend bien. Les femmes, d'habitude, ont du mal à se retenir de lui faire savoir qu'elles l'aiment bien. Même quand elles veulent la jouer grandes reines inaccessibles, elles oublient de retenir un regard, un sourire trop appuyé. Elles se trahissent. Pas elle. Elle a la situation sous contrôle. Elle est inaccessible. Ça la rend attirante. Il est quand même content de la faire rire.

— Je ne sais pas où vous êtes allée chercher cette histoire : je ne sais rien de plus que ce qu'elles vous ont dit. Je vous jure que c'est vrai.

— Oui, mais, sur internet, il y a des photos de vous deux… Des photos, je ne dirais pas qu'elles sont compromettantes, mais à la façon dont elle te regarde, je dirais que vous vous connaissez beaucoup mieux que ce que tu me dis.

Il se tait. Nadja et son putain d'ordinateur. Nadja et sa manie des photos. Il ne s'occupe pas de ce qu'elle fait sur internet. Il avait oublié les photos. La privée a perdu tout son charme, elle n'est qu'une keuf, modèle courant. Une keuf sans arme. Elle sort les violons :

— Tu ne crois pas qu'elle pourrait être en danger et que c'est mieux si je la retrouve ?

Là, tout de suite, un bon coup de lame dans sa sale gueule et l'affaire serait réglée. Il serre les dents. Il la hait. Il n'a aucune envie de parler de ce qui s'est passé. Elle insiste, à voix basse :

— Si tu veux, on descend faire un tour, personne n'a besoin de savoir ce qu'on se raconte. J'ai quelque chose à te proposer.

— Vous allez me menacer de me créer des problèmes si je ne collabore pas, c'est ça ?

Elle se penche et parle tellement bas que ses lèvres remuent à peine, elle ne le lâche pas des yeux, elle n'a aucune expression.

— Ton cousin, Karim, pour moi c'est pas très compliqué de demander à ce qu'on rouvre le dossier pour voir que c'est une erreur, qu'il n'avait pas à être inculpé. Je peux le faire sortir en 48 heures. Je ne sais pas si ça t'intéresse ?

La moins-que-rien. Son cousin, Karim. Faisait le mariole sur son scooter pendant que des lascars caillassaient des keufs. L'un d'eux a pris un boulon sur l'arrière du crâne, il s'est écroulé, rupture d'anévrisme. Il est resté paralysé, depuis. C'est malheureux, évidemment, mais ça va, ça fait partie de son travail, il n'avait qu'à porter un casque. Quel genre de keuf se balade au milieu d'une émeute, la tête nue ? C'est presque une faute professionnelle. Ils ont embarqué tout ce qui traînait. Karim, cet attardé, a lambiné, il a dû penser que comme il n'avait rien fait, il n'y avait pas de raison qu'il se dépêche de disparaître. C'est tombé sur lui. Entre autres. Ils l'ont formellement reconnu – comme si t'avais le temps de photographier la face d'un seul des cinquante lascars qui cavalent autour de toi. Il n'a pas pris pour le boulon dans la tête du keuf, ça, c'est tombé au hasard sur deux autres crétins. On dit qu'ils n'étaient même pas en bas, ceux-là, quand ça s'est passé. On dit qu'on est venu les chercher chez eux. Mais entre ce qu'on se raconte et ce qui s'est passé, c'est pas la peine de vouloir faire le tri. Karim passe en jugement pour atteinte à la propriété publique. Il aurait mis le feu dans une poubelle, pendant l'émeute. Comme s'il n'avait que ça à foutre. Il risque lourd. Pour l'exemple. Yacine n'a jamais aimé son cousin. Radin, lâche et gras, il s'intéresse au foot, au porno et aux marques de caisses. Il n'y a pas grand-chose de plus à en tirer. Mais c'est son cousin. La chienne. Comment elle l'a bien travaillé, son petit dossier, avant de se pointer chez eux, la gueule enfarinée. Yacine renâcle. Mais il sait qu'elle le tient.

— S'il sort, comme ça, tout le monde dira que c'est une balance.

— À toi de voir. Si tu me parles sans me mentir, il sort dans la semaine. Je te donne ma parole.

Elle vide sa tasse de café, renverse la gorge en arrière pour attraper la goutte du fond. Elle a vraiment des gestes de bonhomme.

— Tu sais ce qui arrive aux petites filles qui traînent toutes seules en ville. C'est pas comme si tu faisais quelque chose de dégueulasse. Je dois la retrouver. J'ai besoin de savoir ce qu'elle a fait les semaines avant de partir. Je pense qu'elle a eu une histoire avec toi. Je voudrais savoir ce qu'elle t'a dit, à quoi elle s'intéressait. Et n'oublie pas que si je ne boucle pas le dossier moi-même et rapidement, un jour ou l'autre, c'est les flics qui viendront chez vous. Je t'ai retrouvé par internet, ils finiront bien par tomber sur les mêmes photos. Et eux, tout ce qui les intéresse, ça sera de mettre ton nom quelque part pour pouvoir dire au chef « j'ai bien bossé ». La vérité n'a jamais fait avancer une carrière.

Elle fait la meuf super vénère, un peu à bout de nerfs, et Yacine se demande si elle a travaillé le truc pendant des heures devant sa glace, car elle fait ça plutôt bien, pour une pute. Elle se lève :

— Je vous raccompagne au RER.

— Je suis en voiture.

162

— Je vous raccompagne à votre voiture, alors.

Il sait déjà qu'elle a raison. Il a quelque chose à gagner à lui parler. Il n'a rien de terrible à lui dire. Alors que face aux condés, il n'y aura que de la casse.

Barcelone

La Hyène a trouvé l'adresse de la mère de Valentine avant Rafik. La nuit de bitume qu'on vient de se prendre n'a guère atténué ma vexation : pour une fois que j'étais sur une piste. Petit jour, juste avant d'arriver à Barcelone, on dépasse d'énormes et intrigantes bulles blanches, l'usine nucléaire resplendit sous un soleil déjà violent. Bretelles d'autoroutes emmêlées, on se glisse dans la ville. Le bleu tonitruant du ciel, en toile de fond uniforme, magnifie tout ce qu'il recouvre. Je n'ai pas beaucoup dormi, je suis dans un état de veille bizarre, le glucose des Red Bull conjugué à la caféine, les nerfs à vif, sur un fond de calme défoncé. De l'électricité dans les nerfs. La lumière blesse les yeux. Je me sens bien, quoique au bord d'un vide étrange et perturbant. Bonheur idiot de voir les premiers palmiers, les façades d'immeubles chargées de détails ronds et inutiles, les balcons éclatants de couleurs. Dès le premier feu rouge, la Hyène actionne le verrouillage automatique des portes :

— Attention : ils ont des voleurs de très haut niveau, ici.

— Meilleurs qu'à Paris ?

— Assurément. C'est l'avant-garde de la délinquance, dans le coin. Ils vident une voiture à la vitesse de la lumière, tout en souplesse, grande efficacité.

Elle veut boire un café, elle s'arrête dès qu'elle trouve une place. Ses traits sont tirés par la fatigue, mais une expression gaie, que je ne lui connais pas, illumine son visage. Elle exulte :

— On est bien, non ? Viens, on va fumer des clopes à l'intérieur d'un bar, ça va nous réchauffer le cœur.

Les premières heures du voyage, la Hyène m'a longuement décrit Yacine, sa sœur Nadja, et tout le bien qu'elle pense de leur mère, qu'elle sauverait volontiers, si elle en avait le temps, du « naufrage de l'hétérocentrisme ». Les contours de Valentine se précisent, petit à petit, sans qu'on parvienne à la décrire clairement. La Hyène s'intéresse à ce petit personnage, je crois qu'elle est touchée par sa façon de rebondir d'un côté à l'autre, sans trouver sa place, sans se fatiguer. Vaillante boule de flipper.

Dès qu'on sort de la capitale, on réalise mieux à quel point Paris est gris, bruyant, déprimé et morbide. En terrasse, sur nos peaux, le vent n'a pas la même texture. On rejoint l'hôtel, au ralenti.

Chambre exiguë et hors de prix. L'eau du robinet que je passe sur mon visage a une odeur désagréable. Je vérifie que la télé fonctionne, puis m'écroule et m'endors. Moins d'une demi-heure plus tard, le sol gronde, les murs vibrent, j'ai le temps de saisir que j'ai mal à la tête et par la fenêtre je découvre, horrifiée, une horde d'hommes torses nus, qui attaquent la façade au marteau. Je reste bloquée, sous les draps, mon cerveau ne se met pas en route. On frappe à ma porte, la Hyène déboule, elle est hors d'elle. Aussitôt, je l'imagine confisquer les marteaux et attaquer les ouvriers, les pauvres, ils ne savent pas ce qu'ils risquent :

— Je me tire d'ici. Ils se foutent de nous, soi-disant qu'ils n'ont pas de chambre plus calme. À la réception ils me disent qu'à part nous personne ne se plaint, que les gens ne viennent pas à Barcelone pour passer la journée dans leur chambre. Je me casse. J'ai besoin de dormir. Je vais chez une pote. Tu viens avec moi ou tu restes ici ?

Je prends mes affaires et la suis sans réfléchir. En route, elle rentabilise le fiasco :

— Je ferai de fausses factures d'hôtel, l'un dans l'autre ça n'est pas plus mal.

— Et on va chez qui ?

— Des Françaises qui habitent ici. On sera bien là-bas.

Les scooters ont envahi les rues. Insectes vrombissants, jaillissant de tous côtés. Casques, tongs et vêtements légers, corps graciles sur des cylindrées. La ville prend la forme d'un boucan intense. Les gens klaxonnent à tout bout de champ, des machines extravagantes éventrent les sols et exhibent les entrailles de la ville, à grand renfort de bruit. Ça ressemble à une coutume locale.

La blonde qui nous héberge est bâtie comme un bûcheron exilé de sa forêt. Elle est épaisse et légèrement hagarde. Elle a une mauvaise peau, son front est dégarni, ses cheveux sont très fins, le nez proéminent et les yeux globuleux, d'un bleu tirant sur les gris. Elle nous a servi des cafés si serrés qu'on croirait boire une tasse de marc. La Hyène monopolise un joint d'herbe depuis qu'elle s'est assise.

— Heureusement que vous étiez là… quand ils ont commencé à défoncer le mur de l'hôtel, j'ai pensé que j'allais en tuer un.

— Toucher un cheveu du crâne d'un ouvrier du bâtiment, à Barcelone ? N'y pense même pas. C'est une religion, ici. Barcelone est la ville la plus bruyante d'Europe. Ils démolissent tout, tout le temps. Tu peux voir des chantiers fonctionner le samedi à minuit. Rien ne les arrête. L'opium du peuple catalan, c'est la grue. Ils ouvrent les trottoirs pour le plaisir de regarder dedans. Tu ne peux pas savoir de quoi ils sont capables. Ils tueraient père et mère pour pouvoir construire un immeuble…

Elles se connaissent bien. Je n'ose pas dire que je veux me coucher. Je m'endors sur le canapé. Quand les bruits extérieurs me forcent à émerger, la chaleur écrase le salon et les rideaux peinent à filtrer une lumière accablante. La maison s'est remplie de monde, je suis encombrée de rêves pénibles, dont je n'ai pas de souvenir net. Je cherche la Hyène des yeux. Une dizaine de filles sont éparpillées dans les pièces. Voix rauques. La blonde étend du linge noir, une clope au bec.

— Bien dormi ? T'as besoin de quelque chose ? Tu veux un café ? Tu veux que je te montre ta chambre ?

— Un café, oui, j'aimerais bien. Elle est où, la Hyène ?

— Elle téléphone, sur la terrasse.

Elle abandonne les vêtements moitié étendus, moitié en vrac sur le sol, et ne revient plus s'en occuper. Elle part me faire un café, mais m'oublie, en chemin, pour tirer sur un joint que lui tend une punkette blonde miniature, en jupe brillante, une fée Clochette urbaine. Je regrette de ne pas être restée à l'hôtel. En rejoignant la terrasse, je croise une fille à crête rouge, torse nu, tatouée, jupe en cuir et énormes bottes, qui se fait une ligne sur une enceinte. On se croirait dans le salon de Mad Max.

Je retrouve la Hyène assise en tailleur dans un fauteuil d'osier défoncé. Elle a enfilé un short. Elle s'adresse en espagnol à une brune androgyne, au crâne rasé. Elle n'a pas exactement la même voix, dans les deux langues. Elle est remarquablement aimable :

— On t'a montré ta chambre ?

À ce moment, une blonde se jette sur elle en hurlant, elle porte une robe de soirée élimée, fermée dans le dos par une série d'épingles à nourrice. Je ne sais pas quoi faire de moi. Je me demande si toutes ces filles sont lesbiennes. Quelle drôle d'idée, se rassembler par orientation sexuelle.

Adossée contre un mur, une fille en treillis et marcel blanc, en retrait elle aussi, m'observe en souriant :

— Tu ne parles pas espagnol ?

— Non.

— Et tu ne connais personne, ici ?

— Non.

— Viens, je vais te montrer ta chambre.

L'appartement est organisé autour d'un long couloir. Elle ouvre la porte d'une pièce minuscule, carrée, sans fenêtre. Il n'y a la place que pour un lit et une armoire. Je m'endors aussitôt.

Quand je me réveille, je n'ai pas l'heure, mais j'ai tellement faim qu'il doit être assez tard. En sortant de ma chambre, je découvre que la nuit est tombée. L'appartement est envahi, la faune est devenue mixte. Ambiance de fête, tout ce que je déteste. Les gens ont bu, ils parlent fort. Ça ne me dérange pas de ne pas comprendre ce qu'ils éructent. Dans le salon, un groupe danse dans la pénombre. Je reconnais la Hyène parmi eux. Je n'aurais pas imaginé qu'elle puisse aimer danser. Elle bouge son corps lentement, les yeux fermés. Gracieuse. Elle ne se ressemble pas. Elle paraît jeune, à ce moment-là. Je n'ose pas la déranger. Je tente ma chance à la cuisine où la fille en treillis et marcel se fait griller des morceaux de pain, qu'elle arrose copieusement d'huile d'olive, de citron et de gros sel.

— Tu en veux ?

Je prends l'assiette qu'elle me tend et m'adosse à l'évier.

— Et alors, vous êtes venues faire quoi, à Barcelone ?

— On est là pour du travail. Tu parles bien français.

— J'ai vécu cinq ans à Paris. Tu es de là-bas ?

— Oui.

— Ils se la pètent beaucoup. On ne comprend pas très bien pourquoi. Qu'est-ce qui s'y est passé d'intéressant, depuis vingt ans ? Mais j'aime les Parisiennes. Elles sont décoratives. Tu veux du Coca ou de la bière ?

Elle ouvre le frigo, se comporte comme si elle était chez elle. Un épais bracelet en cuir noir autour de son poignet souligne la délicatesse de ses articulations. Son sourire découvre des dents écartées sur le devant. Ses lèvres sont encadrées de deux rides symétriques. Sa peau paraît fine. Se dégage d'elle une impression de fragilité, mêlée à une grande endurance.

— Et vous allez squatter ici, toi et ta copine la Hyène ?

— C'est pas ma copine. On travaille ensemble.

Elle sourit en basculant la tête en arrière pour vider sa bière.

— Ne t'inquiète pas : ça se voit tout de suite que t'es pas du sérail.

— Ah bon ? Ça se voit à quoi ?

Je m'abstiens de lui faire remarquer que ça ne me traverserait pas l'esprit de déclarer, de but en blanc, à une fille qui aime les filles que « ça se voit ». Elle pourrait mal le prendre, et je la comprendrais. Dans la pièce à côté, quelqu'un monte le son, le brouhaha autour de nous s'intensifie. Elle dit qu'elle s'appelle Zoska et s'éclipse. Je reste dans le bruit seule, assise à côté du frigo, à tirer sur le joint qu'elle m'a laissé, en espérant qu'il m'aide à me rendormir. Je me lève pour trouver la Hyène et la prévenir que je vais me coucher, quoique je n'ai pas l'impression qu'elle s'en fasse beaucoup pour moi.

Arrivée dans le salon, je crois d'abord halluciner. Un amas de corps nus, éparpillés par groupes, se chevauchent à travers la pièce. Au sol, sur le sofa, sous une table. La vision d'ensemble est si inhabituelle que j'ai du mal à en décoder les éléments. Une fille à quatre pattes, qui n'a gardé que ses bottes en cuir et de petites lunettes rondes à verres rouges, le dos recouvert d'une hache tatouée, se fait prendre par une autre fille, cheveux courts et corps musclé. Elle la pilonne en lui maintenant la nuque collée au sol. Toute sa main et une partie de l'avant-bras ont disparu dans le ventre de l'autre.

Assise contre le sofa, celle qui porte une robe de soirée bleue l'a retroussée jusqu'à la taille, la fée Clochette destroy est penchée au-dessus d'elle. Un filet de salive s'écoule de ses lèvres au visage de l'autre. Sa main s'affaire entre ses cuisses. La fille à la robe de soirée soulève le bassin, crie, puis de sa chatte rasée jaillissent de longs jets de liquide transparent, qui ne ressemble pas à de l'urine. Elles se roulent ensuite l'une sur l'autre, s'embrassent en se disant des choses qui les font éclater de rire. Deux filles habillées discutent, à côté d'elles, l'une d'entre elles assène une claque sonore sur les fesses de la fée Clochette, sans interrompre sa conversation.

Une fille debout, que je vois de profil, enfile des gants de latex blanc, qu'elle enduit d'un gel transparent. Elle tient de l'autre main une brune chétive par l'épaule, lui écarte les jambes avec les genoux.

174

Derrière elle, une brune bloque sa tête en arrière, par les cheveux. Je reconnais Zoska, de dos, à l'autre bout du salon, penchée sur un mec torse nu, muscles des épaules et abdos saillants. Tatouages chicanos colorés sur les bras. Hirondelle sur la poitrine. Il a de grands yeux, en amande, des lèvres ourlées. Elle trace lentement un premier trait, sur le haut de son épaule. Une blessure rouge, épaisse, rectiligne, apparaît. Il tourne la tête vers elle, son regard est vague, extatique. Il tend sa bouche, elle l'embrasse, langoureuse, puis se redresse et trace un autre trait, sous le premier. Un autre garçon les regarde faire, verre à la main, Zoska s'interrompt, se tourne vers lui et l'attire à elle. La blonde de l'appartement les rejoint. Elle tient une brune à peau blanche par la main, lui roule une longue pelle, puis se recule et lui administre une claque sonore sur la joue, puis une autre.

Soudain, la Hyène est à mes côtés. Je suis soulagée de la trouver encore habillée, avant de me rendre compte qu'elle aussi porte un gant en latex.

— Tu serais peut-être plus à l'aise dans ta chambre, Lucie.

— Je n'ai pas dix ans, ne t'en fais pas pour moi. J'en ai vu d'autres.

Elle me dévisage, brièvement, puis hausse les épaules et s'aventure au centre de la scène. Celle qui a une iroquoise orange la retient par la main, lui dit quelque chose et la force à s'agenouiller à côté d'elle.

Je tourne les talons et quitte la pièce. Dans ma chambre, je ferme soigneusement la porte derrière moi, envisage de la bloquer, comme dans les films, avec une chaise. Je ne sais pas exactement si je suis en colère, écœurée ou terrorisée. Je tiens le joint, éteint, à la main. Je le rallume et m'étends sur le lit. Je suis furieuse, parce que j'ai l'impression qu'on m'a forcée à voir quelque chose qui ne me regarde en rien. Mais pas assez perturbée pour ne pas admettre que je suis fascinée. Rien ne me forcera à sortir de la pièce où je suis enfermée, mais rien ne m'empêche d'examiner, au calme, les images que je viens d'enregistrer.

Vanessa

Vanessa se réveille au milieu de la nuit. Sur son oreiller, un amas de plumes, une petite patte crochue, un bec et des organes ronds et blancs. Un moment pour comprendre que Bel-Ami, le chat, vient de vomir. Une odeur pestilentielle se répand, Vanessa ouvre la fenêtre, avant d'ôter la taie d'oreiller pour la fourrer dans la machine à laver. Assis sur une chaise, Bel-Ami surveille ses gestes d'un œil méfiant. Elle le prend sur ses genoux, le caresse sous le menton, là où elle sait qu'il ne peut résister. Tout à fait réveillée, elle sait qu'elle aura du mal à retrouver le sommeil. Trop de choses en tête, qui valsent et la labourent, elle retourne se coucher, en espérant avoir fermé les yeux avant que le jour se lève.

Le soleil cogne sur la place Real. Ils sont en terrasse. Nappes blanches sur les tables, les serveurs portent des tabliers noirs. Deux jeunes Roumaines vont de table en table, dans moins de cinq minutes un touriste s'apercevra que son portefeuille n'est plus là, il criera et s'agitera, mais trop tard. Les employés du restaurant feront semblant de compatir, et lui indiqueront le commissariat le plus proche, où les touristes font la queue pour faire leur déclaration de vol. Menton posé sur la main, lunettes noires, Vanessa parle, sans regarder son interlocuteur, d'une jeune actrice française connue.

— Elle se tape mes ex. Elle se les tape tous. Pourtant, certains d'entre eux, moi-même je me demande ce qui m'a pris. Rien ne la dégoûte. C'est marrant.

Enfoncé dans son siège il écarquille les yeux, en essayant de rester digne. Il est en train de calculer qu'une fois qu'il aura couché avec elle, il ne lui restera plus qu'à aller le faire savoir à la comédienne pour qu'elle se jette sur lui comme la faim sur le monde. La perspective de ce double coup lui donne le vertige.

Vanessa le considère du coin de l'œil. Quel enchaînement de circonstances a bien pu la conduire ici, dans cette situation dont elle aimerait croire qu'elle est encore ambiguë, mais dans les yeux du petit homme elle voit qu'il est sûr de son fait, et cherche à rassembler son courage pour lui prendre la main. Par sécurité, elle en planque une sous la table, l'autre est occupée par une cigarette, elle la garde hors d'atteinte. À quel moment s'est-elle imaginé que c'était une bonne idée d'accepter un rendez-vous avec lui ? Faut-il qu'elle s'ennuie… Si le charme d'une femme se calcule à la classe de ses prétendants, elle a du souci à se faire. Il ponctue ses péroraisons d'un petit rire strident et désagréable. Depuis qu'il est arrivé, il n'a pas arrêté de parler. De lui. Sans rien livrer de personnel – il doit avoir peur d'évoquer par inadvertance sa femme et ses enfants. Musicien français, petit succès récent, il n'a pas dû avoir souvent l'occasion de tromper maman. Il lui explique la différence entre art moderne et contemporain, partant gentiment du principe qu'elle est une imbécile. Il raconte ses tournées et affirme toutes les cinq minutes qu'il n'est pas impressionné par ce qui lui arrive, mais il ne parle que de ça. Il prétend qu'il s'en fout de côtoyer des gens connus, mais il n'a que leurs noms à la bouche.

Elle l'a rencontré au cours d'un dîner chez des amis français, il passait quelques jours à Barcelone, voulait travailler avec des musiciens flamenco. Il l'a cramponnée toute la soirée, et faute d'avoir envie d'engager la conversation avec quelqu'un d'autre, elle s'était laissé faire. Plus tard, il avait extorqué son adresse mail à la maîtresse de maison, prétextant vouloir l'inviter à la première d'un film d'Almodóvar, suivi d'un dîner avec Javier Bardem. Sans le mensonge du dîner, elle l'aurait envoyé paître, direct. Elle s'était fait joliment chier, mal assise sur un fauteuil trop dur. Comprenant qu'il n'y avait pas de dîner, elle l'avait planté dès le générique de fin, prétextant un avion tôt le lendemain.

Il n'avait pas lâché. À quel moment, victime de quelle pulsion morbide, avait-elle pu envisager de se laisser faire ? Elle avait d'abord trouvé émouvant son côté j'entre en ville avec de gros sabots. Les gens récemment promus people, fous de joie, éberlués de leur chance, imaginant que c'est arrivé, qu'à présent ça va être facile. Leur ravissement idiot de bébés tortues gambadant gauchement sur le sable, convaincus qu'ils atteindront la mer, sous un ciel de rapaces sournois. La fierté pathétique avec laquelle il lui avait parlé du trente mètres carrés qu'il venait de s'acheter au-dessus de la gare de l'Est à Paris. Il appelait ça sa garçonnière.

Pourquoi n'a-t-elle pas fui en courant ? Ce point la taraude. Il n'y a que les moches, les grosses et les vieilles pour se laisser étourdir par l'intensité du désir de l'autre. Ne jamais coucher en dessous de soi, condition première du respect de sa féminité.

Il parle beaucoup de l'argent qu'il a gagné, tout en répétant qu'il n'y attache aucune importance. Il est anticonsumériste, vit avec trois fois rien. Un précaire-à-papa, elle l'a débusqué en trois questions. Élevé dans les grandes maisons des beaux quartiers, il a fréquenté les meilleures écoles, avant de réaliser qu'il n'avait pas la force de caractère pour perpétuer la tradition de réussite familiale. Il s'est décrété artiste et radical, puis a décidé de vivre de ce que papa verse chaque mois, effaré de s'en contenter, et il aime les quartiers pourris parce qu'il s'y sent toujours supérieur, et sait qu'il en sortira dès qu'il le voudra. Quand il en aura marre que ses enfants croisent des putes en bas de leur immeuble, il lui suffira de changer d'avis pour que lui soient remises les clefs d'un des appartements du patrimoine familial. En attendant, il fait passer sa mollesse de caractère pour un choix subversif.

Fréquenter les artistes, elle s'en passe volontiers. Les sportifs, les politiques, ça peut l'impressionner. Mais artiste… toujours une imposture. En tête de sa liste du pire, sans hésitation, elle placerait les écrivains. Elle connaît, elle a donné. Ce qui est offert d'une main aimable est repris au centuple de l'autre, la main rapace, fouilleuse et sans scrupules. La main qui écrit, celle qui trahit, épingle et crucifie. Celle qui livre. Elle a été mariée trois ans à un romancier. Il parle d'elle dans tous ses romans, depuis. Et ferait l'offusqué si elle osait se plaindre du traitement qu'il lui inflige.

Elle s'ennuie tellement en ce moment... il aurait suffi que le petit homme fasse montre d'une ou deux qualités pour qu'elle achève de se convaincre que ça valait le coup d'essayer. Il porte un prénom qui lui plaît, Alexandre, c'est chic, elle pourrait aimer le prononcer. Il a soigné sa mise. Malingre et mal foutu comme il est, avec son bide précoce et ses épaules étroites, son costard est taillé sur mesure, sinon ça ne tomberait pas si bien. Il a une jolie voix mais ne sait pas faire un compliment. Il dévore sa paella, lèvres grasses et sourire de petit garçon content d'avoir trouvé quelque chose tout seul : « c'est incroyable comme tu es belle. » Non ? C'est pas vrai ? Mais personne avant lui, jamais, n'avait remarqué une chose pareille. Il commande des cafés, il s'agite sur sa chaise, il doit penser à la chambre d'hôtel et comment présenter la chose. Ses doigts boudinés serrent son verre d'alcool fort, il fanfaronne, sans rien sentir du malaise de son interlocutrice. Elle a envisagé de mentir, trouver une excuse, faire les choses aimablement. Mais elle opte pour la brutalité. Le soleil cogne, l'ombre s'est déplacée et le parasol ne les protège plus de la chaleur. Elle est engourdie. Il mérite de se faire planter sans qu'elle prenne de gants, parce qu'il ne la fait pas rêver, et ne s'en rend même pas compte, parce qu'il s'excite depuis la veille à l'idée de la grimper alors qu'il ne sait pas la faire rire. Elle le sent piaffer d'impatience. Elle prend sa veste, son sac. Il se redresse, émerge, un peu effrayé parce qu'il pense qu'il part avec elle, l'heure de la baise est arrivée, on y va :

— Tu veux qu'on aille faire un tour ?

Elle ne le regarde pas, elle est déjà debout :

— Merci beaucoup pour le déjeuner. Il faut que je rentre.

— Tout de suite ?

Elle lui a déjà tourné le dos, il doit agiter ses petits bras pour appeler le serveur, fouiller ses poches en maugréant, ne peut pas croire ce qui lui arrive, elle était au bout de son hameçon, séduite, il y était presque.

Quelle plaie.

Elle remonte une des ruelles à l'angle de la place. Étroite et haute, fraîche, qui sent les eaux usées, bruits de travaux, échafaudages, grilles de magasins récemment fermés. Puis un bar sombre, peint de couleurs vives. Elle emprunte une rue pavée, étroite et ombragée. Elle se dépêche de s'éloigner, elle ne voudrait pas retomber sur lui, il est capable de lui faire une scène. Elle aimerait bien traîner en ville, mais elle ne se sentirait pas tranquille. Elle rejoint la Laietana et arrête le premier taxi qu'elle croise. Elle doit répéter trois fois le nom de sa rue pour que le chauffeur la comprenne.

Elle habite au nord de la ville, en hauteur. Un quartier de vieilles maisons élégantes, plus ou moins bien entretenues. Quelques constructions modernes, blanches, donnent aux rues un faux air de Californie. On ne croise personne, sauf le personnel de maison,

Cubaines ou Sud-Américaines, en robe noire et tablier blanc, qui vident les poubelles, font les courses ou vont chercher les enfants. Il y a beaucoup d'écoles privées, bilingues à l'anglais ou au français, ici. Un peu avant cinq heures, la circulation est bloquée par la cohorte des grosses voitures rutilantes des parents qui viennent récupérer leur progéniture.

Vanessa demande au chauffeur de la laisser à quelques rues de chez elle, il accepte avec soulagement. À cette heure, la déposer en bas de l'impasse où elle habite prendrait trente bonnes minutes. Montée en pente raide, elle marche la tête levée, à l'affût des oiseaux dans les arbres. Les perroquets verts envahissent le paysage, ils vivent en bonne entente avec les pigeons. Elle aime toujours autant les voir, mais à force de n'avoir que les oiseaux comme préoccupation, elle en a repéré d'autres, plus petits : il y a les noirs au ventre bleu vif, et les marron au cou orange. Bel-Ami passe probablement ses journées embusqué, impatient d'en dévorer un.

Elle salue le voiturier du restaurant de la rue Comtesse. Elle ne dit pas bonjour à grand monde, elle voit rarement les gens de son quartier, et ceux qu'elle croise n'ont rien d'aimable. Si elle était encore en France, elle serait convaincue que c'est parce qu'elle est typée. Mais ici, et d'ailleurs c'est une des raisons pour laquelle elle avait tant envie de venir, rien ne la distingue d'une autochtone. Elle s'habille mieux, c'est tout. Ici, elle est une Parisienne. Personne ne sort son petit air entendu quand elle dit qu'elle s'appelle Vanessa.

Longue était la liste des choses qui faisaient qu'elle était heureuse de venir vivre à Barcelone avec Camille. En deux ans, elle a changé d'avis, mais Camille dit qu'ils doivent attendre encore un an, que la crise se résorbe, et qu'ensuite ils quitteront l'Europe. Il veut qu'ils s'installent à Shanghai, il cherche à décrocher un long contrat, là-bas. Il dit que c'est comme partir à New York dans les années 60, que c'est là-bas que ça se passe, qu'elle adorera le quartier français, la nourriture, la ville. Quand il a commencé à en parler, elle était enthousiaste, se sentait prête à tous les voyages. Maintenant, elle ne sait plus. Elle préférerait qu'ils retournent à Paris. Les premiers mois à Barcelone, elle était enchantée, elle a écumé les magasins design pour meubler leur maison immense, a déniché une femme de ménage qui est devenue sa professeur d'espagnol – elle n'arrête pas de parler, et de poser des questions, il a bien fallu que Vanessa progresse rapidement pour s'entendre avec elle. Elle a pris le métro tous les jours, sortait à n'importe quel arrêt, son appareil photo en main, insatiable de cette lumière particulière à la ville. Barcelone est une ville de recoins, de places cachées, cours intérieures et ruelles dérobées. Elle passait des heures chaque soir sur son ordinateur à trier ses clichés, les recadrer, les trafiquer. Les premiers mois, ça lui suffisait.

Camille est toujours en déplacement, il fait de son mieux pour rentrer les week-ends, mais ça n'est pas toujours possible, et il passe rarement dix jours d'affilée à son bureau au bord de la mer. Le projet sur lequel il travaille n'a pas été annulé, mais la moitié du cabinet d'architectes a été licenciée, et ceux qui restent doivent s'adapter. C'est-à-dire abandonner les projets pharaoniques, et s'intéresser de près aux baraques en rondins de bois chauffés à l'énergie solaire. Alors elle est souvent seule, et les circonstances font qu'elle passe beaucoup de temps à réfléchir à ce qu'a été sa vie, en France.

Elle n'est pas faite pour la Catalogne. Impossible, ici, de trouver une bonne manucure. En arrivant, elle s'est enthousiasmée pour les coiffeuses, qui savent ce que défriser veut dire. Mais, à la longue, elle voudrait bien trouver un coiffeur qui soit aussi capable de lui faire une coupe décente. Les cours d'abdo-fessiers sont organisés pour le troisième âge. Ce qu'ils appellent Pilates consiste en une gymnastique avec élastique, comme on devait la pratiquer en France dans les années 80. Au club de sport où Vanessa s'est inscrite, dont on lui a assuré à son arrivée qu'il était l'un des plus chic d'Espagne, les femmes sont toutes centenaires. Elles ont dû souffrir de graves carences alimentaires, et ne pas trouver de crèmes de beauté pendant longtemps. Pourtant elles ne sont pas rétives à la chirurgie esthétique. Mais à ce stade de décomposition, le seul remède serait la burqa. Elle pensait s'installer dans la ville la plus californienne d'Europe, et elle se retrouve entourée de paysannes mal refaites, inaptes à l'élégance, qui parlent fort dans leurs portables et ne savent pas se maquiller. Même les jeunes Russes, au club, ne sont pas des beautés. Mais le plus accablant, dans la région, c'est encore les hommes. Passe qu'ils soient courtauds. Elle a déjà rencontré des hommes séduisants et petits, voire d'autant plus séduisants qu'ils devaient compenser leur taille. Passe qu'ils exhibent un goût fantasque pour des lunettes à montures voyantes. Elle aurait pu s'habituer. Après vingt ans, ils perdent leur cheveux, bien. Ça commence à faire beaucoup. Sachant qu'ils ne sont pas séducteurs, ni beaux parleurs, ni dragueurs, et qu'ils sont ventrus avant quarante ans... l'addition est lourde, au final. Heureusement qu'il y a les Sud-Américains, les Basques et les Andalous, sans quoi elle périrait d'ennui.

En arrivant, cette sensation d'être une Parisienne dont on sait qu'elle peut se permettre de regarder les façons des locaux d'un œil amusé l'a enchantée. Jamais, de sa vie, elle n'avait eu l'occasion de ressentir le bonheur de pouvoir être raciste. D'être née ailleurs, dans un pays moins touché par le malheur, où l'on reçoit une meilleure éducation. Les joies de la condescendance. Raciste, comme une vraie Française. Légitime. Le plus fortuné des Catalans, de la plus ancienne famille, reste un plouc aux yeux d'une fille née aux alentours de la tour Eiffel. Ce que ça a pu lui plaire, observer cette classe aisée et relever, point par point, tout ce qui trahissait chez eux le manque de sophistication, de culture du luxe, de bon goût. Mais finalement, elle préfère être en France. C'est toujours la même histoire, aimer ou être aimé. C'est mieux d'avoir peur de faire des fautes de français ou de goût à Paris que de se sentir à l'aise, ici.

Camille dit qu'elle exagère, qu'elle s'est braquée. Forcément, il trouve la région fantastique : il n'est jamais là. Il se tord de rire, à la maison, quand elle lui livre ses conclusions de la semaine : « quand je réfléchis, leur histoire de catalan, c'est un peu comme si moi et deux amis de Noisy-le-Grand on décidait que l'État français nous a opprimés depuis que nos grands-parents sont arrivés en France, et qu'on a impérativement besoin de subventions pour parler le banlieusard. Génial, on rédigerait une grammaire, à quatre, et on déciderait qu'on parle le sarcellois, un mélange de rebeu et de français incorrect, on mettrait trente mots de verlan dedans et on exigerait que tout soit traduit en sarcellois. Ensuite, on vivrait des subventions versées au nom de la normalisation linguistique. Mais évidemment, nos enfants, on les mettrait dans une école privée, pour être sûrs qu'ils apprennent une vraie langue… » Camille lui conseille de garder ses considérations pour elle, il dit que l'anti-catalanisme est un domaine réservé à l'extrême droite, et qu'en dehors de leur salon ça ne ferait rire personne. Il essaye de lui faire croire que c'est le résultat de quarante ans d'oppression franquiste. Mais ça va, Franco a fait exécuter les communistes, et ça n'a donné à personne dans la région une envie irrépressible d'être rouge. Franco a rêvé d'une Espagne tournée vers le tourisme et s'appuyant sur l'immobilier, et personne après la transition n'a manifesté l'intention de changer de direction. Les Américains ont été les alliés de la dictature, et Vanessa n'a pas l'impression que ça dérange qui que ce soit d'apprendre leur langue. Elle en a marre, de ce bled, elle aimerait bien déménager.

Elle aurait préféré vivre à San Sebastian, Camille dit qu'avec sa manie de toujours la ramener, leur maison serait déjà plastiquée. Mais les Basques, c'est une autre affaire. Quand elle dit ça, Camille hausse les sourcils, il fait semblant d'être effaré mais il aime sa brutalité : « T'es pas française pour rien, toi, il faut que ça saigne pour que la cause te semble convenable. » Elle aime qu'il la traite de Française, et il est assez intelligent pour le savoir. Le vrai Français, c'est lui, dont l'arbre se remonte facile jusqu'aux Mérovingiens, ou quelque chose comme ça. Leur famille est tellement importante, ils se tracent les ancêtres jusqu'à des époques dont on ne soupçonnait pas l'existence. Sa famille à château et lui qui l'a épousée, sans écouter ni sa mère ni ses collègues de travail. Il s'est marié, il ne veut pas d'enfant, il est amoureux d'elle, il la traite comme une reine. Il est brillant comme elle est belle. Avec la même assurance décomplexée. Ils ne se racontent pas d'histoires, ils savent qu'il y a une part de chance, au départ, qu'il est né là où il est né, où faire de bonnes études est une évidence, qu'elle est née dans ce corps-là, avec ce visage-là. Et ils savent aussi, l'un comme l'autre, ce que ça leur a coûté, d'efforts, pour tirer ce qu'ils ont tiré de ce qui leur a été donné. Il y avait d'autres belles filles, dans son quartier. Mais elle est la seule que ça ait conduit à vivre correctement depuis qu'elle est en âge de se débrouiller. Et de passer les fêtes de famille au château. Et probablement la seule qui approche de la quarantaine dans un corps plus parfait encore que celui qu'elle avait à vingt ans, un visage qu'aucune seringue ni scalpel n'a encore approché, sans marque, sans défaut, sans affaissement. Il n'y a rien que Camille n'ait fait pour progresser, s'améliorer, pas une nuit blanche qu'il se soit épargnée, pas une langue qu'il ait eu la paresse d'apprendre, pas un risque qu'il ait refusé de prendre sous prétexte qu'il avait le vertige. Il s'acharne, et jamais ne s'affale sur une réussite. Et il n'y a aucune occasion d'apprendre qu'elle ait laissé passer, apprendre ce qui se porte là où elle voulait vivre, apprendre comment on se tient quand on a fait danse classique toute son enfance, apprendre comment s'asseoir quand on est une vraie princesse, apprendre quel sac on prend quand on veut avoir l'air d'une riche. Apprendre à avoir l'air d'être autre chose que ce qu'elle est. Avaler les couleuvres, à la file, et ne jamais faire la grimace.

Sa mère disait toujours que l'amour, ça n'existe pas, c'est une invention pour faire coucher les filles. Dans ses autres histoires, elle a toujours su qui aimait et qui était aimé. Elle s'arrangeait pour appartenir à la deuxième catégorie. Position moins excitante, mais plus rentable. Avec Camille, c'est plus complexe. Qui aime et qui est aimé ? Troisième année de mariage. Elle ne l'a presque jamais trompé. Ça n'est pas un signe, mais quand même. Et chaque fois qu'il la retrouve, il semble toujours aussi amoureux. Qui aime et qui est aimé, dans leur histoire, se répartit mieux que d'habitude. Mais depuis quelque temps elle se sent tellement triste, ça n'a plus le même goût. Avant, elle était sûre de lui faire le plus beau cadeau du monde en étant sa femme. À présent que le regard qu'elle porte sur elle s'est lézardé, elle n'a plus la même confiance. Un doute s'est insinué : et si sa mère à lui avait raison. Et si elle n'était qu'une très jolie beurette, un nœud de loseries bien emballé. Mais jamais qu'une imitation. Manque l'authenticité, le vrai luxe, n'en avoir jamais bavé, être ce dont on a l'air, quelqu'un à qui rien ne coûte, jamais, que la vie n'oserait même pas effleurer de peur de faire une rayure sur la carrosserie du bonheur. Être riche, c'est avoir confiance. Même à tort. Se sentir protégé. Le corps. Jamais mis en danger. Protégé par la maison, protégé par le nom, protégé par l'histoire, protégé par la police. Les accessoires, ça s'achète, ça se porte, on peut mentir avec. Mais la mémoire, elle, ne se change pas. Ce que Vanessa sait d'elle-même, elle ne peut pas se l'arracher de la tête.

Camille, depuis que les problèmes sont apparus à son cabinet, s'est fragilisé. Il ne veut pas lui dire exactement combien il a perdu depuis le début de la crise, il évite le sujet. Dans la presse, ils disent que c'est terminé, que le pire est derrière eux, mais Camille n'est plus le même. Ils ont perdu, tous les deux, de leur superbe. Il y a beaucoup de choses qu'ils n'osent plus se dire, ces derniers mois.

Un an auparavant, les travaux avaient commencé, dans la maison d'à côté. Un vacarme indescriptible, toute la journée, pas une heure de répit. Ils démolissaient tout, au maillet. On aurait dit que ça ne devait jamais cesser. La vie lui hurlait quelque chose. Auparavant, tout, dans cette nouvelle maison, lui faisait plaisir au corps. Les volumes des pièces, les meubles qu'elle avait choisis, le parquet, la grande terrasse. Jusqu'à ce que les travaux commencent, à côté. Un bruit de démolition, qui ne s'arrêtait jamais. Camille lui avait offert un casque antibruit actif. Ça allait mieux, mais ça allait cinq minutes, au-delà elle avait l'impression de vivre dans un bocal. C'est à sa réaction aux bruits des travaux qu'elle avait compris qu'elle ne se sentait pas comme d'habitude. Elle revenait trop sur son passé. Vanessa a toujours eu des objectifs, une conscience exclusivement concernée par ce qui va se passer. Depuis quelque temps, au contraire, des blessures qu'elle pensait enfouies sous la peau se sont mises à grouiller, sous l'apparence du lisse, et des colères odieuses l'assaillent. Un magma d'événements passés la tourmente, elle aimerait s'en défaire mais elle s'est empêtrée.

Quand elle les voit, de loin, en bas de chez elle, elle les prend d'abord pour des filles de la boîte de graphisme qui fumeraient une cigarette, au soleil. Elles font souvent ça. Puis elle se souvient que l'entreprise a fermé. Le local n'a jamais retrouvé preneur, la pancarte « à louer » est accrochée de travers, au balcon, depuis des mois. Arrivant à leur hauteur, elle les observe – il se raconte dans les dîners des histoires atroces de femmes torturées des heures chez elles par des Albanais féroces entrés de force dans les maisons, elle se méfie. Il y en a une un peu plus grande que l'autre, son jean est large, elle le porte descendu sur les hanches, qu'elle a remarquablement étroites. Ses grosses bottes sont usées et ses lunettes miroir datent d'il y a déjà deux étés, mais lui vont bien. L'autre est plus tassée, ordinaire. Vanessa a l'habitude qu'on la regarde avec cette insistance surprise, qu'on la remarque et qu'on ait du mal à détourner le regard. Elle est d'une beauté frappante. Mais quand la plus grande se lève et la rejoint, Vanessa comprend qui elle est.

Allongé sur le canapé, sur le dos, détendu, Bel-Ami surveille ce qui se passe autour de lui, la tête à l'envers. La détective se dirige sans hésiter vers l'animal, qui ne s'enfuit pas alors qu'il est d'un caractère sauvage. Quand elle le touche, ses gestes sont étonnamment doux, elle s'accroupit à côté de lui, le gratte sous le menton et le fait ronronner.

— Il est beau. Il s'appelle comment ?

— Bel-Ami. Je l'ai trouvé dans la rue, en plein mois d'août. C'était un petit rat cramé, on aurait pas dit qu'il deviendrait… cet être sublime.

La détective se redresse et accepte un café. C'est une belle plante, mais qui se laisse aller. Elle n'est pas maquillée, ni coiffée, elle porte des vêtements pratiques, qui ne la mettent pas en valeur. La plus petite, Lucie, a un physique ingrat. Elle non plus ne cherche pas à s'arranger. C'est une bonne chose. Dans les classements auxquels se livre Vanessa à longueur de temps, les femmes laides qui n'essayent pas de donner le change sont moins pathétiques que les moches qui se maquillent et s'habillent comme si elles étaient belles. On reproche bien des choses aux journaux féminins et à l'industrie cosmétique, mais on pointe rarement du doigt le vrai ravage dont ils sont responsables : faire croire à une nation de boudins qu'elles peuvent, en faisant quelques efforts, avoir l'air d'autre chose que de ce qu'elles sont. Or, rien n'est plus pitoyable qu'une femme mal faite dans une robe voyante, ou une grosse qui essaye de mettre ses atouts en valeur. Sur ce point, le regard des hommes ne coïncide pas avec le sien. Ils ont leur critère propre, qui n'a pas grand-chose à voir avec le bon goût. Ils préféreront une flasque à peau grasse qui s'est apprêtée à une fille passable qui n'est pas maquillée. Heureusement, la mode est faite par des hommes qui ne s'en laissent pas compter par les femmes. La grande est une vraie beauté, sous ses airs de catcheuse, elle a une puissance féline, on a envie de la regarder bouger.

Vanessa pose le café sur la table, puis ouvre grand les portes qui donnent sur la terrasse, s'excuse en composant le numéro de sa messagerie de portable – personne ne lui a laissé aucun message, mais elle a besoin d'un temps de réflexion. Elle n'a pas voulu réfléchir plus tôt à ce qu'elle ferait quand ça arriverait. Elle a scrupuleusement évité d'y réfléchir, en fait. Elle s'attendait à voir un homme, seul. Quand le mot « masculin » lui traverse l'esprit, elle regarde la grande détective, ajoute deux et deux et obtient : lesbienne. Les ongles très courts, le côté mécano contente d'elle. Lesbienne. Elle se souvient d'une phrase d'Arno, le chanteur belge, à la radio, « je suis lesbienne, on est moches mais on s'amuse ». Elle n'avait jamais pensé que les lesbiennes étaient moches, elle en a trop connu. Elles sont vicieuses, ça n'est pas tout à fait la même chose. Vanessa se lève comme elle le ferait en face d'hommes, pour déployer son corps et le faire évoluer dans l'espace, troubler l'interlocuteur, marquer sa domination. Elle a envie d'impressionner la plus grande. Les filles troublées le cachent mieux que les garçons. C'est plus excitant. La détective remarque :

— Vous n'avez pas l'air surprise de nous voir ?
— Claire Galtan m'a prévenue.

— Vous vous connaissez ?

— Très peu.

Elles se sont vues, une seule fois, c'est Claire qui y tenait. François n'a jamais oublié Vanessa, sa nouvelle femme a dû s'imaginer que rencontrer sa rivale absente lui ferait perdre de son pouvoir. C'était il y a longtemps. La pauvre. Dotée d'une forte poitrine, postée sur deux petites jambes minces, on aurait dit un poussin : deux gros nibards posés sur des bottines. La peau très fine, l'ovale du visage déjà distendu. Elle avait un joli regard de myope, qui lui donnait un air bovin, assez tendre. Vanessa avait ressenti un peu de pitié pour François. Avoir fini par épouser cette chose-là. Pas étonnant qu'il ait du mal à tourner la page. Lui qui aimait tant faire le beau... il ne devait pas la sortir souvent, son officielle.

C'était Claire, pendant ce rendez-vous, qui l'avait prévenue que Valentine cherchait à savoir où était sa « vraie » mère. Elle lui avait expliqué qu'étant elle-même mère de deux filles, ce qu'elle avait de plus précieux au monde, elle concevait que l'adolescente cherche à revoir sa « vraie » mère, invitant Vanessa à revenir sur sa décision.

— Ma décision ?

— François m'a expliqué ce qui s'était passé... mais j'ai pensé qu'avec le temps...

C'était pendant les soldes d'hiver, elle s'étaient retrouvées chez Angelina. Pour le chocolat chaud. Vanessa lui avait fait signe de se taire.

— François sait que vous êtes venue me voir ?

— Non. J'ai pensé que je lui en parlerais uniquement si vous...

194

— Vous savez qu'il va être furieux ? S'il apprend que je vous ai raconté l'histoire telle qu'elle s'est passée, vous savez que vous ne le regarderez plus jamais comme avant ?

Elle n'avait aucune intention de raconter quoi que ce soit, mais, au contraire, de la laisser se débrouiller avec ça. Débrouille-toi pour savoir qui tu as épousé, quel genre de connard pathétique te tient lieu de mari.

Claire avait fini par admettre qu'elle avait retrouvé sa trace en découvrant les bans de son dernier mariage soigneusement découpés et archivés par son mari. Elle disait « si je suis tombée dessus, Valentine peut les trouver à n'importe quel moment. Ensuite, ça n'est pas très compliqué, j'ai appelé le bureau de votre mari, et je lui ai laissé un message… qu'il vous a transmis, visiblement ».

Il n'y avait aucune jubilation à l'idée que François continuait de s'intéresser à elle. Juste l'écœurement. C'est Claire qui avait pris. Parce qu'elle était là, parce qu'elle ne parlerait pas, parce qu'elle était ce genre de femme, qu'on a envie de dérouiller.

Depuis, Vanessa n'avait plus entendu parler d'elle. Et il y a quinze jours, en larmes, elle la prévenait que Valentine avait disparu. « Mais de quoi tu te mêles ? Tu n'as pas honte de me parler de ma fille en pleurant, comme si c'était la tienne ? » Et elle avait raccroché. Ce qui n'avait pas empêché la masochiste Claire, l'avant-veille, d'appeler encore une fois, pour prévenir qu'ils avaient embauché un détective « de la meilleure agence de Paris », les gens qui ont de l'argent ont toujours besoin de se conforter dans l'idée qu'ils le dépensent mieux que le commun des mortels, et que Vanessa recevrait leur visite, quoique personne chez Galtan ne se soit permis de donner sa nouvelle adresse. « Écoute, j'ai déjà eu les flics, je leur ai dit ce que je savais, je vais faire pareil avec le détective. Dis juste de ma part à ton connard de mari et à sa salope de mère que s'ils s'étaient occupés correctement de ma fille, elle serait encore chez elle, dans son petit lit, et pas dehors comme une pauvre gosse. » Neuf Trois, en force. Ça avait été difficile et long à gommer, mais ça remontait, intact, dès qu'elle en avait besoin. Et le peuple du 16ᵉ arrondissement n'a pas l'habitude qu'on lui parle comme ça. Ça ne lui plaît pas beaucoup. C'est pour ça qu'il dépense tant de fric à prendre des vacances en Russie, en Roumanie, en Thaïlande, contrairement à ce qu'on croit, ça n'est pas uniquement pour baiser des petits culs d'adolescents sans que ça se sache. Les Français ont besoin de voir des pauvres qui ne les insultent pas. Ils savent que s'ils montent dans un bus blindé pour s'extasier sur les conditions de vie des pauvres dans leurs banlieues, ils vont se faire brûler le bus. Ça les met dans la détresse : toute cette pauvreté sur laquelle ils pourraient s'attendrir, lâcher une petite pièce et donner leurs vieilles fringues. Mais ces pauvres-là sont méchants. Ça complique les choses, pour la charité chrétienne.

La petite enquêtrice se concentre sur sa tasse de café. La grande détective – la meilleure de Paris, donc, pense Vanessa avec amusement – regarde autour d'elle, puis se lance :

— Valentine est venue vous voir, n'est-ce pas ?

— La police m'a déjà interrogée.

— Vous pouvez me redire ce que vous leur avez dit ?

— Oui. Mais je peux aussi vous dire la vérité. Valentine est passée par Barcelone. Mais je crois qu'elle n'y est plus. Vous voulez un autre café ?

— Volontiers.

— Noir, sans sucre ?

— Si vous voulez bien m'en servir un double… Je pensais en boire quelques-uns pendant qu'on vous attendait, mais il n'y a pas de bar, dans votre quartier.

— Vous voulez qu'on se mette sur la terrasse ? Les ouvriers ne font pas beaucoup de bruit, aujourd'hui.

— Non, ils ont le balcon sur le devant qui s'est écroulé. On a suivi ça attentivement. On est restées là deux heures. C'était un gros balcon, je pense qu'ils en ont jusqu'à la fin de la journée à empiler les pierres qui sont tombées sur des trucs à eux, des planches et des machins comme ça.

Seule dans la cuisine, Vanessa prend son temps. Elle n'avait pas prémédité de parler. Elle se répète qu'elle n'a rien à se reprocher, rien à cacher. Elle ne sait pas où est la petite, elle la connaît à peine. Elle n'a pas choisi de ne pas connaître sa fille, elle n'a pas à se justifier. La détective a entendu raconter l'histoire du point de vue de la famille de François, forcément. Et l'autre, aussi, qui ne dit rien, avec ses airs de biche effarée. Elles ont déjà arrêté leur jugement, comme tout le monde. Personne n'a besoin d'entendre la version de Vanessa pour la condamner.

Quand elle revient avec le café, la détective est sur la terrasse, accoudée à la balustrade en pierre, elle regarde l'immense antenne, au sommet de la colline en face.

— C'est un émetteur puissant. Vous n'avez pas peur des ondes ?

— Non. En arrivant, je trouvais qu'elle nous gâchait la vue, mais à la longue, je l'aime bien. C'est pratique, où qu'on soit dans la ville je sais où est la maison. Et, en face, c'est la mer.

— Vu comme ça…

— Je suis désolée, je n'ai pas retenu votre nom.

Gagner du temps. Encore. Parler d'autre chose, parler de n'importe quoi qui lui évite de devoir décider ce qu'elle dit de ce qu'elle tait, ce que l'autre peut entendre de ce qu'il vaut mieux cacher.

— On m'appelle la Hyène.

— La Hyène ? Parce que vous êtes un animal cruel, rapide et sans pitié ?

La grande femme hésite un moment, puis sourit pour la première fois depuis qu'elle est arrivée. Là, encore, une stratégie masculine, parce qu'elle est froide et réservée, le moindre signe de détente, par exemple un sourire, prend une valeur particulière, donne envie d'en déclencher d'autres.

— Non. J'ai eu de la chance. Un crétin m'a appelé comme ça quand j'ai commencé à travailler. Et ensuite, c'est resté. Il aurait pu m'appeler Garfield… ça aurait fait moins sérieux, mais ça m'aurait collé, pareil.

Elle regarde autour d'elle. Dans le jardin en dessous, les arbres à fleurs roses, le massif de fleurs

blanches, l'énorme tuyau flambant neuf, en alumi-
nium, collé à la façade d'une vieille maison de pierre
qui était belle, avant cette greffe. Les rosiers en pot,
posés au sol contre la balustrade, pour être protégés
des vents puissants qui ont balayé la région tout
l'hiver. Une plante qui semble morte grimpe le long
des murs lézardés, quelques bourgeons énormes sont
apparus dans la semaine, le long de ses branches nues.

— Vous devez être contente de ne plus habiter
Paris.

— La végétation est mieux ici, oui. Mais je ne suis
pas très portée sur la botanique.

Vanessa a préparé un litre de café, dans une
Thermos verte, elle remplit les tasses à ras bord, la
petite Lucie s'est tassée dans un nouveau coin. On
oublie vite qu'elle est là.

— Valentine est venue vous voir, à Barcelone ?

— Elle est venue pour me voir, oui.

— Et vous ne savez pas où elle est ?

— Aucune idée. Elle a disparu.

— Vous ne l'aviez jamais revue, avant ?

— Non. J'imagine que les Galtan vous ont raconté
les choses à leur façon ?

— Non. Ils ne parlent pas de vous. Ils racontent
que vous êtes partie quand la petite avait un an. Si
vous avez envie d'en parler, on est plus ou moins là
pour ça, en fait.

Elle a envie, oui. Quand elle ouvre la bouche, elle
est même surprise de découvrir à quel point elle en a
envie.

— J'ai rencontré François quand j'avais dix-huit
ans. Il en avait treize de plus, il était un écrivain en

vue, il était amoureux de moi, ça me plaisait... Sa mère n'était pas contente. Ses amis voyaient la chose d'un œil plus conciliant. Ils me parlaient tous de couscous, de l'Orient et de la danse du ventre. C'était le début des années 90, pour les filles comme moi, la gueule de bois commençait. Nous avions grandi en pensant que ça irait, que la France était prête, qu'il suffisait d'arriver en ville pour qu'on nous laisse tranquilles, avec nos origines. J'avais déjà changé de prénom, à cause de Vanessa Demouy, et je disais que j'étais libanaise. Mais ils avaient l'œil. Si vous saviez le nombre de conversations sur les tagines et les cornes de gazelle que j'ai dû tenir dans des dîners... À gauche, c'était les pires, ils avaient peur qu'on oublie nos racines. Moi, comme n'importe quelle fille de mon âge, c'est tout ce que je demandais, oublier d'où mes parents venaient. Je suis vite tombée enceinte, j'étais contente, je me voyais bien femme au foyer et lui qui écrirait ses trucs... J'aimais bien François. Mais même ses amis ouverts d'esprit qui comprenaient qu'il me mette dans son lit lui ont dit de faire attention. Que je risquais de retourner au bled avec la petite. Le bled, qu'est-ce que j'irais y foutre ? Il y a un salon Carita, là-bas ? Enfin, passons... Je n'ai pas aimé être enceinte. Je n'ai pas aimé être grosse. J'avais hâte que ça soit terminé. C'est la mère de François qui a voulu qu'on l'appelle Valentine. Elle a fait l'enfer tant qu'elle a pu espérer convaincre son fils de « le faire passer », mais elle est venue dès le premier jour la voir à la maternité, François était soulagé, il avait peur que sa mère se fâche pour de bon avec lui. Elle est tombée amoureuse de la petite. Je ne me débrouillais pas mal avec le bébé, pas plus mal qu'une autre, j'imagine. Mais la vieille était tout le temps chez nous. Et que je ne faisais pas ceci, et que je ne savais pas cela. François s'est retiré du conflit, comme un lâche. Il évitait d'être à la maison, il me laissait avec Jacqueline, elle avait les clefs. Je passais des journées entières au parc, des heures à la piscine, j'allais chez mes sœurs. N'importe quoi pourvu qu'elle ne nous trouve pas.

Vanessa marque une pause. Bien sûr, elle raconte un peu comme elle veut. Elle a le droit, depuis le temps que les Galtan répandent leur version mensongère. Elle oublie de préciser qu'elle est tombée enceinte, tout de suite, exprès. François ne voulait pas l'épouser. À cause de sa mère. Elle lui a fait un gosse, direct. Elle était jeune, elle ne connaissait pas grand-chose, elle pensait que Galtan était une belle prise. Et elle invente l'histoire des journées au parc ou à la piscine. Elle a déprimé dès que Valentine est née. Ça lui a obscurci la vie, cette gamine. Elle a laissé la petite à la vieille. De plus en plus souvent. Elle ne s'est pas méfiée. Jacqueline était contente de l'avoir. Elle ne fait que modifier légèrement les faits, c'est agréable de refaçonner l'histoire en se donnant un rôle plus décent.

— Et puis j'ai rencontré quelqu'un. Au moment où je m'y attendais le moins, la vie est faite comme ça. Un voyou, gosse de riches mais dévoyé, de mon âge, beau comme un ange, dont l'essentiel de l'activité consistait à soigner sa Harley Davidson et écouter

Led Zeppelin. Une gueule d'ange, une âme de salaud. Un classique.

C'était la première fois qu'un garçon la tenait, comme ça. Elle avait toujours eu l'avantage. Il faut dire qu'elle avait toujours couché utile, sa mère l'avait prévenue que le sexe c'était pour les cochons, que les femmes n'y trouvaient rien de bon. Sur ce point, elle avait eu tort. Guillaume ne dépensait son argent qu'en liquide. Ils faisaient comme dans *Les Affranchis*, quand il partait faire ses plans il lui demandait combien elle voulait et elle lui montrait avec les doigts l'épaisseur de la liasse. Quand il la touchait, elle devenait électrique. Elle avait quitté François du jour au lendemain. Sans aucune hésitation. Elle ne lui avait pas fait de la peine : elle l'avait tué. Ce matin-là, quand elle était venue chercher ses affaires, elle avait disparu depuis cinq jours. Elle était rentrée, à l'aube, défoncée à la coke. Il était debout, blafard. Si elle avait claqué des doigts, il aurait écarté les bras et aurait pardonné sur-le-champ, il l'aurait reprise immédiatement. Elle était la femme de sa vie, elle l'avait compris à ce moment-là. L'impression de le passer au sabre. Mais c'était inéluctable. Aimer ou être aimé. Elle aimait, à ce moment-là. Elle pensait que c'était ce qu'il y a de mieux. Et quand François a demandé, sous le choc, quand elle reviendrait voir Valentine, elle a répondu qu'elle téléphonerait. Elle a vu dans ses yeux qu'il ne pouvait pas croire qu'elle ne lui ferait pas l'aumône d'une explication. Elle avait fini sa valise, elle voulait être sûre d'être partie avant qu'il ne s'écroule. Une salope. Une vraie salope. Mais elle a payé, ensuite. Elle a payé pour ce qu'elle a fait.

— J'aurais aimé partir avec Valentine, mais on n'avait pas une vie qui allait avec ça. Je n'avais pas la tête aux layettes. Je n'avais pas vingt ans. J'avais l'impression d'avoir le droit de vivre ça, une passion. Seulement, quand j'ai voulu revoir Valentine, ça n'a pas été possible. Les serrures avaient été changées, et le concierge en bas de chez la grand-mère avait pour consigne de ne pas me laisser passer. On m'a conseillé de porter plainte… Je vivais dans un studio rempli de coke et de matos volé, qu'est-ce que j'allais demander aux keufs ?

Guillaume était amoureux d'elle, mais incapable d'être fidèle. Il fallait qu'il fourre ailleurs. Ça la rendait malade. Il aimait la faire pleurer, il n'y avait que dans ces moments-là qu'il sentait qu'elle tenait à lui. Il la consolait, divinement bien. C'est vite devenu comme ça : je t'humilie, je te trompe, puis je rentre et j'efface tout. La coke et sa bite, deux addictions qui allaient bien ensemble. Elle ne l'aurait jamais quitté, le drame faisait partie de leur histoire. C'est à la douleur qu'elle mesurait combien elle l'aimait. La douleur et son soulagement. Les gens qui ne comprennent pas que les filles restent avec un mec qui les bat ne connaissent rien aux femmes. Ça se passe au creux des genoux, et dans le ventre, ça cède. Prête à en crever. Mais un jour, il n'est pas rentré. Braquage de banque. Elle a découvert au procès qu'il était déjà marié, et papa, de son côté. Il n'avait rien dit. Sa femme n'était pas du genre à se laisser faire. Il n'y avait pas assez de droits de visite pour deux.

— Je voulais vraiment revoir ma fille. J'ai quitté Guillaume, j'ai squatté chez une copine. François s'attendait à ce que je rampe à ses pieds en le suppliant de me reprendre. Mais après ce que j'avais connu, je n'aurais plus supporté qu'il me touche. Il l'a très mal pris et puisque tout ce qu'il avait de moi, c'était la petite… Il a suffi qu'il laisse faire sa mère. Depuis le temps qu'elle la voulait. Comme une conne, j'ai fait le tour de tous les amis qu'on avait en commun, lui et moi. Enfin, les gens que je prenais pour des amis. Je pensais qu'ils allaient m'aider, lui parler, lui dire que je prenais bien soin de moi, qu'il pouvait me la laisser. Mais ils ont tous témoigné contre moi. Tous. Pas un seul qui ait refusé de coucher par écrit que j'étais une folle, un danger, une nuisance, une droguée et une voleuse. Ce que la grand-mère a inventé, ils l'ont signé, sans sourciller.

Elle ne pensait pas que laisser sa fille trois mois aurait des conséquences aussi définitives. Valentine était un bébé, elle ne reconnaissait personne, de toute façon elle ne la nourrissait pas au sein. Vanessa n'avait pas eu l'impression de faire quelque chose de grave. Mais quand elle était revenue voir les gens qu'elle fréquentait avec François, ils étaient tous gênés, ils l'évitaient. Galtan avait un peu de pouvoir, à l'époque. Une colonne dans un quotidien. Juste ce qu'il faut pour qu'ils choisissent, tous, d'être de son côté. Celui du plus fort. Uniment. Des horreurs sur son compte, noir sur blanc. Ils ont écrit, signé, photocopié leurs cartes d'identité. Ils ne les avaient pas oubliées, eux, leurs racines, ni de sentir dans quel sens le vent poussait. Même ceux en qui elle avait confiance. Son avocat d'office savait qu'elle perdrait. Fait et dit. Elle a perdu. Elle y voyait au moins un bon côté : une fille de son âge, c'était plus séduisant sans gosse.

— J'ai eu un droit de visite, tous les quinze jours, chez la grand-mère. Comme si j'étais en probation. La vieille m'a proposé, d'office, d'acheter un appartement à mon nom, loin de Paris – en s'arrangeant pour que son nom à elle n'apparaisse nulle part dans les contrats de vente – en échange de quoi je renonçais à mes droits de visite, et à aller en procès. Je n'ai pas dit oui tout de suite. Elle me mettait la pression chaque fois que je venais voir Valentine. Elle n'était pas là, elle avait oublié de me prévenir. Elle empêchait Valentine de dormir pour être sûre qu'elle pleure tout le temps de la visite. Je me suis ravisée. J'ai eu un 80 mètres carrés au centre de Montpellier. Ça leur semblait assez loin pour que je les laisse tranquilles. J'ai signé des papiers, qui n'avaient aucune valeur juridique. Sauf que si un jour je voulais réviser le dossier, serait écrit noir sur blanc qu'en échange d'un appartement j'acceptais de disparaître de la vie de ma fille. Je sais que j'aurais pu retourner au tribunal. Plaider que j'avais changé, que j'avais été manipulée. Mais je ne l'ai jamais fait. Ils m'avaient convaincue que c'était mieux pour Valentine, j'ai fini par les croire.

La vieille aimait le bébé, on ne peut pas lui enlever ça. Elle ne supportait pas que Vanessa vienne la voir. Il a fallu lutter pour avoir un bel appartement, au départ la vieille voulait la caser dans un studio à Marseille. Elle prenait des airs offensés que Vanessa se défende. Effacer les Galtan de sa vie, et devenir propriétaire. Changer de ville, changer de vie. Les enfants, elle en ferait d'autres, si un jour elle en avait de nouveau envie. Elle était jeune, elle voyait ses sœurs en chier un par an, ça n'avait rien d'extraordinaire, faire un gosse. Si le bébé était payé au kilo, on ne les aurait plus délogées de chez Fauchon, les femmes de sa famille.

La détective l'écoute en buvant son café, sans manifester aucune réaction. Vanessa a envie de lui rentrer dedans, qu'elle réagisse.

— Il faut dire que je m'en suis bien remise. Les premiers temps, je pensais que je ne pourrais jamais voir une femme avec son enfant sans souffrir. Mais pas du tout. La sortie de l'école, les jours de piscine, les goûters d'anniversaire, les rhumes et la rubéole, les devoirs, le linge à se coltiner… les femmes qui ont besoin d'un enfant sont celles qui n'ont pas ce qu'elles veulent avec les hommes.

Le visage de la détective ne trahit aucune émotion. Pourtant, d'habitude, ça passe mal. Qu'on traite les femmes de salopes et de putes, elles ne trouvent rien à redire. Mais qu'on attaque les mères et elles sont debout sur leurs chaises, frémissantes d'indignation. C'est ce qui est bien, avec les lesbiennes : elles ne se la jouent pas vertueuses. La petite, en revanche, la regarde par en dessous d'un air navré. Vanessa sait qu'elle parle trop. Comme chaque fois qu'elle a quelqu'un sous la main, ces derniers temps. Une forme d'incontinence verbale.

— Je suis restée moins de six mois loin de Paris. Je ne connaissais pas la province, mais j'ai vite compris que je n'étais pas faite pour ça. J'ai vendu l'appartement dans le Sud. J'ai tout placé. Jusqu'au

13 septembre 2001. Les tours sont tombées et dans les 48 heures j'étais à ma banque, j'ai revendu toutes les actions. Le banquier était en deuil. Mais je ne pouvais pas me permettre, moi, de me retrouver sans rien.

Elle avait l'impression d'être à la tête d'une vraie fortune, à l'époque. Mais aujourd'hui, la somme est devenue un petit bas de laine. Elle s'est bien débrouillée, ensuite. Elle a eu un autre appartement. Son deuxième mariage. C'est à ça que ça sert, les bonshommes, elle ne voit pas pourquoi on se voile la face avec ça. Deux étages, à Joinville. Elle a dépensé l'argent de cette vente-là. Elle a eu beaucoup de frais, et jamais envie de travailler. Son deuxième mari n'était pas le pire, mais il a payé pour les autres. Il avait la main leste. Dès qu'ils discutaient, ça dégénérait, il finissait par lui mettre une droite, en visant l'œil. Elle connaissait tous les boutons sur lesquels appuyer pour le mettre hors de lui. Très vite, elle savait ce qu'elle faisait. C'était le début d'internet, elle gardait tous ses mails. Les mails d'excuses quand il l'avait frappée. Au moment du divorce, le gros lot. On peut dire qu'elle avait retenu la leçon.

Après le deuxième mariage, il y avait eu Claude. Elle s'était remise à consommer beaucoup de coke. Pour en avoir sans la payer, elle continuait à avoir une vie sociale. La pub, la finance... de nouveaux amis. C'est comme ça qu'elle a rencontré Claude. Enfin, c'est comme ça que Claude l'a rencontrée... il avait plus de soixante-dix ans. Il ne travaillait plus quand elle l'a connu. Ils se sont croisés lors d'une soirée de la Fondation Cartier, et il est tombé amoureux. Quand elle a réalisé qu'il lui faisait la cour, elle a été vexée qu'un homme de son âge puisse imaginer qu'une fille du sien... Mais Claude savait y faire. Tout le monde l'a traitée de pute, quand elle s'est mise avec lui. C'est vrai qu'il l'a eue aux cadeaux. Qu'est-ce que ça a de moche ? Une fois les histoires terminées, qu'est-ce qui reste d'autre ? C'était la première fois qu'elle rencontrait quelqu'un comme lui. Les Galtan, c'était de l'argent récent, de l'argent de paysan malin qui avait su miser au bon moment, puis investir comme il fallait. La grand-mère, elle peut se donner tous les grands airs qu'elle veut, elle descend quand même d'un tracteur. Claude, c'était une autre histoire. Il ne l'a pas impressionnée par le prix qu'il mettait pour l'avoir. C'était sa classe qui lui en mettait plein la vue. La première fois qu'elle est entrée chez lui, elle a su qu'elle resterait. À cause de la beauté des choses. Il l'a hissée sur un piédestal et ne l'en a jamais fait descendre. Tout ce qu'il voyait, il le rendait intéressant. Même le laid. Il l'a ressoudée. Et qu'elle soit là suffisait à le rendre heureux. Pas fier. Heureux.

Il était patient avec elle. Il la connaissait. Elle ne se cachait pas devant lui. Parfois, quand elle se tournait vers lui, elle était étonnée de le voir aussi vieux, ça lui faisait un choc, un moment de dégoût. Mais elle n'avait pas envie d'être ailleurs. Tout le monde la regardait de travers, une fille si jeune avec un vieux, on savait bien ce qu'elle lui trouvait. C'était bizarre, de toucher quelqu'un de cet âge-là, sa peau. La mort travaille déjà. Il fallait bien le faire, de temps en temps, et ça durait pendant des heures, parce qu'il bandait à peine, ça se passait plutôt dans sa tête. Elle s'était habituée. On dit encore « un homme », à cet âge-là, mais en fait c'est autre chose. Un troisième sexe. Ni femme, ni homme. Il aimait qu'elle se déshabille, devant lui. Évidemment qu'elle avait cherché un père de substitution, elle ne voit pas en quoi ça aurait été un problème, puisqu'elle en avait besoin, et qu'il a bien rempli son rôle. Claude lui a appris des choses. Il méprisait beaucoup les gens. Leur avis lui importait peu. Elle lui avait dit, pour Valentine. Elle pense à Claude, souvent, depuis que la petite est revenue. Elle voudrait qu'il soit là, pouvoir lui demander conseil. Avec lui, elle a compris qu'il y avait un amour hors de la passion, un lien plus fort que ce que tisse la névrose. Une entente, pacifique. Claude savait, tout ce qu'elle ressentait pour Valentine, ou justement tout ce qu'elle ne ressentait pas. Il lui disait de ne pas s'en faire. Que depuis toujours des femmes mettaient au monde des enfants dont elles ne s'occupaient plus par la suite. Qu'il n'y avait que les filles de cuisine qui faisaient du sentiment là-dessus. Il disait qu'elle avait de la chance, que rien n'est plus abrutissant que les mômes. Un matin, en se réveillant, elle avait senti qu'il était encore couché. Claude dormait peu. Il n'était jamais à côté d'elle le matin. Elle le trouvait dans son bureau. Elle avait sauté hors du lit, horrifiée. Elle savait. Ses enfants à lui sont arrivés dans la journée. Quand ils ont compris qu'il ne l'avait pas épousée en cachette, ni rien légué en douce, ils ont enfin pu respirer. Ils ont fait ses valises dans la journée. Ses deux filles et son fils, trois grosses larves idiotes, il fallait les voir, ce jour-là, se démener dans la maison pour mettre ses choses dans des cartons. Il avait fallu discuter, objet par objet. Ils l'ont mise dehors en moins de trois heures. En les regardant faire, elle pensait à ce que Claude disait sur les enfants. Trois grosses voracités amorphes, s'affairant déjà dans sa bibliothèque, ses placards. Elle a su qu'il avait raison. C'est ça, la famille. C'est pour ça qu'on fait tout un cinéma.

Elle n'avait jamais compris qu'il l'ait laissée dans cette situation-là. Il avait dû y penser, pourtant. Peut-être qu'il l'avait crue plus maligne qu'elle ne l'était. Elle aurait dû planquer tous les cadeaux qu'il avait faits, et les objets auxquels elle tenait, avant de prévenir le médecin. Elle s'était retrouvée en bas de chez lui, sans carte bleue, sans nulle part où aller. Avec trois cartons, une valise et un très beau manteau qu'elle avait arraché aux enfants. On n'est jamais que des locataires, quand on est heureux quelque part. Toujours sous le coup d'une expulsion.

Le vif du sujet. Vanessa prend le plateau, propose de refaire du café, voudrait gagner un peu de temps. La détective allume cigarette sur cigarette, elle demande :

— Et comment ça s'est passé, avec Valentine ?

— Je ne peux pas dire que je l'ai reconnue, il y a tellement d'enfants de son âge dans le quartier, je n'ai pas fait attention. C'était juste bizarre, parce qu'il pleuvait et qu'elle était là, avec sa petite capuche, sous un porche. C'est pour ça que je l'ai remarquée. On aurait dit un chat, trempé. Elle n'a pas osé me parler la première fois qu'elle m'a vue. Elle m'a laissé un mot dans la boîte aux lettres, une feuille pliée en quatre. Heureusement que c'est moi qui regardais le courrier.

— Qu'est-ce qu'elle avait écrit ?

— « Je suis Valentine. Votre fille. Je n'ai pas osé vous aborder. Je serai demain au même endroit à la même heure. Venez me chercher si vous voulez me parler. »

— Vous avez gardé la feuille ?

— Non. Je l'ai déchirée. J'ai pensé à Camille. Je ne lui ai jamais dit que j'avais une fille. Et la meilleure façon de ne pas se faire prendre quand on a menti, c'est de ne laisser traîner aucune preuve. Je l'ai déchirée, je l'ai jetée, j'ai attendu la nuit et je suis allée jeter le sac moi-même dans la grosse benne en bas de chez nous. Normalement c'est la femme de ménage qui le fait.

— Et vous êtes allée la voir, le lendemain ?

— Je n'ai pas dormi de la nuit. Je ne savais pas quoi faire…

— Vous n'aviez pas envie de la voir ?

— Non. Je m'étais habituée à ne pas penser à elle. Et puis, il y a Camille. Il ne veut pas d'enfant. Parfait. Comment j'allais lui expliquer, un beau matin, qu'une gamine de quinze ans était venue sonner à ma porte et que « oups » j'avais oublié de lui en parler ?

— Vous n'aviez rien dit ? Paris, c'est petit, pourtant. Personne n'a jamais pensé à informer Camille de ce que…

— Non. Camille est architecte, il fréquente très peu de Français, et tous sont dans la même branche d'activité. Ça aurait pu arriver, bien sûr, mais je suis passée au travers.

— Et le lendemain, vous lui avez parlé ?

211

Elle ne la laisse plus s'ébattre comme elle l'entend, Vanessa sent la laisse, le collier sur lequel on tire par à-coups, secs, pour la faire aller dans le sens de la marche.

— Je suis descendue, oui. Je l'ai emmenée à la mer. En voiture. J'avais pensé que ça serait bien de commencer par se voir en voiture, que je n'aurais pas à me demander quelle attitude avoir, je serais en train de conduire, et c'est tout. Une demi-heure pour aller à la plage, on discute, une heure à la plage ensemble, on marche. Et ensuite, je l'aurais ramenée où elle voulait... J'avais préparé des trucs à dire, je croyais qu'elle allait me demander, tout de suite « pourquoi tu m'as abandonnée » et « qu'est-ce que tu as fait pendant ce temps ». Mais pas du tout. Elle m'a beaucoup parlé. Son école, la musique qu'elle aimait bien. À la plage, je lui ai payé une glace, je lui ai demandé pourquoi elle ne faisait pas un peu plus attention à son poids, elle m'a dit que c'était génétique. Son père est mince, je suis mince, je n'ai pas su quoi dire. Elle m'a donné des nouvelles de la famille, comme elle avait rencontré mes frères et sœurs... Ça nous a fait un moment, ils sont nombreux. Mais après ça, on ne savait pas trop quoi se dire d'autre. Je lui ai dit qu'il faisait beau, à Barcelone, elle m'a raconté qu'elle partait souvent faire de la planche à voile en Bretagne, j'ai dit qu'il pleuvait souvent en Bretagne, mais que j'aimais bien les crêpes et le cidre... Et je lui ai dit que je devais rentrer. Elle m'a demandé si elle pouvait prendre une douche chez moi. J'ai réalisé qu'elle ne savait pas où aller. J'avais ma carte bleue sur moi, j'ai tiré cinq cents euros en liquide, je ne voulais pas que

Camille trouve une note d'hôtel sur mon relevé, et je l'ai emmenée à l'hôtel. Pas loin du port, vers la ville. J'ai payé deux nuits et je lui ai laissé le reste en liquide, je lui ai dit que je reviendrais, mais que là je ne pouvais pas rester.

— Et quand vous êtes revenue, elle avait disparu ?

— Pas tout de suite. Elle est restée une semaine. En fin de matinée, j'allais la rejoindre. On déjeunait ensemble. J'avais demandé à Valentine de dire qu'elle était une nièce, si jamais on croisait quelqu'un, ou Camille, on ne sait jamais…

— Elle le prenait bien ?

— Elle ne disait rien. On faisait comme si c'était normal. En fait, elle parlait moins que le premier jour où je l'ai vue. Elle est assez réservée. Et très mal habillée. Je lui ai proposé qu'on aille s'acheter des trucs, ensemble, mais elle a refusé. Je passais la prendre à l'hôtel, on cherchait une terrasse, on déjeunait ensemble. Je m'habituais à elle. Je pensais qu'il fallait que je parle à Camille.

— Elle vous disait ce qu'elle faisait le reste du temps ?

— Elle me disait qu'elle s'était fait des copines, des Espagnoles, et qu'elles s'amusaient bien. Elle disait qu'elles allaient à la Barceloneta, le quartier du port.

— Elle avait l'air heureuse ?

— Elle ne se plaignait pas… J'ai déjeuné sept fois avec elle, c'est un peu court pour être sûre… Elle avait l'air contente de me voir, d'être là… Elle ne me parlait pas tant que ça, en fait. Je pensais qu'on avait le temps de s'apprivoiser.

— Et quand la police est venue vous interroger, vous ne leur avez rien dit ?

— Non. Elle m'avait demandé de ne pas le faire. Je lui ai dit qu'il faudrait bien qu'elle rentre chez son père, elle a dit qu'elle savait. J'ai promis de ne rien dire. J'ai pensé que c'était le minimum, de tenir parole… Ça commençait à me faire plaisir qu'elle soit là. Je me demandais comment en parler à Camille… J'avais besoin de temps.

L'arrivée de Valentine avait convoqué une horde de pensées sauvages et nuisibles. Une série d'échecs, d'humiliations, de décisions prises dans la rage. Quand Vanessa s'était installée à Barcelone, si on l'avait interrogée et qu'elle avait répondu sincèrement, elle se serait définie ainsi : épanouie, chanceuse, équilibrée. La vie lui avait souri, avec insolence, et elle avait la sensation d'avoir su en profiter. Le face-à-face quotidien avec sa fille avait modifié le regard qu'elle portait sur elle-même. Et pas uniquement en l'obligeant à prendre conscience de son âge avec une acuité cruelle, la faisant basculer sans appel du côté de ceux qui disparaîtraient, bientôt. C'était avant tout la vision de sa trajectoire qu'elle l'obligeait à réviser. Gagnante, survivante, impitoyable : tous les termes qu'elle avait plaqués sur elle-même perdaient de leur évidence. Elle était une pauvre fille qui s'était démenée, de mariage médiocre en mariage médiocre, amassant comme un petit animal un petit pécule dérisoire, y consacrant toute son énergie. C'était en regardant Valentine, et en cherchant comment lui raconter son histoire, que tout avait changé. Et elle n'osait pas la toucher. Elle était incapable d'affection physique.

214

Elle voulait faire les gestes, mais elle n'y arrivait pas. Vanessa n'était pas celle qu'elle croyait. C'est Valentine qui le lui avait fait comprendre.

— François Galtan n'a jamais essayé de vous contacter ?

— Il a trop peur de m'entendre. Sa mère non plus n'a pas appelé. Vous êtes embauchées pour ça, au final. Leur éviter de se confronter à moi. Je pensais que Valentine rentrerait chez eux. Que ça leur servirait de leçon. Un jour, je suis venue à l'hôtel, la chercher. Elle n'y était plus.

Vanessa se répète qu'elle n'a rien fait de mal. Elle a payé deux nuits d'avance, laissé un mot pour dire qu'elle revenait. Elle a continué de payer, et de passer tous les jours. Et puis elle a vidé sa chambre. Elle n'a pas été émue à ce moment-là, plutôt ennuyée. C'est plus tard, c'est depuis, qu'elle est troublée par les images de cet après-midi-là. Ses mains à elle entassant les vêtements dans le sac. Des objets de son intimité. Une huile pour les cheveux, un bas de maillot de bain, dans une taille épouvantablement grande, une édition poche d'un roman japonais, *Kafka sur le rivage*, avec une photo de chat sur la couverture. Un jeu d'oracle de Belline. Vanessa a pensé qu'elle ne lui avait jamais dit qu'elle tirait les cartes. Des chaussettes rouges, trouées. Un paquet de feuilles longues à rouler. Un petit scarabée en faïence, bleu, sur la table de chevet. Une écharpe douce, verte, qu'elle ne lui avait jamais vue, imprégnée d'un parfum sucré. Une paire de Converse montantes jaunes. C'était comme dépouiller la pièce de son intimité, effacer sa présence au fur et à mesure qu'elle rangeait les affaires à l'intérieur du petit sac à dos orange qu'elle portait le jour de son arrivée. Ce sac si petit que ça l'avait rassurée, au milieu de sa panique, le genre de sac qu'on prend pour un week-end. Elle avait ordonné soigneusement les choses à l'intérieur. Elle était restée un moment accoudée à la fenêtre, la vue était jolie, donnait sur une place carrée où trônait une petite église. Un ange décapité à côté d'une vierge à l'enfant était sculpté sur le fronton.

Et puis elle avait fermé la porte, rendu la carte magnétique. Images gravées, long plan séquence. Vanessa n'a pas pleuré, depuis. C'est resté imprimé. Face à elle, la Hyène insiste, sans chercher à la brusquer :

— Vous avez gardé ses affaires ?

— J'ai passé l'après-midi à la Barceloneta, je suis entrée dans tous les bars, j'ai demandé s'ils avaient vu une petite Française brune et boulotte d'environ seize ans, du nom de Valentine. Le soir, j'ai appelé Camille, je lui ai dit que je restais avec des copines pour dîner, j'ai continué. J'ai écumé toute la plage, jusqu'à Poblenou. Je ne savais pas quoi faire de ce sac, aller le cacher chez quelqu'un, c'était déjà me mettre dans une situation délicate. À Paris, j'aurais su chez qui le laisser. Mais ici… j'ai balancé son sac dans une poubelle.

C'est l'image la plus nette. Elle était exténuée, d'avoir marché toute la journée. Un peu après minuit, elle avait appuyé sur la pédale actionnant l'ouverture d'une benne, énorme bouche grise. Le sac orange, jeté dedans, les bennes trop profondes pour qu'on en voie le fond dans l'obscurité. Cette image-là,

216

précisément. Incrustée. Même si au fond elle pense que Valentine va bien. Elle se retient de penser qu'il est possible que quelqu'un fasse le même geste, avec le corps de sa fille. Pour la lancer dans un fossé, dans un fleuve, du sommet d'une montagne. Un fait divers pour les infos.

La détective demande :

— Vous vous souvenez bien de la veille du jour où elle a disparu ?

— Oui. Et des jours d'avant, il n'y en pas eu tant que ça. Je n'ai pas l'impression qu'on ait parlé de quoi que ce soit de particulier.

— Elle ne vous a pas semblé spéciale ce jour-là ?

— Du tout.

— Et vous n'êtes pas allée faire une déposition à la police ?

— Non. Vous allez le faire pour moi ?

— Ça ne m'avancerait pas à grand-chose. Vous pensez qu'elle est encore dans le coin ?

— Je ne sais pas ce qui s'est passé. Je pense que toutes ses affaires n'étaient pas à l'hôtel. J'ai l'impression qu'elle en a emporté. Mais je n'en suis pas sûre. Elle s'habillait toujours de la même façon. Elle n'est pas très féminine.

— Et vous n'en avez toujours pas parlé à votre mari ?

— C'est trop tard. Si j'en avais parlé dès le départ, peut-être… Mais après quatre ans avec lui, ça m'étonnerait qu'il se fasse une raison, m'embrasse et passe à autre chose. Vous savez, c'est…

Elle a « une grosse prise » sur le bout de la langue. C'est exactement ce qu'elle pense, mais préférerait le dire autrement. Camille est une grosse prise. L'âge qu'elle a ne lui fait pas peur, elle sait qu'elle ne fait pas partie des beautés vite flétries. Il lui reste une dizaine d'années, en piste. Il suffit de ne pas le dire. Les gens se moquent des femmes qui se rajeunissent, Vanessa ne se moque que de celles qui le font sans en avoir les moyens. Elle pense qu'elle n'a pas peur de son âge pour tout recommencer, mais qu'elle est bien avec Camille, et ne voudrait pas que ça s'arrête. C'est comme ça qu'elle a jeté le sac, dans une benne grise en bord de mer, avant de monter dans un taxi, et le retrouver sans rien lui dire.

8

On redescend vers la voiture en silence. Je regarde l'heure sur mon portable : on est restées coincées trois heures chez la mère de Valentine. Par moments, j'avais envie de la secouer pour qu'elle accélère.

La Hyène s'arrête, au milieu du trottoir, elle regarde autour d'elle, perplexe.

— On était garées là.

— Il faut croire que tu te trompes.

Toutes les rues se ressemblent dans ce putain de quartier résidentiel. Il y a des arbres, partout, de belles maisons vaguement en ruine, et pas un seul point de repère valable.

— On nous aurait volé la voiture ?

Si j'étais un voleur, je n'aurais pas choisi la nôtre. Il n'y a que des voitures de luxe, alentour. La Hyène remarque un petit autocollant triangulaire, collé sur le trottoir. Elle s'agenouille pour le décoller.

— La fourrière.

— Impossible. On a payé une fortune, en arrivant. Trois euros de l'heure, si tu crois que j'ai déjà oublié ça…

219

— Oui, pour deux heures. Mais on est restées beaucoup plus longtemps.

— C'est forcément une erreur.

— Je t'avais prévenue en arrivant : ici, c'est l'avant-garde de la délinquance. Benvingut, chérie.

— Ils emmènent une voiture pour une heure de dépassement de parking ? Alors qu'on avait payé deux heures ?

— Celles qui sont immatriculées à l'étranger, oui. Ils savent qu'on va venir la rechercher, tout de suite. Viens, on va chercher un taxi. Ne me regarde pas comme ça, tu vas pas me laisser y aller toute seule. De toute façon, t'as ta valise dans le coffre, non ?

J'ai pris mes affaires en quittant l'appartement ce matin, jurant de ne plus jamais passer une seule nuit dans cet antre du vice et de la dépravation. À cinq heures du matin, elles bramaient encore et je n'ai pas osé traverser le couloir pour aller faire pipi de toute la nuit.

La Hyène descend la rue, sans hésitation. Autour de nous : le vide, pas un passant, pas une voiture. Je me demande d'où on va le sortir, le taxi en question.

— Tu connais le quartier ? Tu sais où on va ?

— Tu as entendu ce qu'elle a dit : en face de la grande antenne, c'est la mer. Donc il y a la ville entre les deux. Nous, on va vers la ville. Donc, c'est par là.

Faute d'avoir une meilleure idée de la direction à prendre, je la suis.

— Elle est glauque, sa mère. Non ?

— Elle ? Glauque ? C'est pas ce qu'elle m'inspire en premier, non. T'as vu ses mains ? T'as regardé ses jambes ? Et comment elle sent bon... même ses coudes je les ai trouvé beaux, t'as pas remarqué ? Elle a des coudes superbes. Et comment elle respire, on voit que la majesté réside jusque dans ses poumons. Tu voudrais être de l'air. J'ai adoré sa voix... laisse tomber, le grain de sa voix, on croirait qu'il y a du sable dedans. Tu l'imagines chanter quand elle jouit, et en fait non, tu veux même pas y penser, ça serait trop. Je ne sais pas si t'as fait attention, comment elle tient sa tasse quand elle boit son café ? La façon de poser ses doigts, sur l'anse, la cassure du poignet ? T'as pas regardé ? Inoubliable. Une créature pareille, j'avais rarement vu ça d'aussi près.

— Excuse-moi, je pensais à ce qu'elle disait, pendant qu'elle parlait.

— Pas de problème, Sherlock. Toi, tu te concentres sur l'enquête, et moi, je jouis du décor.

— Tu crois qu'il est arrivé quelque chose d'horrible à Valentine ?

— Je dirais plutôt qu'elle s'est cassée... La Vanessa, autant tu la veux dans ton lit, autant, si c'est ta mère, tu souffres.

— En laissant toutes tes affaires derrière toi ?

— En laissant trois conneries. Un livre que t'as déjà lu, un jeu de cartes et une vieille écharpe... elle avait bien un iPod, la petite, tu m'as dit ? Bon, il n'y avait pas d'iPod dans la chambre. Elle avait bien pris trois culottes, avec elle, j'imagine... elle n'est pas descendue qu'avec son maillot de bain...

— Ah. Ton instinct te dit qu'elle est partie de son plein gré ?

— Mes instincts, sur ce coup, étaient occupés à tout autre chose... Mais le bon sens me prie de croire qu'elle a claqué la porte, oui. Le chat est mieux accueilli que la gosse. J'aime bien les animaux, c'est pas le problème. Ça polluera toujours moins la planète qu'un connard de gamin… mais quand même, s'agissant de ta fille, que t'as quand même dealée contre un appartement pourri… quand elle revient te voir, la moindre des choses, ça serait de lui offrir un Coca chez toi, non ?

— Tu crois qu'elle nous a menti, la mère, sur quelque chose ?

— Qui nous intéresse ? Je dirais non.

— Et qu'est-ce qui va se passer, maintenant ?

— On va visiter la fourrière.

Elle nous a conduites sur une route où il y a de la circulation. Elle lève la main et arrête un taxi. Voiture jaune et noire. La Hyène discute un long moment avec le chauffeur. Du haut d'une rue en pente, qui surplombe toute la ville, on voit la mer. Rush de calme. Je me demande pourquoi certains paysages procurent autant de plaisir. La Hyène s'enfonce dans son siège :

— Il a même pas besoin de son GPS, il connaît le chemin par cœur : il dit que la fourrière, ici, c'est un des seuls trucs qui fonctionne bien.

— Il faut encore que je trouve un hôtel, après.

— On va quand même passer voir celui où est descendue Valentine. Si ça se trouve il est bien. Tu pourras prendre une chambre dedans. T'es pas obligée, tu sais, tu peux revenir avec moi chez Staff.

C'est comme ça qu'elle appelle la Française blonde qui nous a hébergées. Je ne réponds même pas, je regarde par la fenêtre. Elle me demande :

222

— Tu as mal dormi ?

— J'ai pas l'habitude des partouzes. Et je t'arrête tout de suite : qu'elles soient gouines ou polygenrées, c'est pareil, c'est pas mon truc. J'étais un peu mal à l'aise, oui.

— Désolée, je ne voulais pas que tu sois inconfortable… J'avais pas imaginé que ça serait… aussi bien. J'espère que tu ne t'es pas sentie… genre agressée ?

— Non, ça m'a juste paru puéril.

— Puéril ? Ah bon. Tu appelles ça comme ça, toi ? Dommage pour les enfants que tu ne travailles pas en maternelle, ils apprendraient vite à aimer l'école…

Elle perd un peu de pimpance quand, après avoir fait la queue une demi-heure, derrière deux couples de Français qui ont eu du mal à prouver qu'il s'agissait de leurs véhicules, elle apprend que la note est de deux cent quinze euros. Elle change de ton, accoudée au guichet, je ne sais pas ce qu'elle raconte, mais ça va crescendo. Sur le visage de l'employé de la fourrière se succèdent rapidement des expressions de refus poli, d'agacement, d'incrédulité, d'inquiétude, de panique puis de terreur pure. Il lui tend un formulaire, sans un mot, elle s'éloigne en baragouinant diverses injures et menaces. Je la suis. Nous traversons un parc de voitures immense, plus vaste et rempli qu'un parking d'hypermarché de province un samedi précédant Noël. Elle fait deux cents mètres en silence, puis se tourne vers moi, contente d'elle :

— Ça va, cette fois, t'es pas traumatisée ? J'ai pas vraiment les papiers d'immatriculation. Enfin, si, mais ils ne sont pas à mon nom. C'est une voiture qu'on m'a prêtée. J'ai eu peur que ça pose un problème, et j'ai pensé que la meilleure stratégie, c'était que le gars veuille en finir le plus vite possible avec moi. Ça a marché. Je te jure que ça m'afflige autant que toi, mais vraiment y a rien que les gens comprennent mieux que se faire un peu secouer.

— Deux cent quinze euros… tu dois pas être la seule à t'emporter.

— J'aime que tu rentres dans le mood. Ça change, quand tu te plains pas.

On descend direct à l'hôtel où a séjourné Valentine. La Hyène joue sur un aspect de sa personnalité dont elle n'avait pas encore fait usage devant moi : elle sait remarquablement bien s'y prendre avec les garçons. À première vue, le jeune homme à la réception n'a aucune intention de nous renseigner, il est poli mais ferme, extrêmement occupé. Je m'attends à ce qu'elle l'attrape par le col pour lui mettre une « petite mandale qui réaligne les chakras », au lieu de quoi elle déploie à son intention une débauche de sourires, bonne humeur et insistance enjouée. Et ça marche. Il suspend ce qu'il était en train de faire, déniche le directeur, une femme de chambre, un garçon de cuisine, et appelle même le gardien de nuit. J'écoute de loin, une bouillie de syllabes, en essayant d'interpréter les gestes des gens. J'aime bien ne pas comprendre ce qui se passe, ça rend la bulle plus étanche, et moins vexant le peu d'attention que m'accordent les gens. Parfois, elle se tourne vers moi, et me résume la situation en quelques phrases. Ça me suffit.

224

Le personnel tourne vite, beaucoup d'entre eux n'étaient pas encore embauchés il y a huit jours. On devine la boîte qui paye bien. Pour les autres, un touriste est un touriste, et non, ils ne se souviennent pas d'une jeune fille qui serait restée là huit jours. Heureusement, la mère a davantage marqué les esprits. Le directeur se souvient de Vanessa. Il a même dû en garder un souvenir ému, car il exhorte ses troupes à se creuser la tête. Une femme de ménage remet Valentine : elle sortait très peu de sa chambre, c'était difficile de faire son lit. La gamine était presque tout le temps là, et voulait soudoyer le personnel pour qu'on lui improvise un service en chambre, ce qui n'a jamais été possible. Le cuistot claque des doigts, à son tour, ça lui revient : la première au buffet du petit déjeuner, elle pouvait engloutir jusqu'à sept croissants chaque matin, il l'avait à l'œil, à la longue. Et à part ça ? Je regarde défiler les touristes, Allemands, Japonais, Français, Américains, qui se succèdent au comptoir. J'imagine être Valentine, dans ce hall un peu trop chic, envahi d'adultes en couple et de familles. Elle a dû se sentir seule.

— Tu veux prendre une chambre ici ? Profites-en, il n'y a pas de travaux en cours, j'ai demandé. Et ils nous font un prix.

— Sûrement pas, non.

— Ah. Tant pis.

Dans la rue, elle me demande :

— Et tu veux aller où, alors ?

— Dans un hôtel normal. J'aime pas cet hôtel, je le trouve triste. Je parie qu'il fait froid dans les chambres.

— Elle était formelle, l'Argentine qui fait le ménage : Valentine sortait moins de deux heures par jour. Elle aurait passé ses soirées, ses matinées, et le plus gros de ses après-midi, toute seule, ici. C'était des conneries, ses copines et la Barceloneta.

— Ça veut dire qu'elle attendait sa mère tout le temps. C'est un peu triste.

Je n'ose pas dire ce que j'ai en tête : ça veut dire qu'elle a pu suivre absolument n'importe qui voulant bien passer un peu de temps avec elle. J'imagine facilement ce que ça peut être, passer huit jours dans une ville étrangère sans avoir personne avec qui en parler. Et attendre, dans sa chambre, que la nuit arrive. Je dis :

— C'était une journée de merde. Je me sens boueuse, je déteste ça.

— Qu'est-ce que t'es négative… C'est pour ça que t'as pas de mec ? Tu les déprimes en moins de deux jours, non ?

— Aucun rapport. Je suis seule depuis très peu de temps.

Sauf que c'est faux. Ça ne m'était jamais arrivé, avant, de rester célibataire aussi longtemps. C'est le boulot. J'ai même pas envie de dire à un garçon où je travaille. Ça me semble difficile à expliquer, comment je gagne ma vie. Et je vois mal comment je pourrais avoir une histoire alors qu'une nuit sur deux, minimum, je suis coincée en bas de chez un gosse à vérifier qu'il ne bouge pas, ou à le suivre, le cas échéant. La Hyène insiste :

— Et puis t'as passé trente-cinq ans. Les hétéros, c'est votre date de péremption.

— Et chez les lesbiennes, bien sûr, c'est mieux ?

— Comme le reste. Déjà, les vieilles gouines sont superbes. Elles ont de belles peaux, elles restent jeunes, elles n'ont pas été abîmées par une vie putride. Chez nous, trente-cinq ans, c'est même pas le début : c'est encore le prologue. Le top, c'est quand t'arrives à cinquante.

— Mais t'as une copine régulière, toi ?

— J'adorerais ça. La fidélité, c'est mon utopie. Mais je plais trop aux filles : je ne peux pas leur faire ça... Ça te va, ça, comme hôtel ?

Je n'avais pas compris qu'on marchait avec une destination précise. Elle m'a amenée jusqu'à une petite pension agréable, je regarde les tarifs et je trouve ça cher, mais j'ai l'impression que c'est partout pareil dans la ville. Il faut croire qu'elle lit dans mes pensées :

— Tu trouveras pas meilleur marché. Et c'est très correct. Tu seras bien. Je te laisse là ou tu veux venir dîner avec nous ?

— Non merci. Je crois que je suis assez... affranchie sur vos pratiques, maintenant. Ça ira.

— Comme tu veux. Mais bon, on se retrouve à la plage. Avec le sable, quand même, l'ambiance risque d'être plus calme...

Je doute que le sable suffise à freiner leurs ardeurs, et je m'apprête à répondre que j'ai sommeil, puis je m'imagine dans ma chambre, toute seule, devant la télé, et je réalise que non, j'ai envie de boire un verre, de voir la mer. La journée m'a laissé un goût sordide. Et ses réflexions sur mon célibat, les trente-cinq ans et ma négativité m'ont achevée. Ce genre de petites phrases, prononcées vite fait, qui viennent percuter comme une flèche, et libérer une marée noire.

— Tu m'attends ? Le temps de monter mes affaires et je t'accompagne.

Elle semble surprise. Agréablement surprise. Me fait signe de prendre tout mon temps.

Le groupe se repère de loin, installé dans l'herbe juste au-dessus de la plage. Elles sont une quinzaine, elles écoutent de la vieille techno sur un Discman rouge tout scotché, relié à des petites enceintes qu'on dirait sauvées d'une poubelle.

Autour, des gens promènent des chiens, d'autres jouent au ballon en famille, des couples allongés sur le sable s'embrassent, ou tirent sur un pétard. Des groupes de jeunes Anglais boivent de la bière. Nul ne s'approche à moins de dix mètres de là où nous sommes.

Je fais des petits signes de tête à celles que je reconnais, et m'assois dans mon coin. Je réalise vite que je me suis installée pile à côté du spot lignes de speed, qu'elles viennent prendre, deux par deux, sur un magazine. Elles sont discrètes, mais sans zèle. Je jette un œil inquiet aux familles et badauds, alentour. Personne ne leur prête attention.

Les filles ne sont pas gênées, entre elles, de ce qui s'est passé la veille. Elles se congratulent, se tapent dans le dos, s'embrassent dans le cou, se prennent par l'épaule.

Il y a quelques garçons dans le groupe qui n'étaient pas là la veille. Ils sont mignons, et s'embrassent volontiers entre eux.

La Française de l'appartement, Staff, vient me saluer en passant prendre sa ligne. Elle me demande si j'ai bien dormi, si je veux de la drogue. Je décline. Elle reste quelques minutes à mes côtés, sans rien trouver à me dire. Je la revois, la veille, collant une claque sonore à sa copine. Finalement, je regrette de m'être éclipsée aussi tôt, j'aimerais bien savoir ce qu'elles ont fait, ensuite. Je regarde la plage, à quelques mètres en contrebas.

— Alors, en fait, il paraît que t'es une détective privée ?

Zoska s'accroupit à côté de moi.

— Je ne t'avais pas vue.

— Je viens d'arriver.

Elle bâille, me tend un pétard, que je refuse. Elle porte le même treillis que la veille, et un tee-shirt « Big Sexy Noise », blanc et noir, très ajusté. Je remarque, sur son avant-bras, quelques cicatrices parallèles. Ses mains sont grandes, blanches, les doigts sont fins.

— Tu ne m'avais pas dit que tu étais là pour une enquête.

— Je préfère rester discrète.

— J'ai remarqué. Mais les autres le sont moins. Tu cherches quelqu'un, c'est ça ?

— Une gamine de quinze ans.

— Quinze ans ? C'est plus une gamine, alors. C'est l'âge moyen de la population de cette ville. Et vous avez besoin d'être deux pour faire ça ?

Je vérifie que la Hyène est assez loin de nous, et je joue la fille qui connaît bien son job.

— C'est plus pratique. C'est long, une enquête. Des fois il faut rester debout toute la nuit, ou d'autres fois il faut se séparer…

— Tu fais ça depuis longtemps ?

— Deux ans.

— C'est un peu comme keuf, non, ton job ?

— En pas fonctionnaire, en moins bien payé… mais y a de ça.

— Et ça te plaît ?

— C'est pas une vocation. Disons que je ne le ferais pas sans être payée. Et toi, tu fais quoi, ici ?

— Serveuse. Six euros de l'heure, tout le temps debout et les clients qui n'ont plus honte de radiner sur le pourboire parce que c'est la crise… Et alors, vous avez bien avancé, aujourd'hui ?

— Non. Pas trop.

Elle se redresse, regarde autour d'elle. J'aimerais trouver quelque chose qui alimente la conversation, parce qu'au moins, quand elle est là, je n'ai pas à me chercher une contenance. Mais rien ne me vient à l'esprit. Elle fait un pas en avant, puis me demande, par-dessus son épaule :

— Je vais fumer un joint sur la plage, tu veux m'accompagner ?

À ce moment précis, quelque chose se passe, une légère déchirure, à l'intérieur de ma poitrine, ou dans la nuque, à moins que ça n'arrive dans la gorge. Une façon de tourner la tête, de planter son regard dans le mien, brièvement. Un appel, à la limite de l'imperceptible, auquel je réponds violemment. Je me lève pour la suivre. Rien ne s'est passé, rien n'a changé, mais une corde s'est tendue, qui veut fébrilement s'arrimer et trouver son contact.

Autour de nous, la plage est dévastée. Canettes vides, emballages de chips, verres en carton du McDo, bouteilles d'eau écrasées, mégots et papiers gras. Les vagues charrient même un Tampax.

— Elle est toujours dans cet état, la plage ?

— Dès qu'il fait beau, oui. L'été, c'est pire.

— Tu vis à Barcelone depuis longtemps ?

— Trop. J'ai envie de partir. Mais pour l'instant, aucune ville ne m'appelle. Tout le monde part à Berlin, parce que les appartements sont pas chers. Mais c'est gris, là-bas. Et il y a des artistes partout, à la longue t'en as marre d'entendre parler d'installations.

— Tu parles l'espagnol aussi bien que tu parles le français ?

— Non. La France, j'y ai vécu très longtemps. C'est là que je suis arrivée, de Pologne. Pour nous, la France, c'est… la richesse. Même vos bureaux de poste sont chauffés. Tu peux pas allumer la télé sans voir quelqu'un avec un livre à la main, on dirait que vous n'avez que ça à faire, lire, lire, lire. Il faut du temps pour comprendre que c'est une arnaque, vous n'êtes pas mieux éduqués que des veaux. Et toi, tu ne parles pas un mot d'espagnol ?

— Non.

— Ça peut te gêner, pour ton enquête… Si tu as besoin d'une traductrice, appelle-moi. J'ai une moto, en plus, c'est pratique pour circuler. Tu t'y prends comment, pour ta recherche ?

Et là, je m'entends répondre, avec le plus grand sérieux :

— Moi ? Je laisse la ville faire son boulot. Transmettre son énergie. Je ne cherche pas trop à réfléchir, je me faufile. Il faut de la patience. On sait qu'elle est là. Il faut la laisser venir.

Elle ne fait pas de commentaire. J'ajoute, comme s'il s'agissait d'un point de détail :

— Mais laisse-moi ton numéro. Ça peut m'intéresser, une traductrice.

— Elle parle couramment l'espagnol, remarque, l'autre… La Hyène, là.

— Oui, mais on ne travaille pas tout le temps ensemble.

— Déjà, vu l'âge qu'elle a, si elle remet ça ce soir, il faut qu'elle prévoie une grasse matinée, pour se remettre, demain. Il paraît qu'elle s'est beaucoup dépensée, cette nuit.

— Je ne sais pas. Je suis restée dans ma chambre. Je ne suis pas très…

— Portée sur le sexe en groupe ? Moi non plus. On retourne avec les autres ?

— Oui, j'ai envie de me faire une ligne. Tu crois que c'est possible ?

— Tu verras, ici, la drogue, c'est ne pas en prendre qui est difficile.

Je déteste la coke et le speed, à cause des descentes, le lendemain. Mais j'ai besoin d'une raison pour rester auprès d'elle. Zoska me prépare un trait de speed qui a la forme d'une petite bûche, puis me laisse le prendre et va parler avec d'autres gens. Deuxième ligne, troisième bière, communiquer sans qu'on se comprenne ne me pose pas tellement de problème. Plus loin, la Hyène est assise, adossée à un arbre, elle tient entre ses bras une brune que je n'ai pas encore vue dans la bande. Leurs lèvres se cherchent, à intervalles réguliers, puis elles restent immobiles, leurs deux corps encastrés. Personne ne leur prête attention. Je tourne la tête et mes yeux rencontrent ceux de Zoska, à quelques mètres de là. Elle me fixe un moment, avec intensité, sans sourire, puis reporte son attention sur la petite blonde en face d'elle. Je me souviens d'elle, la veille, penchée sur un bras sur lequel elle dessinait des traits au scalpel. Une morsure de peur, dans mon ventre, se mêle à un désir brutal.

9

La Hyène

Au bout de la plage se découpe la haute silhouette d'un bâtiment neuf, gris, en forme d'aileron de requin, probablement un hôtel. La température a chuté dans la nuit et il fait un peu frais pour se baigner, mais un vieil homme sort de l'eau, jambes maigres et ventre rebondi. Il semble perdu dans son bermuda, tout seul à enjamber les vagues. Plus loin, des petites filles qui devraient être à l'école jouent avec un chien, il tient entre ses dents un vieux ballon crevé. Une techno planante à plein volume sort des enceintes des bars, de la musique qui va bien avec les drogues en vente dans le coin, synthétiques et roboratives. La Hyène remonte le Paseo Maritimo, voie hérissée de béton, de sculptures subventionnées, et de palmiers impavides. La plage est blindée de junk-bâtiments, mais quel que soit l'effort produit pour foutre en l'air le paysage, la mer est bleue et ça reste beau.

Vu de l'extérieur, le bar où elle a rendez-vous avec Lucie ressemble à un minuscule rade de quartier, comme il en existait en France dans les années 70. Le lieu semble d'autant plus petit qu'il est rempli de clients et de fumée. Comptoir, face à la porte, chargé de victuailles graisseuses, dans des plats en inox type cantine. Foule souple et chaude, peu de chaises, la plupart des gens sont debout, mélange de prolos locaux, Sud-Américains, jeunes fêtards en lendemain et vieux truands blasés. Elle cherche Lucie des yeux, la repère sous l'écran plasma accroché au mur, improbable et unique élément high-tech de l'endroit, installé pour les matchs de foot. Lucie n'est pas seule. La Hyène s'attendait à la retrouver maussade, parce qu'elle a un petit peu de retard et que la petite est du genre à aimer se plaindre tout le temps, avant de lever les yeux au ciel pour signifier qu'en ce qui la concerne, le chapitre est clos. Elle n'est ni seule, ni renfrognée. Elle est déjà à la bière, attablée avec Zoska, une brune mignonne qui sourit peu et à laquelle la Hyène n'a jamais prêté qu'une attention distraite.

— Qu'est-ce que vous faites ensemble ?

— Zoska m'a proposé de m'aider, pour la traduction… Et comme elle était libre aujourd'hui…

— Et elle te traduit quoi, les menus ?

— Non. On a cherché dans le quartier toute la matinée. On n'a pas arrêté de marcher.

Lucie n'a jamais pris une seule initiative depuis qu'elles travaillent ensemble. Subitement, elle semble réveillée. La Hyène la toise d'un œil méfiant : alors ça y est, elle est à Barcelone, elle se fait des lignes de coke au réveil ?

— Comment ça, vous avez « cherché » ?

— Avec la photo. On a fait tous les bars et restaus de la plage, les masseuses chinoises, les Pakis qui vendent des boissons, les Blacks qui tiennent les transats… un par un, de Poblenou jusqu'ici. On est vannées.

Quelle idée étrange. Comme si on recherchait les gens, en se promenant en ville avec une petite photo à la main. De quelle zone endommagée de son cerveau ce concept est-il né ? La Hyène étire ses jambes sous la table, se dit qu'après tout ça l'arrange de ne pas l'avoir entre les pattes aujourd'hui, et si ça peut l'occuper tout l'après-midi, aussi, pourquoi ne pas l'encourager :

— Je sais pas quoi te dire… C'est vrai que tout peut arriver : vous pourriez tomber sur quelqu'un qui l'ait croisée.

— Oui, c'est exactement ce que je pense. Vu qu'on est complètement larguées, autant se lancer dans le vide. À son âge, on traîne à la plage, non ?

— C'est clair. Sauf que c'est grand, la plage, c'est même un peu le concept du truc…

— On ne sait jamais. Comme c'est là que sa mère l'a cherchée, j'ai trouvé logique de reprendre au même point.

— Logique… Je ne pousserais peut-être pas jusque-là, mais ce qui est sûr, c'est qu'il faut bien commencer par un endroit.

Lucie est soulagée qu'elle ne se foute pas plus ouvertement de sa méthode débile. Elle tend la main vers le paquet de tabac de Zoska, demande « je peux » en lui lançant un bref coup d'œil, et à ce moment précis tout s'éclaire. La Hyène fronce les sourcils et les dévisage, l'une, puis l'autre. Du coup, brusquement, elle cherche à se souvenir pourquoi elle ne l'a jamais serrée, la Polonaise. Elle a pourtant tout pour lui plaire. Lucie se lève pour aller aux toilettes, la Hyène attend qu'elle s'éloigne :

— Ça va, pas trop pénible comme mission ?

— Non, ça va. Mais je ne sais pas si c'est très efficace, en fait.

— Si, tu le sais. Vous auriez plus de chances en restant dans ce bar toute la journée, des fois qu'elle passe devant. Mais t'es comme ça, toi, alors, tu dragues les hétéros ?

Aucune réaction, ni sourire, ni regard noir. Superbe. Ses yeux sont clairs, on doit pouvoir occuper toute une vie à se demander ce qui se passe dans cette petite tête-là. Elle contre-attaque, dédaigneuse :

— Pourquoi ça t'intéresse ? Tu étais sur le coup ?

— Ah, non. Non. Pas du tout.

Elle est contre le concept. À la longue, c'est vrai, Lucie lui est devenue bizarrement sympathique. Son apathie forcenée finit par forcer le respect. Mais ça reste une gourde exemplaire, la Hyène ne voit aucune urgence à ce qu'elle vienne faire baisser le niveau de l'élite. Dans le bar, on joue un flamenco, quelques clients se déhanchent, bières à la main. Zoska checke un texto sur son iPhone. Jolie, pas précaire, soignée, féline. La Hyène ajoute :

— Je ne savais pas que Lucie s'intéressait aux filles.

— Elle ne s'intéresse pas aux filles : elle s'intéresse à moi. Ça t'étonne ?

— Ça me déprime. Ça devrait être interdit que tu la laisses faire.

Encore un coup d'œil bref, assassin, celui-ci. Vraiment, aucune idée de comment ça se fait qu'elle ne l'a pas repérée plus tôt. Elles se sont vues dix fois, dans des fêtes à droite et à gauche. Elle n'avait jamais fait attention. Dommage qu'elle n'ait pas le temps de retourner la situation à son avantage. Lucie revient s'asseoir, elle s'est découvert dans la nuit une passion pour l'enquête :

— Une fois qu'on a fait ce quartier, il faut qu'on cible ceux où il y a beaucoup de mecs. Des jeunes. Valentine aime bien les ambiances viriles. On veut de la bière et du tatouage, c'est là qu'on a le plus de chances de trouver sa piste.

— Puisque vous faites un bon tandem, je vais peut-être vous laisser seules cet après-midi. Moi, j'ai des trucs à régler de mon côté… Je vous laisse cibler, tranquilles, alors ? Mais dès que vous avez une piste, n'oubliez pas de m'appeler, quand même.

Lucie est de tellement bonne humeur qu'elle éclate d'un rire sonore et franc, que la Hyène ne lui connaissait pas. Ça se voit qu'elles kiffent d'être assises l'une à côté de l'autre. Électricité des corps. Elles paradent en silence, les mains suffisent, la sensation de leurs chaleurs respectives les occupe entièrement.

— Tu ne manges pas avec nous ?

— Non. Je suis pressée, en fait. Je vais en profiter pour vaquer, un peu.

Elles sont enchantées qu'elle les laisse nigauder peinardes. Avant-hier, au milieu des gouines c'est à peine si Lucie n'avait pas besoin d'aller se rafraîchir aux toilettes toutes les cinq minutes tellement elle était mal à l'aise. Parfois, on s'adapte vite. Les hétéros se ressemblent toutes, elles préviennent « je ne mange pas de ce pain-là » alors qu'on ne leur demande rien, puis elles te sautent entre les cuisses pour te bouffer la chatte sans même te laisser le temps de réagir. Ça les change des velus, les pauvres.

Une banderole immense, logo d'une banque en lettres jaunes sur fond rouge, recouvre la façade principale de la cathédrale. La Hyène passe devant les tréteaux recouverts de bougies à l'effigie de divers saints, rosaires, médaillons et cartes religieuses, qui se vendent en bas des marches. Cinq euros pour entrer, les matinées sont payantes et les après-midi ouverts aux touristes. Elle est venue une heure en avance, pour avoir le temps de traîner. L'impression de pénétrer à l'intérieur du squelette gigantesque d'un dinosaure. Les piliers sont les côtes du monstre. L'espace la fait se tenir plus droite. Des écrans plats sont accrochés aux colonnes. Enfilade d'images en mouvement, dont le prosaïsme tranche avec la solennité des lieux. Les lueurs des bougies au pied des autels ont été remplacées par des tableaux de veilleuses électriques. Peu de gens prient pendant les heures payantes, la nef est abandonnée aux touristes qui prennent des photos avant même d'avoir eu le temps de regarder quoi que ce soit. Mais à qui pensent-ils montrer ça, au retour ? Frénésie d'émission, sans capteur disponible.

La Hyène s'assoit. Elle aime bien les églises. On n'entend pas les voitures, le son est différent de l'extérieur, la même qualité de silence que dans les bibliothèques, qu'on retrouve aussi dans les boutiques de luxe. Ses pensées sont hachées. Elle se sent comme une salle de concert où se déroulerait un festival, des groupes qui n'ont rien à voir les uns avec les autres s'emparent de la scène dans l'anarchie la plus débridée. C'est le chaos qui précède les résolutions, une tension qui lui est familière, sans qu'elle devienne supportable pour autant. La fille avec qui elle a passé la nuit lui a démonté le poignet, elle la tenait serrée en elle sans la laisser vraiment ni entrer, ni sortir, la maintenant verrouillée, elle se déhanchait sans ménagement. Elle lui a détruit la main.

Elle se lève et déambule dans la cathédrale, se retrouve dans une cour intérieure, à ciel ouvert, avec des oies au bord d'une mare. Un palmier, en son centre, grimpe si haut qu'il faut maintenir son tronc attaché par des cordes au montant d'un porche. Chapelle de Las Almas del Purgatorio. Une femme est debout, tête inclinée, devant le Christ. Ça reste un choc, quand on n'a pas été habitué dès l'enfance, de voir ce type agoniser, les yeux mi-clos et la tête penchée, les yeux révulsés. Exhibition de plaies, effusions de sang. Du coin de l'œil, la Hyène surveille la femme qui prie, à côté d'elle. Elle porte des chaussures plates à bout rond, une robe informe mais compliquée – pas juste un sac en toile grise, un truc plus alambiqué, en forme de trapèze. La langue qu'on parle modèle les lèvres : celles des Espagnoles sont agrandies par les voyelles, musclées par les accents. Elles donnent envie d'être embrassées.

La Hyène relève les yeux vers le Christ. Ce serait si confortable, de croire. La confession. Le pardon. Le rachat des péchés. La rédemption. Ce folklore admirable. Elle ne croit pas. Elle reste seule avec sa merde.

Elle se force à ne pas oublier. Davantage tenue par l'orgueil que par le remords.

Elle l'a tué il y a vingt-cinq ans. Elle l'a attendu à la sortie de son travail. Elle voulait lui parler, lui faire peur. Elle l'a suivi sans qu'il la remarque, il ne la connaissait pas. Elle enrageait de se sentir idiote, ne pas avoir préparé ce qu'elle voulait lui dire. Elle ne pouvait pas rentrer chez elle sans rien faire. Derrière la gare, à l'époque, c'était presque un terrain vague. Il a remonté une rue déserte, palissades le long d'un grand chantier, il était trop tard pour que quiconque y travaille encore. Elle l'a rattrapé, retenu par le bras, elle se forçait à prendre l'air mauvais. Il l'a toisée, sans s'attendre à ce que ça le concerne personnellement. C'était un homme, il n'avait pas peur d'une gamine de seize ans. Vu de près, il avait vraiment la tête de la France du début des années 80, une France encore engoncée dans des idées de décence, d'autorité et de sens moral. Il lui a fait signe de déguerpir, sans un mot mais son geste signifiait « cessez de m'importuner ». Alors elle lui a mis un coup de sac, en visant la tête. Elle a bien pris son élan. Ça aurait pu être un geste grotesque et décalé. Elle aurait pu le rater. Elle avait dans ce sac une petite bouteille d'Orangina, achetée à l'heure du déjeuner, et qu'elle n'avait pas eu le temps de boire. Elle y a mis toute sa force, dans ce coup. Il a chancelé, cherché le mur du plat de la main, ne l'a pas trouvé, il est reparti en tanguant de l'autre côté. Elle a pris la fuite. Elle ne laissait derrière elle aucune trace, ni sur le corps, ni sur la terre gelée.

Elle était arrivée chez elle et sa mère repassait dans le salon, devant la télé. Elle avait filé direct dans sa

241

chambre « j'ai des devoirs à faire », comme n'importe quel soir. Les jours normaux, elle s'allongeait dans le noir pour écouter des disques. À l'heure de dîner, quand son père venait la prévenir qu'il fallait passer à table, il allumait la lumière dans le couloir et un rayon blanc se découpait sous la porte, elle avait pile le temps de se lever avant qu'il n'entre pour dire « c'est prêt, viens manger ». Ce jour-là, elle n'avait pas fermé les volets pour mettre de la musique. Il y avait un peu de sang sur son sac US, une tache noire, de la taille d'une grosse prune. Elle ne savait pas encore que l'homme était mort. Elle n'était pas paniquée. Elle avait sorti ses affaires de classe, ses livres de géo et de maths, ses cahiers Clairefontaine aux couvertures cornées, sa trousse bordeaux maculée d'encre, une équerre et un vieux paquet de tabac séché. Son cahier de textes était couvert d'autocollants, sa mère disait qu'elle ne pouvait pas travailler sérieusement avec des affaires en aussi mauvais état, c'était un sujet d'engueulade récurrent, parmi d'autres.

Elle s'était glissée dans les toilettes à côté de sa chambre, avait sorti la grosse bouteille d'eau de Javel, rempli le lavabo d'eau tiède. Sa mère penserait qu'elle se lavait les mains, ou même n'entendrait pas, avec « Des chiffres et des lettres » qu'elle écoutait assez fort pour ne rien perdre de l'émission pendant qu'elle faisait des allers et retours pour ranger le linge au fur et à mesure qu'elle le repassait. Elle avait tamponné la tache sombre d'eau de Javel, puis avait rempli l'évier d'eau diluée et plongé le sac dedans. Ses mains, dans l'eau, appuyant sur la toile. Puis elle l'avait laissé tremper. Au fond, elle ne s'attendait pas à passer entre les mailles, elle pensait qu'il faudrait répondre de ce qu'elle avait fait, c'était juste histoire de tenir le vertige à distance en faisant quelque chose. Quand elle se ferait prendre, elle pourrait avouer avoir essayé de faire disparaître la tache, ça ne changerait pas grand-chose à la gravité de son geste. Elle attendait, à tout moment, que sonne le téléphone, ou quelqu'un à la porte, que le monde extérieur pénètre son univers, vienne le fracasser.

Le dîner s'était déroulé normalement, de toute façon elle ne parlait pas beaucoup, d'habitude. À table, les conversations étaient réservées aux discussions d'adultes. Même quand sa sœur habitait encore avec eux, elles attendaient d'être sorties de table pour s'engueuler dans leurs chambres. Ses parents avaient parlé de leurs histoires de travail. L'avancement injuste de machin, l'alcoolisme problématique d'unetelle, la remarque déplacée du délégué syndical. Sa mère travaillait dans une banque, lui était chef de rayon chez Castorama. Après le dîner, avant de regarder le film à la télé, sa mère était passée devant les toilettes. Elle l'avait entendue demander « mais pourquoi ça sent l'eau de Javel ici ? » et son cœur s'était arrêté, coup au ventre : ça y est, les ennuis sérieux pouvaient commencer. Mais son sac était devenu blanc. Sa mère était furieuse : « non mais ça va pas la tête ? Tu crois qu'il va être sec demain ? Il faut le rincer, sinon il va être troué. Et puis le poser sur un radiateur. Tu crois que c'est pour ça que tu vas à l'école ? Pour y aller avec un sac informe passé à l'eau de Javel ? T'as la belle vie, ma fille, tu verras, tu vas être surprise quand tu vas comprendre ce que c'est, la vraie vie… » Il n'y avait plus aucune tache, juste des empreintes laissées par les noms de groupes inscrits au marqueur. Mais de sang, rien. Le sac avait été rincé, étendu sur un radiateur, la mère de mauvaise humeur, elle ratait le début du film. Le sac était devenu beige clair, sans la moindre auréole.

Le lendemain, elle avait passé la journée les yeux rivés sur la porte de la salle de cours, à attendre que Loraine apparaisse. Elle, ou un policier. Pendant la nuit, la chose avait grandi. La compréhension de ce qui s'était passé. L'idée qu'il soit mort. Elle repassait la scène, se demandant qui pourrait l'avoir vue, et qu'elle n'aurait pas remarqué dans le feu de l'action. Ce qui ne faisait aucun doute, pour elle, à cette époque, c'était que le coupable finissait toujours par être retrouvé. L'odeur d'eau de Javel empestait toute la salle, d'autres élèves se tournaient vers elle en ricanant, se bouchant le nez avec des grimaces amusées.

Ce soir-là, elle avait trouvé ses parents chez elle. Elle avait posé son sac presque blanc sur le canapé marron du salon, l'odeur d'eau de Javel avait aussitôt rempli le salon. Ses vieux l'avaient serrée contre eux, une chaleur inhabituelle, un contact intense, gênant. Ils avaient appris, par une parent d'élèves qui habitait la même rue. Ils ne savaient pas comment le lui dire. C'est son père qui avait fini par balbutier « le papa de Loraine est mort ». Ils n'avaient pas tout de suite osé préciser « il a été assassiné ». Les parents se demandaient si elle voulait appeler son amie, s'il fallait qu'elle appelle, qu'est-ce qu'elle en pensait ? D'habitude, ils savaient immédiatement ce qui se faisait, dans quel ordre et sur quel ton. Dans la vie sociale normale : combien de fois on laisse sonner un téléphone, à partir de quelle heure on appelle, qu'est-ce qu'on emporte quand on est invité, qu'est-ce qu'on porte pour les cérémonies. Ce jour-là, ils étaient désemparés, à bout de certitudes : que dit le protocole quand le corps du père de la meilleure amie de votre fille est retrouvé inerte dans une rue ? Elle savait qu'il fallait avouer. Les phrases étaient prêtes, formulées dans sa tête, mais elle était incapable de les prononcer. Son sac était dans sa ligne de mire. Combien de temps avant qu'ils ne fassent le rapprochement ? Il fallait qu'elle leur parle, mais ses lèvres étaient restées scellées.

Elle n'avait pas appelé Loraine. Elle était convaincue qu'elle savait. Elle pensait qu'elle parlerait, qu'elle finirait par craquer et la dénoncer. C'était pour elle qu'elle l'avait fait.

Du jour au lendemain, tout ce qui était familier s'était doté d'une saveur neuve, et pendant quelques semaines, elle s'était sentie dans un état d'attente et de tension qui illuminait tout ce qui l'entourait. Le vent sur ses joues, un bonheur. Marcher dans la rue à la sortie des cours, décider de faire un bout du trajet à pied. La pimpance des gens bien parfumés, le matin, les montres à leur poignet, les visages des femmes qui venaient de se maquiller, l'odeur de leur laque. S'asseoir dans un bar et ouvrir le journal en attendant un café crème. La mosaïque des pochettes des derniers disques dans la vitrine du magasin de musique, face à l'arrêt du bus qu'elle prenait tous les soirs. Le grincement de la porte du garage quand ses parents partaient au travail, à l'heure où elle se levait.

Une plaque en bas des escaliers qui menaient à la cave faisait toujours le même bruit quand son père descendait chercher quelque chose pour sa mère. Elle savait où était la prison, en ville, ils passaient souvent devant en voiture. Cet endroit l'attendait.

À l'école, on n'avait parlé que de ça, dans le journal aussi. Trois jours, puis moins, et puis plus rien, très vite. Chaque matin en arrivant devant les grilles du lycée, elle vérifiait dans le regard des autres que personne ne savait, et chaque matin elle était soulagée, sans l'être. La vie continuait, normalement, mais rien n'était resté pareil. Personne ne pensait à elle. Loraine était restée absente quinze jours, sans donner aucune nouvelle. Et quand elle était revenue, de toute évidence, elle ne se doutait de rien. Comme les autres. Amincie, blafarde, les yeux cernés. Elle avait donc pleuré. Un groupe s'était formé autour d'elle, adolescents compatissants et curieux, attirés par l'odeur du drame. D'habitude, personne ne s'intéressait à Loraine. Elle profitait de la situation pour jouir de son quart d'heure de gloire, draguer un peu des terminales, se sentir, pour une fois, faisant partie de l'école. Mais, entre elles, aucun regard entendu, ni de reproche ni de complicité coupable.

La vie avait continué. C'était aussi bête que ça. Quelques mois plus tard, un soir, allongée dans son lit, lumière encore allumée et lignes d'un roman parcourues sans que la tête y soit vraiment, elle avait été frappée, pour la première fois depuis des jours, par cette évidence : personne ne saurait, jamais. La justice, parfois, n'était pas rendue. Impunité. Ce mot qui ne lui avait jamais servi à rien emplissait à présent tout son espace mental. Dans le domaine de l'envisageable : impunité. L'homme, tombé sur le dos, et elle qui fuyait. La justice n'était qu'une exception, une irruption exceptionnelle dans la banalité des événements sanglants.

Elle avait terminé l'année scolaire, et tout lui réussissait. Il s'était creusé entre elle et le monde un écart infranchissable. Elle s'acquittait des choses qu'elle avait à faire avec une efficacité remarquable. Elle avait toujours été une élève médiocre, le genre qui pose vaguement problème, au conseil de fin d'année : faut-il la faire redoubler ou la laisser passer ? Un minimum de zèle ajouté avait amélioré ses résultats scolaires. Elle faisait ses devoirs avec soin, rassurée d'être dans sa chambre, penchée sur des cahiers. Cette tranquillité, qui lui avait toujours parue fade, s'était muée en protection. Elle ne cherchait plus à intégrer les bandes de garçons, à l'école, ni à embrasser les filles. Elle ne passait plus tout son temps libre avec Loraine. Elle ne voulait plus sortir, les week-ends, elle n'avait pas envie d'être tentée de boire de l'alcool, risquer de lâcher prise. Ses parents la récompensaient. Déclaraient d'un air entendu que sa crise d'adolescence était terminée. On l'envoyait en vacances linguistiques. Elle n'avait plus peur de sembler bûcheuse. Le côté immoral de la chose ne lui échappait pas, au contraire, il la fascinait. Voilà ce qui arrive quand on fait quelque chose de mal : on est récompensé. Le reste : bavardages romantiques et naïveté hypocrite. Elle était sujette à des attaques de joie maniaque, pendant lesquelles elle était convaincue d'appartenir à une élite : ceux qui l'ont fait. Elle se passionnait, par à-coups, pour les livres d'histoire : le XXᵉ siècle chinois l'avait occupée une année entière. Puis au gré du hasard, le Chili, l'Espagne, l'Allemagne, la Corée, la France, l'URSS, la Turquie. Parfois elle s'égarait dans le temps, l'histoire des États-Unis d'Amérique, l'Inquisition, les guerres de Religion, la colonisation. Qui est récompensé, qui est puni, qui mange le corps de qui. Qui triomphe et écrit l'histoire. Qui décide de ce qui est mal. Les tueurs en série, les grands bandits, les terroristes : elle accrochait moins. C'étaient des gens un peu comme elle : des amateurs. Elle préférait les histoires sérieuses : quand le crime est massif, exhibé, assumé. Vraiment récompensé.

Hors les romans, elle n'avait jamais vu de criminel en larmes demandant sincèrement pardon. Les histoires se ressemblaient toutes : le coupable se souvient de l'humiliation, la blessure, la terreur qui a présidé à sa décision de tuer. Ce qu'on lui a fait, à lui. Puis il y a un trou, dans sa narration. Il raconte, juste ensuite, l'injustice du traitement qu'on lui inflige, quand on le cherche pour le faire payer. Personne n'a jamais rien fait de mal. Cet espace du réel où il a tué, torturé, massacré n'existe que pour la victime, si elle a survécu au drame. Ceux qui exprimaient des remords, c'était toujours dans l'espoir d'adoucir la décision du tribunal. Celui qui prétend regretter son geste ment. Le bourreau ne se souvient pas. Il ne subsiste aucun lien entre l'acte perpétré et celui qui doit en répondre. Il ne pense qu'à l'agressivité dont il est victime, quand on vient l'accuser. C'est aussi simple que ça. Les victimes, elles, ont bonne mémoire : elles s'accrochent à l'injustice dont on s'est rendu coupable à leur endroit pour justifier les actes de barbarie qu'elles vont commettre, à leur tour. Mais l'assassin, lui, n'a aucun effort à faire : ça s'est détaché de lui. Ça n'était jamais vraiment lui.

Elle avait bien compris comment ça fonctionnait. Ne pas oublier demandait un effort constant. Ne pas focaliser sur les torts de la victime. La bêtise de ceux qui ne l'ont pas attrapée. La solitude glacée qui s'était emparée d'elle, depuis. Ne pas focaliser sur sa propre douleur, s'efforcer de l'envoyer promener à la périphérie de sa conscience. C'était une affaire d'orgueil. Elle ne laissait pas la nature humaine faire son travail. Un barrage, entre elle et l'oubli de ce qu'elle était. Elle refusait de ressembler aux autres de son espèce, un prédateur amnésique et geignant sur son sort.

Loraine était arrivée au collège Albert-Camus en cours d'année, en troisième. C'était une blonde bien charpentée, qui portait un gilet sans manches, en laine blanchâtre, un truc de berger, et des grosses chaussures. Elle portait ses affaires d'école dans un sac rectangulaire, en peau bordeaux, un cartable différent de ceux des autres enfants de l'école. Deux tresses encadraient son visage. Elle ne cherchait à se lier avec personne, elle méprisait les gens de l'école. Pourtant, son arrogance n'avait pas de base concrète. Elle n'était pas jolie, elle n'était pas riche, elle n'était pas bonne en sport, elle n'avait pas de bons résultats scolaires. Mais ses parents se prenaient pour des bourges. Ils vivaient dans les mêmes maisons de lotissement que les autres, ils faisaient les mêmes boulots salariés

inintéressants, ils avaient la même voiture et s'habil-
laient dans les mêmes grandes surfaces. Mais ils se la
pétaient. Ils avaient vingt livres sur une étagère et
bafouillaient trois mots d'anglais. Ils se croyaient très
cultivés, parce qu'ils écoutaient de la musique classique et regardaient parfois des films sous-titrés. Ils
étaient snobs.

Il y avait eu cette histoire avec le prof d'histoire-
géo. C'était un remplaçant, incapable de retenir
l'attention de la classe plus de cinq minutes d'affilée,
il peinait à s'exprimer en public. Il n'avait pas encore
commencé à donner son cours que la classe partait
déjà en vrille. Férocité des enfants en groupe, furieux
de ce que le pouvoir ne s'incarne pas avec superbe. Il
perdait pied, tapait des crises d'autorité où il en
punissait quatre, au hasard, comme il aurait lancé des
petits verres d'eau pour éteindre un incendie. Ce
jour-là, c'était tombé sur Loraine, trois heures de
colle, au prétexte qu'elle avait ri trop fort. Elle n'était
pas du genre à rigoler avec les autres. Il lui était tombé
dessus parce qu'elle n'oserait rien dire. Son visage
s'était décomposé, elle avait changé de couleur. Au
point que tous les regards s'étaient tournés vers elle,
le chahut s'était suspendu, quelques secondes. Le
prof avait eu l'air content.

— Vous êtes quand même un gros connard, vous
savez très bien qu'elle n'a rien fait mais vous n'osez
pas punir les vrais responsables.

Elle ne savait pas pourquoi elle avait envie de
défendre Loraine. Elle prenait rarement la parole en
public. Tous les autres élèves savaient qu'elle aimait
les filles, c'est comme si elle avait été un peu sale, tout

le temps. Le groupe l'excluait, sans la martyriser. Elle n'avait pas le profil de la bonne victime. Elle aimait se battre. Elle y mettait assez de rage pour que les assaillants y prennent moins de plaisir qu'elle. Elle avait conçu dès l'école primaire une stratégie : commencer chaque nouvelle année par mettre une trempe en public à un garçon qui soit assez grande gueule pour s'être déjà fait remarquer, mais pas assez dangereux pour constituer un adversaire vraiment redoutable. Ça aidait, par la suite, à ce qu'on l'appelle plus volontiers « la folle » que « la gouine », et qu'on lui foute la paix. En échange de quoi, elle ne se faisait plus beaucoup remarquer, le reste de l'année scolaire. Ce jour-là, elle avait dérogé à la règle du profil bas et d'autres élèves avaient suivi :

— Elle a raison, monsieur. Vous lui mettez trois heures de colle alors que c'est la seule qui n'a pas ri avec les autres.

Ils avaient été tous collés, mais sans être furieux, à la sortie, à cause du moment de joie qu'il y avait eu à l'appeler « gros connard » plusieurs fois, dans la classe enfin silencieuse.

En sortant de cours, elle avait rejoint Loraine dans les couloirs :

— Fais pas cette tête, ça fait partie de la vie, de se faire coller de temps à autre.

L'autre avait acquiescé sans répondre, puis, au lieu de se diriger vers la salle où se déroulait le cours suivant, elle était sortie à grandes enjambées. Elle avait vomi, dans l'herbe.

— T'as mangé quelque chose de pas bon à la cantine ? Ah non, c'est vrai tu vas pas à la cantine, toi. Tu veux que je t'accompagne à l'infirmerie ? C'est à cause de la colle que tu te mets dans un état pareil ? Tu vas te faire engueuler ? C'est une punition générale, tes darons pourront rien te reprocher.

C'est comme ça que ça avait commencé, en voulant la défendre, et c'est comme ça que ça devait se terminer. Jusque-là, elle était toujours tombée amoureuse du même genre de fille : la plus jolie de l'école, à condition qu'elle soit délurée. Elle aimait la beauté, avec un peu de bordel dedans. Elle avait un faible pour les filles vulgaires et précoces, qui n'ont pas peur d'aller derrière le collège pour embrasser une autre fille. C'est leurs frères qui posaient problème, en général. Loraine n'était pas du tout comme ça. Mais ça s'était passé quand même, à partir de cette histoire de colle : elle était tombée amoureuse. Elle avait recherché sa compagnie. L'autre se laissait faire, en animal méfiant.

Un jour, il faisait très chaud, et Loraine portait ce gros pull noir en laine, les manches étaient trop longues, tombaient sur ses poignets. Elles étaient vers le local à vélos, seules.

— T'es toute rouge, heureusement que tu ne te vois pas, tu te ferais honte. Tu peux pas porter des tee-shirts, comme tout le monde ? Y a un pays où c'est chic de transpirer comme ça, ou quoi ?

Mais au lieu de sourire distraitement, en prenant un air supérieur et évaporé, comme elle en avait l'habitude, Loraine avait retroussé ses manches, en la défiant du regard. Ses avant-bras étaient noir et jaune, maculés d'ecchymoses et de cloques, les coudes étaient à vif. Ça ne collait pas. Ses bras nus mutilés et le reste du corps. La fille hautaine et fière, toujours occupée à reluquer la propreté de ceci ou la qualité de cela. Ça ne collait pas. Avec sa retenue, son dos droit, ses lèvres délicates, la finesse de son nez, le soin apporté à ses affaires. Des bras de cas social, greffés sur ce corps délicat. Des enfants à l'école exhibaient les coups de ceinturon, l'œil poché ou la peau brûlée au fer à repasser, les uns prétendant avoir fait de la balançoire à l'envers et d'autres détaillant fièrement et dans le menu le déroulement des opérations. Oui, bien sûr, il y en avait d'autres. Mais on s'attendait à ce que ça leur arrive, ça se savait, ou bien on n'était pas surpris. Loraine avait redescendu ses manches, en silence. Elle pensait que l'incident gore était clos mais l'adolescente avait remonté son pull. Le torse répondait aux bras : marqué, lacéré, détruit, scrupuleusement. Loraine avait commenté, d'une voix blanche :

— Il fait attention à ne jamais toucher ni le visage ni les mains. Une fois j'ai levé les mains pour me protéger, le lendemain la maîtresse a demandé ce que j'avais et depuis avant de me corriger il m'attache les poignets au-dessus de la tête.

— Ton vieux ?

— Il est malade. Il ne peut pas s'empêcher. Le reste du temps, il est normal.

— Normal, c'est un plein-temps, sinon ça ne compte pas.

Déception. Elle était folle amoureuse d'une princesse, pas d'une pauvre fille qui se faisait massacrer en douce par un détraqué. Elle avait questionné par politesse, en se demandant comment précipiter avec tact la fin de cette scène de confidences :

— Et ça lui arrive souvent ?

— Quand c'est pas moi, c'est ma mère qui prend et c'est pire. Quand c'est pas ma mère c'est ma petite sœur. On fait ce qu'on peut pour que ça tombe sur nous plutôt que sur elle. Elle a cinq ans.

— Pourquoi vous ne partez pas ?

— Il n'est pas tout le temps comme ça. La plupart du temps, on est bien tous ensemble. Et puis c'est compliqué, tu sais…

Elle avait déjà vu la mère de Loraine. La mère de Loraine avait de la classe. Elle n'était pas la seule à vouloir se la péter « je vaux mieux que ce quartier de misère ». Mais elle était plus élégante que les autres. Elle avait une façon de descendre de voiture, de fermer la porte sur sa fille, une douceur et un tact, elle en imposait. Et cette femme-là, qui portait des tailleurs, un carré court bien ordonné et des foulards si bien noués, cette femme-là se prenait des trempes ? Comme la pauvre vieille Tunarde du square d'à côté ? Comme la grosse alcoolo de la maison d'en face ? Des trempes ? Comme n'importe qui ? Et ne pouvait pas partir parce que c'était trop compliqué ? Tout s'éclairait sous un jour différent. Pourquoi Loraine ne l'invitait jamais à entrer chez elle. Pourquoi elle ne pouvait jamais traîner après les cours. Pourquoi c'était si important d'avoir de bonnes notes. Pourquoi elle avait souvent des réactions susceptibles, bizarres. Tout ce qui avait composé le mystère de son désintéressement au monde qui l'entourait, sa façon de planer au-dessus du médiocre… une explication simple, triviale : enfant battue, trop loin des quartiers avec assistante sociale où on pense à soulever les

254

tee-shirts des gamins. Pourquoi elle ne venait pas à la piscine. Pourquoi elle ne faisait jamais de sport en short. Pourquoi elle ne chahutait pas, rien de physique, aucun contact – évidemment, avec ce corps-là, elle ne risquait pas de chahuter avec les garçons.

Et ce soir-là, en rentrant chez elle, elle aurait juré que c'était terminé, son obsession avec Loraine, monter à l'école à vélo au lieu de prendre le bus pour pouvoir passer la prendre au bout de sa rue, savoir la situer dans l'école sans même avoir besoin des yeux pour ça, lire les livres dont elle parlait pour pouvoir en discuter avec elle, même quand c'était des livres hyper chiants sur des gens qui ont vécu des trucs d'il y a cinq cents ans, dans des pays lointains. Fini, d'être attentive à la moindre de ses déclarations, comme si elle devait connaître toutes les nuances d'une langue auparavant étrangère, pour pouvoir elle aussi dans la conversation affecter le mépris au bon moment, utiliser l'adjectif « beauf », à bon escient – tout en ayant honteusement conscience de ce qu'au final le vocable qualifie invariablement les pratiques de sa propre famille –, d'être toujours prête à écouter des disques de chanteurs français qui ne pouvaient pas boire sans pleurer, ni se droguer sans se plaindre, et qui se faisaient toujours quitter… Ce soir-là, elle aurait juré que c'était terminé, Loraine. Elle allait retrouver sa décontraction.

Mais ça ne s'était pas passé comme ça. Une main invisible était venue la repêcher alors qu'elle était sur le point de fuir, pour la ramener sur les rails qui lui étaient destinés, s'assurer qu'elle aille bien jusqu'au dénouement. Insidieusement, l'admiration l'avait emporté. Il fallait une volonté extraordinaire pour endurer ce que Loraine endurait sans que personne ne se doute de rien. La plupart du temps, elles faisaient comme si de rien n'était. Loraine décidait, seule, à quels moments elles s'isoleraient pour qu'elle lui montre son corps mutilé, ou juste pour en parler.

— Mais ta mère, elle a pas de la famille ? Elle a pas de parents ? Vous ne pouvez pas vous réfugier chez un frère à elle ?

Parce que la mère n'avait pas de travail, pas d'amis, de ce côté-là, c'était réglé. Ils déménageaient souvent. La mère était isolée. Quand même, on parlait d'une adulte, elle pouvait prendre ses clefs de voiture et un chéquier, ses deux gamines sous le bras et débarquer dans sa famille.

— Ma mère interdit qu'on en parle. Elle dit que personne ne peut comprendre. Ma grand-mère, par exemple, elle adore mon père, ça la tuerait si elle savait. Tout le monde adore mon père. Quand il va bien, il a toujours un petit mot gentil pour les gens, il est très intéressant. Personne ne comprendrait. Il ne peut pas s'en empêcher, tu sais. Il pleure, après, la nuit. Il souffre beaucoup, lui aussi. Il fait ça parce qu'il est trop sensible, tu vois. Le moindre détail peut le faire dérailler.

— N'empêche que c'est toujours sur vos gueules que ça déraille, tu ne me racontes jamais comment il se taillade tout seul, ton père… ni comment il agresse ses collègues de bureau.

Loraine n'écoutait pas. Elle n'avait pas envie qu'on lui dérange ses affaires, dans lesquelles il y avait beaucoup de douleur, mais jamais d'issue. Elle voulait que quelqu'un l'écoute, et vienne confirmer son diagnostic : il n'y avait rien à faire.

— La plupart du temps, tu sais, il est de bonne humeur, il est drôle, il blague. Mais si on ne rigole pas, ça peut basculer. Ou si on rigole trop fort. Ou si le dîner est servi froid. Ou par exemple s'il tache sa chemise en buvant un jus d'orange alors qu'il avait prévu de porter cette chemise-là le lendemain. Ça bascule. On le voit changer. On sent que ça arrive. Mais on ne peut pas dire à l'avance pourquoi ça arrivera. Par exemple, un jour je vais rentrer avec un douze sur vingt en français, et il va hausser les épaules en me disant de m'appliquer la prochaine fois. Mais le lendemain, j'arrive avec un quatorze et il demande pourquoi je n'ai pas fait mieux, et comme je ne réponds pas ce qu'il faut, ça commence. Ou bien ma mère va trop faire cuire les pâtes, elle aura peur, elle paniquera, elle aura les larmes aux yeux et lui se moquera d'elle « mais enfin c'est pas grave, elles sont très bonnes comme ça ». Mais le lendemain il la trouvera en train de nettoyer la table avec l'éponge qui sert à faire la vaisselle, et il la traînera dans le bureau pour lui mettre une trempe, parce qu'il vient de décider qu'il fallait qu'on ait deux éponges, une pour la vaisselle et une pour la table. Seulement on ne peut pas savoir avant quelles sont les règles qu'on doit suivre, tu comprends, les règles changent, on ne sait jamais quand on fera quelque chose qu'il ne fallait pas faire. Le problème de mon père, c'est qu'il aimerait qu'on soit parfaites, qu'on sache instinctivement comment nous y prendre, sans qu'il ait besoin de tout nous expliquer.

Ça se passait dans le bureau du père, la pièce où le reste de la famille n'avait pas le droit d'entrer sans y être invité. Loraine, son corps massacré, c'était pour qu'elle progresse. Elle était d'une précision morbide, quand elle décidait d'aborder le sujet :

— Si tu voyais la tête qu'il fait, à tourner autour de la chaise en hurlant à ma mère de rester dehors, et tant que je ne pleure pas il continue de cogner, il a l'air fier de moi quand je résiste longtemps sans pleurer, sans crier, mais ça le rend fou, il ne peut plus s'arrêter. Ma mère, il la bâillonne, je le vois par le trou de la serrure, un jour il l'étouffera.

Loraine aimait bien qu'elle tombe dans le panneau et la supplie pendant des heures de faire quelque chose pour que ça change. Elle aimait lui répondre non, point par point, c'était un jeu qui lui plaisait. Entêtement.

Elle avait toute une vie en dehors de sa passion pour Loraine, à cause de tout ce temps les soirs et les week-ends où elle pouvait traîner avec les autres. Elle avait des copains, elle avait des petites amies, en dehors de l'école. Elle était dégourdie, elle savait qu'elle arrivait toujours à ce qu'elle voulait avec les filles. Quand elles s'étaient retrouvées après les vacances, à la rentrée de la seconde, tout semblait être mis en place pour qu'elles s'éloignent l'une de l'autre. Le lycée était dans le centre-ville, peuplé de nouvelles créatures autrement exotiques et surprenantes que Loraine. Pour la première fois de sa vie, elle n'était pas la seule fille qui aimait les filles. Il y en avait quatre, des terminales, qui traînaient toujours ensemble. La première fois qu'elle les avait vues, dans la cour, le choc avait été similaire à la première fois qu'elle avait entendu le mot « gouine », prononcé par un oncle qui parlait d'une femme croisée à Paris. Elle avait dix ans. Elle savait qu'elle l'était bien avant de savoir qu'il existait un mot pour qualifier son état et c'était bizarre de découvrir que ça existait pour de vrai, pas juste un truc à elle qu'elle manigançait dans son coin à être amoureuse d'unetelle ou d'unetelle en silence. Elle n'avait jamais vu cette copine de sa mère, mais les éclats de rire prolongés qui avaient accompagné la réflexion de l'oncle lui avaient fait comprendre que c'était aussi bien vu que si elle était née avec un gros nez rouge. C'était avant l'association du terme avec le mot « vicieuse », qui allait venir l'année d'après, quand une institutrice l'avait trouvée aux toilettes en train de rouler un énorme patin à une copine d'école. « Petites vicieuses. » Ça se compliquait. En plus de grotesque, c'était mal. Heureusement que c'était excitant, il fallait être motivée pour ne pas se laisser convaincre d'étouffer l'affaire. Sa mère ne lui avait rien dit, après que la directrice avait téléphoné. On ne parlait pas de ça. Sa daronne pensait que ça lui passerait, que toutes les filles apprennent comme ça. En voyant les grandes de terminale, cheveux courts et jamais un sourire, toujours la clope au bec et des blousons de garçons, faire bande à part dans la cour de l'école, elle avait eu plusieurs révélations d'affilée : elle n'était pas la seule de la région à être « comme ça ». Il existait un look pour ce qu'elle était, une façon de se faire reconnaître immédiatement. Les activités dans la cour de l'école ne cessaient pas quand les quatre filles apparaissaient, on ne leur jetait pas des pierres dans la rue. Une série de perspectives intéressantes s'ouvraient, d'un seul coup.

Loraine et elle prenaient un chocolat chaud au distributeur. Les quatre filles fumaient une cigarette à trois mètres d'elles. Loraine avait détourné les yeux, l'air dégoûtée. « Ce qu'elles sont moches… Toi, au moins, ça ne se voit pas sur toi. » Loraine avait perdu de sa superbe. Elle était devenue tarte, avec ses Clarks, ses petites tresses, ses livres de poche et son regard étriqué sur le monde. Elle rapetissait les choses à sa mesure. Sentant qu'elle perdait de son impact, Loraine avait contre-attaqué, « Je peux te parler cinq minutes ? », et, avec une mine soucieuse mais déterminée, un exemplaire de *l'Arrache-Cœur* serré contre le ventre, « Maintenant, je n'en peux plus, ça va trop loin, tu as raison, je vais faire une fugue. Est-ce que tu partirais avec moi ? ». La Hyène avait attendu ça toute l'année précédente, là elle avait juste eu envie de répondre non débrouille-toi toute seule moi je suis très bien dans cette vie-là, tu vois bien que j'ai plein de nouveaux potes et qu'il y a des filles partout de qui il faut que je m'occupe. Mais Loraine, comprenant que ça ne suffirait pas à rétablir sa domination, avait approché ses lèvres des siennes, glissé une main sous son pull dans son dos, et murmuré « je t'aime » et ça avait marché. Leurs peaux s'était rapprochées et ça valait toutes les emmerdes du monde. Depuis, elle avait retenu la leçon : toujours prendre la première sortie qui se présente dans une histoire. Au premier essoufflement, à la première lassitude : se casser.

Loraine n'avait aucune intention de partir, elle aurait eu trop peur de laisser sa mère et sa sœur payer pour cette décision, mais à présent elle avait besoin d'imaginer qu'elle le ferait. Elle n'avait jamais été aussi ouvertement demandeuse de compagnie, de discussion. Et ça lui avait plu. Ça et l'excitation sucrée du goût de sa peau, sa langue minuscule et chaude, le précis de ses doigts, et vouloir aller plus loin, gagner du terrain, qu'elle se laisse faire, de plus en plus. Loraine jouait à la fille séduite contre son gré, qui ne peut plus résister. Dans les allées cachées d'un parc, au cinéma, pull remonté jusqu'aux épaules et chatte calée au bout de ses doigts, c'est avec elle qu'elle jouissait, à toute allure. Il ne fallait pas que les autres le sachent. Et puis il y avait eu un matin gris de février, après les vacances. Loraine était déstabilisée. Elle prenait moins de trempes, c'était sa petite sœur qui ramassait tout.

— J'ai réfléchi. La seule chose que je puisse faire pour protéger ma sœur, c'est de lui donner l'exemple. Et le seul exemple que je puisse donner, c'est de me sauver.

Loraine était malheureuse, plus qu'avant. Les hurlements de sa petite sœur lui faisaient plus d'effet que quand elle ramassait directement les coups.

Elle n'en avait rien dit à Loraine, mais sa décision était prise : elle allait le trouver, et menacer de le dénoncer.

Quand il s'était senti suivi, il s'était retourné, l'avait longuement dévisagée. Pas la moindre peur, seulement un mépris agacé. Elle enrageait de sentir à quel point elle désirait renoncer. Se rendre à l'impuissance, se soumettre à l'autorité des choses telles

qu'elles sont et auxquelles on ne peut rien changer.
Elle avait chargé, comme un animal sauvage. Arrivée
à sa hauteur, sans un mot, elle avait cogné. Pas pour
venger sa petite amie qui était torturée. Un désir
brutal s'était ouvert en elle. Le mettre au sol. Le
forcer à la prendre en compte. Lui soutirer de
l'angoisse, à n'importe quel prix.

C'est sûrement à cette époque qu'elle a commencé
à se déformer le cerveau, à force d'attendre qu'on la
démasque, d'observer le moindre geste, d'analyser les
sons. Quelque chose en elle a dû se débloquer. Elle a
tellement fait attention à ce qui se passait autour
d'elle que, petit à petit, elle a appris à lire entre les
lignes des autres. Repérer ceux qui cachaient quelque
chose. Reconnaître un mensonge. Il lui arrivait même,
par fulgurances désagréables, de deviner, purement et
simplement, les vérités dissimulées. C'était comme
une folie lucide, qui s'étendait progressivement. Lui
parvenait le son du sang, celui des autres. Pulsions,
pensées cachées, les confidences jamais murmurées.
Elle évaluait les gens, de plus en plus facilement. Leur
férocité. Leurs points faibles. Qui n'avait rien à voir
avec ce qu'ils affichaient. Elle n'aimait pas ça. Le côté
folklore « clairvoyance », genre je marmonne au-
dessus des bougies et je me parfume au patchouli. Au
fil des ans, sans qu'elle le veuille, ça s'était affiné. Elle
savait, quand à la télé on parlait d'une jeune fille dis-
parue, si elle était morte ou encore vivante. Elle voyait
des lieux, en écoutant quelqu'un lui raconter une histoire, elle pouvait visualiser où ça s'était passé. De
façon plus pragmatique, elle était une bonne copine à

qui raconter ses histoires de cœur : elle savait, et tombait rarement à côté, qui avait trompé qui, qui mentait, qui avait deux histoires en même temps et qui reviendrait, penaud, après avoir fanfaronné en ville.

Elle avait terminé ses études, sans effort. Elle fascinait les gens. Rien n'est moins excitant qu'obtenir trop facilement ce qu'on désire, surtout quand on a la conviction qu'on ne le mérite pas. À la fin de sa licence, tout s'était éteint. La phase dépressive s'était enclenchée. Elle ne voulait pas pousser plus loin ses études, elle ne voulait pas d'un bon job. La réussite aurait eu un goût détestable. Elle était partie à Paris. Les premières années, elle avait travaillé au centre de tri postal du Louvre, de remplacement en remplacement, elle y était à plein temps. Elle aimait bien travailler de nuit. Partir au boulot à vingt heures, et rentrer à pied quand la ville s'éveillait. Chambre de bonne en face de la gare d'Austerlitz. Elle n'aimait pas grand-chose de sa nouvelle vie. Elle ne s'étonnait pas, ne se cabrait pas. Elle était suspendue, un état qui lui convenait bien. Il lui semblait tout à fait souhaitable qu'une vie entière s'écoule dans cette solitude tranquille, sans que rien n'arrive, ni d'excitant ni de triste. Rien d'autre qu'une succession de nuits debout à vider des sacs et trier des enveloppes par taille, à reclasser les cartes postales mal indexées et lancer des paquets avec dextérité dans de hauts paniers de métal. Ses collègues n'étaient pas très différents d'elle. Ils étaient pâles, silencieux, un peu absents. Une brigade d'une vingtaine de personnes, dans un bâtiment immense, très haut de plafond, impossible à chauffer en hiver. Une ruche au ralenti. Dans l'organisation postale, les gars du tri de nuit se sentaient méprisés, peu vus, mal intégrés. Elle se sentait bien parmi eux. Une brigade de fantômes. On venait d'interdire l'alcool dans le centre pendant les pauses. Ils ne rigolaient pas beaucoup. Ils buvaient des soupes en sachet, n'avaient pas le courage de se plaindre ni d'être vindicatifs. Ils parlaient peu, et uniquement de leurs enfants, de vacances, de cuisine, de programmes télé de l'après-midi ou de l'entretien des plantes vertes. De choses qui ne la concernaient pas. Ils ne s'occupaient pas d'elle.

Mais au bout d'une année, elle avait été chargée de former un nouveau, un garçon brun qui n'arrêtait pas de parler, se lamentait de rater les concerts qui l'intéressaient, souffrait de ne plus pouvoir sortir le soir avec ses potes. Il s'appelait Arnaud. Elle n'avait pas eu envie de discuter avec lui mais les nuits étaient longues, tête à tête, propices au rapprochement. Il avait réussi à la faire sortir de sa léthargie, insidieusement, lui faire écouter une cassette, acheter un disque. Il prenait soin de lui, il était beau, les lèvres charnues et de grands yeux bruns. Il aurait mérité d'être gay, le pauvre, au lieu de quoi il enfilait des connasses d'hétéros de son âge, ses histoires d'amour étaient plus pathétiques les unes que les autres. Elle n'avait pas réussi à ne pas s'y intéresser. À cause des conversations avec lui, un après-midi elle était sortie de chez elle pour aller à pied à Jussieu voir les disques d'occasion, et repéré la vendeuse, une brune, gouine affichée, bêcheuse et mauvais genre, impossible de ne pas y retourner. La vie avait repris, à son insu, tous ses droits sur elle. La fille s'appelait Élise. Elle écoutait

Siouxsie tout le temps et aimait le cinéma chinois. C'était foutu, côté déprime. Élise était comme de la braise, un corps miniature, qui se laissait soulever et retourner au gré des fantaisies. Des fesses rondes, de bébé. Son dos était entièrement tatoué. Élise aimait Philip K. Dick et se promenait partout avec le premier roman de Valerio Evangelisti, qu'elle lisait pour la troisième fois. Elle parlait de sa mère morte dans des souffrances interminables, avec une froideur de jeunesse, quand on court encore assez vite pour distancer les émotions. Elle portait aux poignets des marques de cutter. Son charme était d'autant plus impératif qu'Élise n'était pas libre, elle était ce genre de fille qui aime la duplicité, à qui on ne pouvait jamais faire confiance, que l'idée de trahison affolait. Elle habitait un studio, sixième étage sans ascenseur, du côté de la place de l'Horloge. Élise avait des copines, qu'elle avait fini par lui présenter. Elle avait eu envie de se les taper, toutes. Et c'était réciproque. Elle avait raté le travail, un soir, appelé pour dire qu'elle était malade, un deuxième soir, appelé pour dire qu'elle avait un problème, le troisième soir elle n'avait pas appelé, et considéré qu'on comprendrait qu'elle avait démissionné.

Elle avait commencé le recouvrement des dettes par hasard : un type qu'elle connaissait à peine venait d'accepter d'aller conseiller à un producteur de films de cul de payer vite fait une comédienne. Il lui avait demandé de l'accompagner. Le job lui avait immédiatement plu. Il y en a qui tombent amoureux de l'héro au premier shoot, d'autres de la coke au premier sniff, elle, son truc, c'était l'adrénaline. On s'échangeait son numéro, elle prenait des missions comme d'autres filles auraient fait des passes : régulièrement, mais pas tout le temps. Elle était devenue la Hyène. Une boîte avait proposé de l'embaucher, elle avait accepté. Un job pas trop valorisant, mais quand même bien payé. Dans une agence de privés, faire cracher les créanciers, c'est pareil que nettoyer les chiottes. Ça ne lui déplaisait pas de jouer la gouine telle que la rêvent les hétéros : brute, marginale et capable de couper la bite à n'importe qui. Les premières années, elle s'était sentie plutôt bien.

Elle n'était pas là pour se faire des amis. Elle ne cherchait pas la reconnaissance d'un groupe de gens susceptibles de lui ressembler, elle n'avait aucune intention d'être comprise ou reconnue. Pourtant, le premier type avec qui elle avait bossé, Kromag, était sympathique. Quand il avait raccroché, elle avait eu du mal à continuer avec d'autres. Les coéquipiers étaient lourds, trop investis, des sadiques à deux centimes qui se prenaient pour des durs. Quelque chose l'avait retenue, quelque temps, le cœur du truc. Elle y avait goûté très tôt : un gitan caché dans un angle de la pièce l'avait plaquée au sol alors qu'elle faisait son numéro, il avait collé une lame contre sa gorge et n'avait pas eu besoin de prononcer un seul mot pour lui faire entendre que le moment était mal choisi pour menacer qui que ce soit. Un dixième de seconde, son souffle à lui avait envahi son espace, échange de regards, rien dans ses yeux à lui qui trahisse son humanité : proximité de sa mort, il l'aurait égorgée comme on tranche le cou d'un poulet, sans que ça lui pèse sur l'estomac. Elle n'avait pas eu peur. Pas sur le coup. C'était comme le fouiller, les deux mains dans ses tripes, elle lui avait répondu, sur la même longueur d'ondes : un geyser de haine froide, immobile et intense. C'était un instant suspendu, métaphysique. Un éclat de vie. Et pendant quelques jours, elle avait eu la sensation de sentir chaque cellule de son corps, la moindre particule en suspension dans l'air. Réactivée. Elle se foutait de savoir de quel côté du manche elle jouait. Elle se foutait d'avoir le dessus. Ce qui l'accrochait, c'était ce moment précis : deux volontés s'arrachent la gueule. Elle aurait voulu que ça lui arrive avec une fille, pour voir si c'était encore mieux. Tout était toujours mieux, avec les filles.

Mais elle n'avait pas tenu bien longtemps au recouvrement. Trop d'horaires, de règlements, de papiers à remplir et de petites histoires internes, les ego qui se grabugent et font tempête dans un verre d'eau. Elle avait espacé les missions, fait la jointure entre deux salaires en commençant à vendre de l'herbe, puis elle était devenue dealeuse de coke. À cause de ses anciennes relations dans le recouvrement, c'est naturellement qu'elle avait été contactée par les renseignements. Elle avait une bonne tête, une grande gueule, de très longues jambes, une grosse moto qui lui permettait d'aller vite et les meilleurs fournisseurs de la ville… En un an de pratique, son réseau était au point : politiciens, sportifs, médecins, acteurs, journalistes, sous-préfets, coiffeurs, putes, traders, chauffeurs… à part le sexe, rien n'est plus fédérateur que la drogue. Pas difficile, dans ces circonstances, d'obtenir quelques renseignements d'ordre privé sur les affaires d'une femme de ministre, d'un fils de chanteur engagé ou du voisin de grand industriel. La coke était un véhicule idéal pour traverser tous les milieux, même ceux qui n'en prenaient pas la recevaient volontiers, il se trouvait toujours quelqu'un, chez eux, que ses services intéressaient. Son apparence et son bizness bloquaient les curiosités : personne ne se demandait ce qu'elle fabriquait, à s'intéresser aux affaires de tout le monde. Son allure androgyne plaisait, le chef de maison était toujours un peu émoustillé de penser qu'elle était capable de bousculer la maîtresse de maison avant de quitter le salon. On ne se posait pas beaucoup de questions sur son cas. Elle, entre-temps, en posait beaucoup, et savait à qui rapporter. Et plus elle renseignait, mieux elle était protégée pour faire son bizness, plus elle pouvait le faire en toute impunité, mieux elle pouvait renseigner, mieux elle était vue et introduite dans de nouveaux milieux. Elle faisait tout Paris avec des liasses de liquide épaisses comme un Big Mac dans une poche, et des sacs de coke dans l'autre. Quand elle manquait de stock, les stups la dépannaient. C'était beaucoup de travail – les gens sont des aspirateurs sans répit, à peine une adresse était-elle fournie qu'il fallait revenir sur ses pas et refournir. C'était bien payé. C'était une belle époque : partout où elle arrivait on était heureux de la voir, même avec ses cinq heures de retard.

Waugheirt l'avait propulsée au stade supérieur. Toujours les renseignements. Il portait une mèche de cheveux noirs rabattus sur son front dégarni, et ses longs doigts aux phalanges jalonnées d'une touffe de poil faisaient ressembler ses mains à d'impatientes araignées. Il portait une alliance. Elle n'arrivait pas à croire qu'une femme se soit sentie dans la merde au point de vouloir partager son lit avec lui. Il parlait lentement, un tempo de cinéma oriental, on avait le temps de penser à un tas de choses pendant qu'il exposait une idée. Waugheirt était laid, mais émanait de lui une sensation d'intelligence, de profonde concentration, sensation renforcée par le grain de sa voix, qu'il avait étonnamment grave. Il disait qu'il l'avait observée, et repérée. Qu'il était temps qu'elle arrête le deal, l'amateurisme et les renseignements glanés en échange de menus services, petites protections, passe-droits, appartement de la ville de Paris ou voyages gratuits. Il pensait qu'elle devait travailler – sans couverture officielle – à des opérations plus ambitieuses. À plein temps, et payée pour ça. Jolie somme. Comptant refuser l'offre, elle avait rétorqué que Paris ne manquait pas de doubles faces prêtes à tout pour s'attirer les bonnes grâces des RG :

— Les gens, c'est bien simple : il suffit qu'on leur donne l'impression que le pouvoir vient de quelque part, et tout ce qu'ils veulent, c'est courir lui laper les pompes. Alors pourquoi moi ?

— Cafteuse à la petite semaine : vous allez faire ça combien de temps ? Vous n'êtes pas loin d'avoir trente ans… Quelqu'un de plus jeune viendra bientôt vous remplacer sur le marché du branché. Pour l'instant, vous vous contentez d'en vivoter. Mais tout pourrait changer, si vous acceptiez de vous impliquer.

Waugheirt avait sorti son larfeuille de sa poche intérieure, retourné le ticket de conso pour lire le prix, réglé les deux cafés en laissant un maigre pourboire, mais un pourboire quand même. Avant de se lever, il avait sobrement ajouté :

— Les raisons pour lesquelles vous souhaitez jouer en dessous de vos compétences ne regardent que vous. J'ai de nombreux contacts. Partout ailleurs, débusquer le quart des informations que vous rapportez demande le triple de travail. Et je ne parle même pas de la facilité déconcertante avec laquelle vous savez *où* aller chercher.

Elle avait haussé les épaules, peu convaincue par le raisonnement :

— C'est pourtant pas très compliqué.

— Voilà exactement ce dont je vous parle. Ce « pas très compliqué », chère enfant, est un casse-tête pour le commun des mortels. Le don n'est pas une plaisanterie. C'est un ordre de mission. Je vous conseille de l'assumer, en temps et en heure.

Il s'était levé et l'avait laissée là. L'espace d'un instant, elle avait eu l'impression d'être dans *La Guerre des étoiles*, quand Skywalker se fait souffler dans les bronches.

Ça relevait de la logique. On cherche une information, on a trois potes en ville, on réfléchit un peu, on se concentre, on se laisse aller, on demande et c'est fait. Elle était moins lente à la détente que les gens qui faisaient ce genre de taf, c'est tout. Les gens vraiment intelligents se retrouvent rarement à faire les poubelles de leurs prochains. Mais la remarque faisait son chemin, la preuve : pendant près de trois mois, elle n'avait plus trouvé aucune information, sur personne. Elle savait de quoi il parlait. C'était ce vieux truc qui était venu lui démonter le cerveau… Elle savait. Même si elle évitait soigneusement d'en prendre conscience. Elle se rendait bien compte qu'elle avait dans le cerveau un GPS en trop qui n'arrêtait jamais de fonctionner.

Souvent, aussi, elle se plantait. Entre une fausse intuition et une juste, aucune différence. Ça lui faisait exactement le même effet. Ça, elle avait pensé que ça pouvait s'affiner. Le temps lui montrerait que non : plus elle chercherait à maîtriser son don, moins elle serait capable de l'utiliser. C'est ce qui avait fait la différence, au final, entre un agent exceptionnel et elle.

Mais elle était retournée voir Waugheirt, et il était devenu son patron. Il avait commencé par lui confier des études d'entourage. Ça, facile : monter un dossier sur quelqu'un, sans qu'il s'en doute : elle n'avait pas besoin de beaucoup se forcer. Les gens aimaient lui parler. Elle avait changé de créneau. Fini les quartiers où les trottoirs sont noirs de monde, les bars enfumés où traînent les putes et les toxicos, fini les sous-sols délabrés mais habités, les cuisines qui puent la graisse et les chambres miteuses. Elle ne faisait plus l'aller et retour que dans des quartiers remplis de banques et d'hôtels particuliers. Elle s'était spécialisée : hommes d'affaires, politiques, industriels… Waugheirt la faisait travailler, mais il était un peu déçu. Il s'attendait à réussite plus éclatante. Elle s'en foutait, elle gagnait trois fois plus qu'avant. Puis un journaliste ivoirien avait disparu en plein Paris, on n'était pas venu lui expliquer en quoi c'était si crucial de le retrouver vite mais on y mettait beaucoup d'importance. Ça lui avait pris trois jours pour remonter jusqu'à sa planque au Canada. Pour le rechercher physiquement, d'autres s'en étaient chargés. Waugheirt était tellement content qu'il lui avait tapoté l'épaule, l'équivalent dans son langage corporel d'une forte étreinte. C'était comme si on lui avait montré la zone sur une carte. Une boussole intégrée. À partir de là, son nom avait pris de la valeur. Elle avait commencé à jouer gros, probablement pour se faire prendre. Vendre les renseignements commandés par l'un à l'autre, puis les refourguer à une tierce personne. Vendre de faux renseignements, doubler, s'assurer qu'on la paierait mieux. Protégée. Toujours protégée. Ça avait duré dix ans. Équilibrisme. Fièvre de joueur. L'émotion brute, c'est de frôler la perte. Autour d'elle, les morts accidentelles se multipliaient, les suicides, les overdoses, les petits rhumes suivis de décès surprenants, souvent après un passage à l'hôpital. Plus le temps passait, pourtant, plus son talent s'usait, suivant une courbe inverse à celle de sa popularité.

Elle était devenue trop connue, dans son milieu. Elle ne pouvait plus se pointer nulle part sans qu'on sache immédiatement qui elle était. Même au fin fond de la Tchétchénie, le plus cave des reporters de guerre la repérait au premier coup d'œil. La Hyène est dans la place. Dans ces conditions, difficile de rester bon agent. Et elle avait réalisé que c'était fini, pour elle.

Le soir où elle avait rencontré Lucie, elle ne s'était déplacée que pour voir la petite qui traînait toujours chez Kromag, et qui était assez difficile à attraper pour que ce soit excitant. Elle ne se sentait pas de la lose au point d'envisager sérieusement de se mettre sur une recherche de gamine. Mais c'était une façon de voir un peu comment allait Reldanch, prendre des nouvelles, se tenir au courant… en découvrant à quoi ressemblait Lucie, physiquement, elle avait eu un moment de blues : l'hétéro-tarte typique, un peu négligée, mais pas assez pour que ça lui donne un genre. No fun, sur toute la ligne. Et puis il y avait eu la photo de Valentine. Une explosion affective, toni-truante et irrationnelle. Quelque chose dans ses yeux lui avait ouvert la cage thoracique. Rien de sexuel, c'était beaucoup plus perturbant que ça. Une vrille. C'était inexplicable, mais impératif : la petite avait réclamé toute son attention. Il fallait la retrouver, impossible de définir de quoi il fallait la protéger, mais la Hyène avait immédiatement su qu'elle n'avait pas le choix, elle devait se mettre en route. Il fallait qu'elle voie cette gamine. Un boulot mal payé, pas intéressant, en équipe avec une mollusque hébétée. Sur les traces d'une petite fille riche que rien ne dis-tinguait de milliers d'autres adolescentes plongées dans la confusion… mais celle-là l'avait appelée. Pourtant la Hyène avait compris, de suite, que ça ne servirait à rien. Ce qui était en route était inévitable, mais il fallait qu'elle aille y voir de plus près.

Elle regagne l'église à l'endroit prévu, premier banc face à un autre Christ sur la Croix, à droite de l'entrée. Juan est en retard. Toujours été incapable de respecter les heures des rendez-vous qu'il donne. Une des stratégies de cet Anthony Blunt du pauvre : faire attendre lui assure qu'on a suffisamment besoin de lui pour poireauter une heure. Juan est incontestable-ment brillant, sa mémoire, surtout, est remarquable. Il a en tête un savoir encyclopédique et large, le genre

à battre des records au Trivial Pursuit, mais à l'heure
d'internet, qu'est-ce qu'on s'en fout que quelqu'un
sache tout sur tout. Juan avait débarqué à Paris
convaincu qu'il y ferait carrière, que son bagout
d'universitaire doué ferait oublier ses origines de fils
de prolo. Il avait mis du temps à comprendre que les
gens bien nés se reconnaissent, à l'odeur, et repèrent
les intrus, de la même façon. Il avait eu beau se
démener pour être de tous les dîners à la mode, on ne
lui avait jamais proposé le genre de boulot dont il
rêvait. Il s'était fait tamponner par un petit malin des
renseignements généraux qui l'avait repéré, et bien
traité, en échange de ragots et d'informations véri-
tables. Juan avait vite compris qu'il renseignait, et le
concept l'avait rempli de joie. Il s'était spécialisé dans
les milieux sionistes. On l'avait aidé à trouver l'éditeur adéquat, chez qui il avait publié un livre sur la
question. Un œil attentif aurait été surpris de la facilité avec laquelle il obtenait articles dans la presse et
subventions d'État. Il avait publié, quelque temps, à
intervalles réguliers, sur des sujets qui intéressaient
ses commanditaires. Les livres lui donnaient l'occasion de participer à des colloques, voir du monde en
librairie, discuter avec des spécialistes... et faire des
rapports, souvent peu sérieux, sur tout ce beau
monde. Bien infiltré, il avait beaucoup servi. Les
balances sont des putes, on leur fait croire qu'on les
protège, qu'ils sont irremplaçables, qu'on les respecte. Mais on les raye vite de ses listes, rien n'est plus
triste qu'une fille qu'on a trop fait tourner. Il avait fait
son temps, surnagé quelques mois en se spécialisant
dans la rédaction de commentaires sur internet. Sur

274

des sujets d'actualité ou des personnalités qu'il fallait protéger ou attaquer, selon les consignes qu'il recevait, il noyait la toile de messages. Puis, du jour au lendemain, probablement suite à une réorganisation du personnel, on l'avait lâché, livré à la vindicte. Le genre de choses qui n'arrivait pas forcément après qu'on avait commis un impair, c'était plutôt une question de renouvellement, d'ambiance, de moment venu. Alors il avait changé de pays. Désormais, il fréquente assidûment l'Alliance française, et renseigne du mieux qu'il peut sur ce que font les expatriés, dans le coin. On doit bien lui verser quelques bourses d'État, pour des ouvrages à venir. À force de jouer le petit Français sympa, actif politiquement, et assistant à toutes sortes de manifestations, il connaît redoutablement bien la ville.

Il arrive avec une bonne demi-heure de retard, s'attarde sur le seuil de la chapelle, regarde autour de lui, puis vient s'asseoir assez près pour qu'ils s'entendent, mais pas suffisamment pour qu'on comprenne qu'ils se parlent. Penché en avant, les mains jointes, il regarde droit devant lui, vers l'autel.

— Il y a beaucoup de Françaises de son âge à Barcelone, je ne suis pas sûr de l'avoir localisée.

— Tu m'as fait venir pour me dire ça ?

— C'est qu'on me parle d'une petite qui lui ressemble… mais je ne suis sûr de rien. Elle aurait été vue, à plusieurs reprises, en train de discuter avec une sœur de la mission de la Charité.

— Une sœur de quoi ?

— Tu te souviens du look de la Mère Teresa ? Les sandales et le truc blanc et bleu ? C'est cette bande : les sœurs de la mission de la Charité.

— Valentine ? Possible que tu te fourvoies, quand même.

— C'est tout ce que j'ai. Une sœur Élisabeth. On me parle d'elle et d'une petite Française qui ressemble à la tienne.

— Et elles ont un couvent où, ces sœurs ?

— Pas à Barcelone, en tout cas. J'ai essayé de comprendre ce qu'elles faisaient là… Peut-être ont-elles participé au séminaire international sur l'émigration qu'a organisé l'Opus Dei le mois dernier ? Je n'en sais pas plus.

Il ment, sans chercher à le dissimuler.

— Ça m'aide beaucoup, ce que tu me dis… Trouver une bonne sœur dans Barcelone…

— Les bonnes sœurs se déplacent en groupe, et ne descendent pas à l'hôtel… elles sont forcément accueillies dans un couvent. Il n'en reste pas tant que ça, non plus.

Il faut croire qu'il a ses raisons pour l'envoyer visiter les couvents de la région.

La Hyène quitte la cathédrale, dans les rues on entend toutes les langues, les corps sont trop nombreux pour la surface du centre-ville. Elle marche longtemps avant de trouver un cybercafé, ils sont devenus rares maintenant que tout le monde a son propre micro-ordinateur portable. Elle s'installe devant une bécane dont le clavier a été tellement utilisé que certaines touches sont effacées. Dans la barre de recherche Google elle tape « Barcelone couvent » et commande un cortado.

Une heure de train pour arriver au pied de la montagne. Elle a opté pour Montserrat. Parce qu'il ne faut jamais rater l'occasion de voir une Vierge noire. Soleil cru. Un massif de géants de pierre, surgissant de la terre, se dresse sur des kilomètres de haut.

Pour se hisser au sommet, il faut prendre un funiculaire. Le voyage paraît long, oppressant à cause du ravin abyssal que la voiture frôle. Légère déception, en arrivant en haut : un Flunch trône, à côté d'un grand magasin de souvenirs, les rues sont pavées. Ça semble moins impressionnant que d'en bas. Application toute contemporaine à désacraliser les lieux qui pourraient faire décoller l'âme. Probable qu'une émotion brute, sans la médiation du petit commerce, gênerait la vente de babioles.

La plupart des touristes sont venus avec leurs enfants, sans qu'on comprenne bien le plaisir qu'un gamin de trois ans pourrait ressentir dans ce genre d'endroit. Ils pleurent ou cavalent en pétant des trucs, sous l'œil attendri des mamans. Les enfants sont les vecteurs autorisés de la sociopathie des parents. Les adultes geignent en faisant mine d'être dépassés par la vitalité destroy des petits, mais on voit bien qu'ils jouissent d'enfin pouvoir emmerder le monde, en toute impunité, au travers de leur progéniture. Quelle haine du monde a bien pu les pousser à se dupliquer autant ?

Élisabeth

Debout dans la cour, Élisabeth écoute d'une oreille distraite la petite Indienne raconter, dans un anglais précis mais désagréable, l'agression du couvent des sœurs de la Charité, à laquelle elle a assisté, une nuit à Sukananda. Des centaines d'hommes, armés de haches, barres à mine et couteaux, ont saccagé la congrégation. Les frères et les sœurs avaient eu le temps de se réfugier à quelques kilomètres de là. Les fondamentalistes hindous exigent que les chrétiens débarrassent le territoire. Un pot-de-vin aura été mal versé. Ça ne se passait pas comme ça, du temps de Mère Teresa. L'Albanaise savait aller à la bonne protection.

C'est la dixième fois en deux jours que l'Indienne ânonne son histoire, dans ses détails les plus sordides. Au début, c'était très émouvant. Mais à la longue, elles ont surtout envie qu'elle abrège. Autour d'elle, les sœurs abordent toutes le même sourire patient. Le niveau de sincérité caché derrière la grimace varie, d'un individu à l'autre. Il n'y a pas que des crevures, dans le cercle. Il y en a aussi à qui il manque une case, purement et simplement. L'hygiène de vie austère auxquelles elles se soumettent n'interdit pas l'éveil ardent d'une foi supérieure, mais encourage le plus souvent l'idiotie la plus aride. Avant-hier, Élisabeth en a vu deux prier pour que la porte du camion dans lequel elles devaient charger de gros frigos s'élargisse. À genoux devant la remorque, avec ferveur. Que Dieu dans sa bonté ajoute un peu d'espace pour qu'elles puissent y faire passer le chargement. On s'habitue, même à ça, mais c'est quand même beaucoup de patience.

Élisabeth observe la silhouette qui s'approche de leur groupe. Elle la reconnaît, de loin. Elle n'oublie jamais un visage. Elle interrompt l'Indienne d'un geste doux, s'incline pour s'excuser avant de s'éloigner, sans escorte. Les petites ont l'habitude. Elle a ses privilèges. Elle marche à petits pas, voûtée. Une femme âgée, menue, radieuse et énergique, le visage encadré par le voile blanc et bleu des sœurs de la Charité. La ressemblance est frappante. On pense tout de suite à l'Albanaise. Un examen plus attentif de ses traits vient aussitôt démentir l'illusion, mais le bien est fait : à son approche, les gens se désarment.

La Hyène est telle que sœur Élisabeth l'attendait : une invertébrée effrontée, ce que l'époque produit de pire. Des affalés, vautrés dans leur disgrâce et fiers de vivre comme des porcs. On ne pense même pas à Satan en l'approchant : il choisirait demeure plus somptueuse. Pas ce corps longiligne et mou, benoîtement content de lui.

— Vous cherchez quelqu'un, peut-être ? Je suis sœur Élisabeth.

La Hyène ne montre ni étonnement, ni crainte. Son encéphalogramme est trop plat pour que s'y déploie la stupeur.

— Sœur Élisabeth ? On vous a prévenue de ma visite ?

— Oh, moi, vous savez... Les gens viennent me voir.

— C'est pourtant pas la porte à côté, votre QG. Ça vaut le déplacement, remarquez. Bel endroit.

— Très inspirant. Oui.

— Je suis à la recherche d'une petite Française, Valentine Galtan. Je crois savoir que vous avez été en contact avec elle ?

— Valentine... Valentine comment ?

Elle utilise volontiers des intonations de petite vieille, un peu sourde, mais qui ne perd pas le nord. Les gens aiment ça. Elle a gagné en charisme, depuis que son visage s'est marqué. On la craint et la respecte, c'est instinctif. Elle ne se sent pas âgée. Elle se sent même moins vieille que dix ans auparavant. Un regain de vitalité lui a été octroyé, elle oublie de sentir son corps dégringoler.

— Oui, oui... Valentine, oui. Une très jeune fille. Oui. Je me souviens bien d'elle. Une enfant très vivante, très intelligente, très seule. Voulez-vous me suivre, qu'on en parle tranquillement ?

Elle désigne un chemin, un peu en retrait. Verticalité hiératique des montagnes de pierre qui le bordent. Les masses sont si hautes qu'elles cachent le ciel quand on lève les yeux. La Hyène la suit, avec lenteur. Quelque chose semble l'oppresser.

— C'est haut. On va marcher encore longtemps ?

— Non, non, nous y sommes. Vous avez le vertige ?

— Disons que je n'aimerais pas qu'on me pousse…

— Quelle drôle d'idée ! Auriez-vous quelque chose à vous reprocher ?

— Non mais vous savez comment c'est… une petite fille, l'église… forcément, on pense tout de suite photos cochonnes, croix de saint André, orgies et drame sanglant à la clef… Vous pourriez avoir de bonnes raisons de vouloir m'éliminer, non ?

Sœur Élisabeth se retourne et lui lance un regard lourd de reproche mais chargé de bienveillance. Depuis qu'elle porte le voile, ça a toujours fonctionné. Elle court-circuite les agressivités. La Hyène reste hermétique, trop impudente pour se laisser intimider.

— Vous vous faites une idée bien noire de notre travail d'évangéliste… Rassurez-vous : je ne suis guère familière des pratiques collectives que vous évoquez…

La lesbienne semble écouter le silence. Son profil est régulier, quand elle oublie de parader on voit qu'elle aurait pu être une belle femme.

Les touristes sont peu nombreux, en cette saison. Elles s'assoient côte à côte, sur un petit banc de pierre. En face d'elles, les nuages, qu'on croirait à portée de main. Un oiseau plonge dans le vide, sur des centaines de mètres, puis se pose, avec une précision désinvolte, sur une petite branche qui sort de la roche.

Élisabeth a envie d'une cigarette. Elle avait arrêté, sans effort, les premières années après avoir pris le voile – les sœurs ne sont pas autorisées à fumer. Mais ça la relance, depuis quelques mois. Le pire, ce sont les rêves. Elle y fume toutes les nuits. Le matin, elle est transpercée de coups de poignard aveugles, une terrible envie de nicotine. Elle cède à la tentation, quand elle peut se le permettre. Rarement. Elle est rarement seule. Elle partage sa chambre avec une Africaine qui revient de Boston. On déplace volontiers les sœurs, par exemple pour les protéger de la tentation de devenir comme la lesbienne. Les histoires prennent vite trop d'intensité, les petites à qui ça arrive n'ont pas toujours ça dans le sang. Le visage offert au soleil, la Hyène a des allures de lézard repu. Elle parle sans tourner la tête, les yeux fermés sous la lumière trop vive.

— Vous n'avez pas le droit de fumer, chez les sœurs ?

— À votre avis ?

Coïncidence désagréable, comme si elle lisait dans ses pensées. La lesbienne lui offre une cigarette. Elle l'accepte. Personne ne peut les voir, ici. Un léger vertige, une détente immédiate, à la première bouffée.

Sœur Élisabeth pose une main rassurante sur celle de la lesbienne. Elle est surprise par la douceur chaude de sa peau.

— Mais dites-moi, plutôt, pourquoi cherchez-vous Valentine Galtan ?

— Elle a fait une fugue… Son père et sa grand-mère ont fait appel à une société de surveillance privée. Vous l'avez rencontrée ?

— Je l'ai croisée… Vous savez, ces jeunes gens… ils viennent à moi affamés, je ne les questionne pas… C'est une petite fille très courageuse.

— Vous savez où elle se trouve ?

— Je n'en ai pas la moindre idée. Le chemin de Valentine a croisé le mien… Je lui ai dit de ne pas avoir peur, j'ai vu qu'elle guérirait. Elle est repartie… comme elle était venue : sans explication.

— Alors, pourquoi me faire venir jusqu'ici ?

— Je ne vous ai pas fait venir, mon enfant. Vous êtes venue ici de votre propre initiative…

Élisabeth se souvient bien de la Hyène. Cette impression extrêmement désagréable qu'elle lui avait déjà produite, il y a longtemps de ça. Oxford, au début des années 90. Élisabeth animait un stage de perfectionnement de la mémoire et de lecture rapide. C'était la première fois qu'elle enseignait pour le compte de la NEA. Il s'agissait avant tout de repérer les élèves les plus intéressants, et de les signaler à sa hiérarchie. Recruter, et former. Ce qui devait devenir sa spécialité, pour des années. Elle a toujours eu l'œil. Elle n'a jamais été une enseignante remarquable, la médiocrité la lasse vite. Mais son attention se porte spontanément sur les éléments d'élite. Ils sont rares. Les cerveaux bien faits le sont dès l'enfance, de ce côté-là non plus il n'y a guère de miracle à espérer.

Elle se souvient de la Hyène, cet hiver à Oxford, parce qu'elle s'était intéressée de près au séminaire proposé. Pas en sa qualité de détective bâtarde, moitié privée, moitié clandestine de l'État, mais parce qu'une jeune fille, qui lui plaisait beaucoup, s'y était inscrite. Élisabeth se souvient de cette présence vicieuse, qui rôdait autour de sa nouvelle protégée. Une élève brillante, un potentiel exceptionnel. Elle avait eu le dernier mot et la jeune fille s'était soustraite à la tentation morbide qu'impliquait toute relation avec cet élément de dégénérescence. Mais il s'en était fallu de peu. La Hyène – elle se faisait déjà appeler comme ça, à l'époque – avait cette arrogance hautaine, qui trouble les jeunes âmes.

Fille de militaire, femme de militaire et mère de militaire, Élisabeth sait ce que force de volonté signifie. Être vertébré. Rien n'aide mieux pour convaincre qu'être soi-même convaincue, elle avait gagné cette bataille, de haute lutte.

Son fils venait de mourir. Il n'avait pas trente ans. Il aimait conduire. Un accident fatal.

Ce décès ne l'a pas conduite à la dépression. Elle n'est pas de cette trempe. Elle n'a jamais connu l'ivresse des grandes blessures. La mort lui a pris tout ce qui avait pour elle une valeur. Mais le passé dure toujours. Et rien ne peut le transformer. Elle ne croit pas en Dieu, mais elle sent qu'il y a un trajet, et qu'on doit le faire tête haute. Ne pas s'attendrir. Droite, gauche, athées, croyants, au fond ils parlent tous le même langage : l'affalement dans la pleurnicherie. Elle n'a pas la foi. Au début, elle a pensé que ça viendrait. Elle ne demandait pas une de ces spectaculaires révélations. Elle ne fait pas partie de ces écervelées érotomanes, qui ont besoin de brandir leur dévotion et leur intimité avec Dieu comme on évoquerait la masturbation. Elle n'a pas de vanité, elle n'avait pas besoin d'être distinguée par une manifestation extraordinaire d'un saint, ni de la Vierge. Mais elle s'attendait à ce que la dévotion la gagne par les mêmes voies que l'amour et le respect de sa patrie l'avaient conquise. Elle se sentait prête pour la ferveur. La perte du fils autour duquel elle avait organisé toute sa vie avait creusé en elle un vide sublime. Elle aurait pu y accueillir la foi. Comme dans un mariage de raison, quand l'amour vient de l'habitude de partager l'existence de son partenaire.

La première année chez les sœurs, en elle, tout était resté silencieux. Un calme inestimable. Mais le sens critique était revenu. C'est son caractère. En Inde, un jour, elle observait plus loin dans la pièce une volontaire penchée sur un malade qui venait de mourir, elle s'était fait la réflexion que c'était désagréable, cette façon d'exhiber son plaisir à être témoin de la souffrance des autres sans rien pouvoir faire pour la soulager. La fille avait un sourire extasié sur les lèvres, ses mains tremblaient d'une excitation malsaine pendant qu'elle donnait la dernière prière. On voyait qu'elle était heureuse d'être là, qu'elle se sentait meilleure qu'une autre parce qu'elle sacrifiait deux mois de ses vacances à regarder les autres mourir. Tout dans sa conduite indiquait l'autosatisfaction la plus impudique, la plus déplacée. Une charité nourrie d'orgueil et de volonté de faire plus et mieux que l'autre. Élisabeth avait pensé que la jeune pimprenelle éplorée aurait été incapable de rester digne s'il s'était agi de son propre enfant allongé là, les plaies des jambes dévorées par les vers.

L'endroit n'était pas un hôpital : on n'y dispensait aucun soin, faute de moyens. Le nombre de lits était insuffisant à coucher tous les malades, la plupart des corps gémissaient sur des nattes au sol. Jusqu'à ce jour précis, Élisabeth n'avait émis aucun jugement, elle avait fait ce qu'on lui demandait. Des pansements, nettoyer des plaies infectées, apporter du riz aux mourants, les aider à s'alimenter. Elle était là, aussi, pour rendre compte de ce qu'elle observait autour d'elle, et de toutes les informations qu'elle glanait, à certains supérieurs. On ne lui avait pas suggéré de prendre le voile par vocation, mais parce qu'on était intéressé par des informations sur la succession de l'Albanaise. Quoique le service ait été officieusement demandé par un membre de l'Opus Dei, Élisabeth avait de bonnes raisons de croire que ses renseignements étaient aussitôt redirigés vers les services secrets de son pays. Compte tenu des sommes colossales charriées par les missionnaires de la Charité, il semblait logique qu'on cherche à garder une traçabilité des échanges. Elle s'acquittait de ses missions depuis plusieurs mois, sans émettre aucun jugement d'aucun type sur les gens qui l'entouraient. Jusqu'à la bénévole idiote. Ça s'était réveillé. Son sens critique. Cette intelligence acariâtre, retorse, à laquelle rien n'échappait. Et qui rendait difficilement supportable la présence des autres humains. L'œil en elle s'était rouvert, les mots s'organisaient en sentences : l'imbécillité heureuse d'unetelle, l'ego démesuré d'une autre, les manigances pénibles de celle-ci... sa solitude.

Elle méprisait les interdictions qu'elle s'imposait, la pauvreté écœurante et ravie qui favorisait surtout l'éclosion de la bêtise crasse, la proximité constante des autres sœurs de la mission, parfois de braves filles profitant de l'occasion pour fuir la pauvreté de leur propre pays, mais le plus souvent des nouilles dont le cerveau déjà mal en point avait littéralement fondu sous l'effet des privations spirituelle, affective ou matérielle.

On l'avait oubliée, longtemps. Les responsables avaient changé, les dirigeants de son pays ne s'activaient qu'à miner le terrain de leurs propres alliés. Personne ne venait plus lui demander aucun renseignement. Elle n'en avait pas souffert. Elle s'était arrangée pour revenir en Europe, y avait gagné de nouvelles distinctions et responsabilités. L'an passé, à Londres, un homme s'était présenté, déclarant vouloir faire une donation, il désirait en parler avec elle, en privé. Il prétendait être un ponte des renseignements généraux. Elle l'avait pris pour un mariole. Il était obsédé par la restauration de la foi chrétienne en Europe, convaincu qu'il était temps d'ouvrir le feu sur plusieurs fronts : contre les sectes, contre l'Islam, contre le judaïsme, contre le capitalisme… On ne distinguait plus très bien, à la longue, avec qui il comptait s'allier pour gagner un peu de cette guerre, qu'il semblait pour l'instant très seul à mener. C'était un jeune homme, un de ces imbéciles qu'on n'a même pas séparé de sa mère pour aller faire son service militaire, mais qui ne doute pas de sa virilité. Mais, au fil des renseignements qu'il dispensait, elle avait fini par admettre qu'il était aussi bien introduit qu'il l'affirmait. Il ordonnait de réguliers et discrets versements sur un compte, pour sœur Élisabeth. On en était donc là, dans la patrie pour laquelle elle avait toujours considéré qu'elle devait être prête à mourir : on employait, aux plus hauts postes de responsabilité, des zozos extravertis et mal fixés, on laissait les rênes aux ineptes. Quand il lui avait recommandé d'ouvrir l'œil, sur le terrain, de chercher un jeune homme prêt aux plus grands sacrifices, elle n'avait que distraitement écouté. Puis il l'avait envoyée à Barcelone, officiellement pour étudier la possibilité – en ces temps d'importante dévaluation immobilière et d'afflux de chrétiens démunis venus du monde entier – d'y ouvrir un couvent, officieusement parce qu'il l'incitait à renouer contact avec d'anciennes connaissances de l'Opus Dei. Car eux non plus n'étaient pas dans ses petits papiers.

Et Valentine lui avait foncé dedans – littéralement – ivre sur un trottoir, l'adolescente avait trébuché sur la sœur, qui se tenait à genoux devant un pauvre hère étendu sans connaissance dans le caniveau. L'adolescente s'était aussitôt accrochée à elle, petite chose titubante, l'haleine chargée, trop jeune pour être repoussante. Un petit oiseau bourré. Elle avait bafouillé quelques mots sur la foi de son grand-père. Sur le plan spirituel, Valentine était moins éveillée qu'une courge. Mais elle était attachée, émotionnellement, à des souvenirs de prières en famille. Et, très vite, sans qu'on lui demande rien :

— Je me demande comment vous faites pour aimer votre prochain et vous traîner à genoux pour lui soigner les plaies… moi, quand je vois la porcherie dans laquelle on vit, tout ce que je me dis, c'est que ça me plairait de tout faire péter.

Recruter, et former. Sœur Élisabeth avait bien quelques doutes. La petite était d'une docilité suspecte, trop facilement malléable pour que l'empreinte tienne correctement. Elle avait un double-fond, ce qui la rendait difficile à manœuvrer. Son intelligence était relativement vive, mais superficielle et mal articulée. Mais elle avait toutes les qualités requises : de mauvaises relations, un équilibre instable, un grand besoin d'attention… Ensuite, tout s'était enchaîné. Jusqu'à ce qu'on signale l'arrivée des deux privées sur Barcelone. Qui arrivaient un peu tôt pour que l'adolescente soit bien en main.

Alors on avait avisé sœur Élisabeth qu'il serait bon qu'elle boucle ses conclusions sur Barcelone au plus vite, afin de pouvoir suivre Valentine à Paris. Le moment était venu.

On ne sait jamais pour qui on travaille. Et on ignore pour qui on meurt. Ça ne la gêne pas. Sœur Élisabeth fait ce qu'elle a toujours fait, ce que les humains qu'elle admire ont toujours fait : elle obéit aux ordres.

— Non, vraiment, je ne peux pas vous aider… j'en suis désolée. La dernière fois que j'ai vu Valentine, elle m'a parlé de ses amis… des squatteurs, je crois ? J'ai essayé de la convaincre de rentrer, mais…

Elle n'a pas le temps de finir sa phrase. Un cri rauque et animal échappe à la Hyène, qui ferme les yeux et grimace. Elle se tourne vers la sœur, la rage obscurcit son regard. Son excitation est grotesque. La vieille femme ne marque ni étonnement, ni crainte. Elle connaît la brutalité des faibles. Ce que les dégénérés confondent avec la force : un déballonnement émotionnel. La lesbienne grogne :

— Vous n'avez pas honte ?

Sans répondre, sœur Élisabeth plante son regard dans le sien, simule l'étonnement sincère, tout en pensant « mais de quel droit viendrais-tu me parler de honte, pauvre dégénérée ? ». Alors, la Hyène lui répond, à voix haute, comme si elle avait lu dans ses pensées :

— Je n'ai aucune leçon de morale à donner, mais je ne frime personne avec mon petit sari blanc et mes airs de sainte-nitouche. Et je ne trafique pas sur le dos des gamins.

Sœur Élisabeth sent, dans son dos, la morsure d'une sueur glacée. Elle n'a que mépris pour le sentimentalisme mou qui fonde ce genre de réflexion – on ne gouverne pas les peuples avec de bonnes intentions – mais elle ne peut retenir un mouvement de panique à l'idée que la lesbienne puisse effectivement lire dans ses pensées. La Hyène enfonce le clou :

— Bien sûr que je peux. Qu'est-ce que tu crois ? Toi, en plus, t'as pas de chance : je te capte comme j'ai jamais capté personne.

— Mais qu'est-ce qui vous arrive, mon enfant ?

Ne jamais avouer. Bloquer les pensées. Il ne faudrait pas que tout soit compromis aussi bêtement. Un oiseau chétif se pose à quelques mètres d'elles, picore des miettes de sandwich qu'un touriste aura répandues. Sœur Élisabeth écarte les mains, en signe d'impuissance :

— Mais qu'allez-vous imaginer, mon enfant ? Que se passe-t-il donc de si terrible autour de cette petite fille ? Mon Dieu, je n'ai pas su la protéger comme j'aurais dû… Voulez-vous que je vous aide à la retrouver ? Voulez-vous que je me renseigne, de mon

côté, et que je vous prévienne dès que j'ai du nouveau ?

— Pourquoi elle ? Vous n'aviez personne d'autre,
dans vos propres rangs ? Vous ne pouviez pas
envoyer vos propres enfants ?

— Mais je vous offre toute mon aide pour la
ramener chez elle… saine et sauve… Et je pense que
je veux vous aider. Je vous l'ai dit, je crois que vous
auriez intérêt à vous renseigner parmi les squatteurs…

— Parce qu'elle était seule, n'est-ce pas ? Seule, et
facile à lancer.

On a évité d'aborder le sujet, mais Zoska savait que
ce qu'on faisait n'avait aucun sens. Après le déjeuner,
la photo de Valentine en main, on a fait les bars, les
marchands de tabac, les magasins de disques, de tee-
shirts, de baskets... Puis on a pris un café en terrasse, et ensuite on s'est contentées de se promener,
sans but particulier, sans se demander si ça n'était pas
un peu bizarre, de passer la journée à ne rien faire au
beau milieu d'une enquête déjà pas en très bon état de
marche.

Collée à Zoska, je suis électrisée quand son coude
frôle le mien. On mange une glace sur un banc au
soleil et je me demande si j'ai déjà vécu un moment
aussi doux et parfait, rond comme une bulle. Zoska
dit qu'elle ne veut pas rester à Barcelone, que la ville
est pourrie par le tourisme, qu'elle y prend trop de
drogues et que tout y coûte cher. Mais pour quelqu'un qui ne demande qu'à partir, je la trouve drôlement contente d'être là.

J'ai envie de baiser avec elle. Les effets secondaires
de la scène du soir de notre arrivée, qui m'avait horrifiée sur le coup, me perturbent. Des bribes d'images,

de sensations, en boucle, me hantent, de manière agréable. L'expression de son visage, le léger sourire sur ses lèvres, quand elle a tiré sur ses gants pour les ajuster. J'ai envie de baiser avec elle. D'autant plus férocement que j'en ai peur, aussi.

Tout ce qu'elle fait m'affole. Elle rend les choses auxquelles elle s'intéresse importantes, même quand au départ c'est plutôt des trucs chiants. Il suffit qu'elle regarde une voiture qui lui plaît, et j'ai envie d'en savoir plus sur la puissance des moteurs.

J'aime sa façon de me faire savoir que je lui plais. C'est tranquille. Je ne me creuse pas le crâne en me demandant comment on va faire pour s'embrasser, si ça va se passer comme je veux. Mon ventre est le centre de mes pulsions, je le sens travaillé par la crainte, le désir, l'impatience et l'excitation. Je n'écoute que lui. Je suis mise en orbite autour de ses gestes, à elle. Fascinée par ses mains. Inquiétée par la dureté de son regard. J'aime comment sa voix descend d'un ton quand elle passe à l'espagnol.

On déboule sur une place, devant le musée d'art contemporain, un édifice blanc énorme, sur le parvis duquel une trentaine de skateurs s'entraînent. Un boucan ahurissant. Des gamins assis sur les côtés boivent de la bière que vendent des Pakistanais. Zoska repère quelque chose que je ne vois pas, me demande de l'attendre un moment. Elle rejoint un groupe de gamins, discute avec eux, les entraîne à l'écart et me rejoint deux minutes après. J'ajoute deux et deux et je comprends qu'elle deale. Ça explique qu'elle ait une aussi belle moto, tout en étant serveuse à temps partiel payée six euros de l'heure. Et qu'elle déménage aussi souvent, son goût pour les langues étrangères n'expliquant pas tout à fait son incessant besoin de mouvements.

Dans le Raval, les fenêtres sont décorées de panneaux « respectez la dignité du quartier », je demande à Zoska si c'est pour protester contre les nouveaux immeubles atroces qu'ils font pousser au milieu. Zoska me répond que c'est contre les putes. Ça la fait rire que je me méprenne. Elle jette un coup d'œil dans un bar, j'imagine qu'elle n'y voit pas les clients qu'elle pensait y trouver, elle se tourne vers moi :

— Je suis vannée. Je suis garée loin. Je veux passer par chez moi avant d'aller travailler.

— Oui, moi je vais y aller aussi.

— Je te raccompagne ? T'es encore plus loin de ton hôtel que de ma moto.

Collée à elle, en roulant, je renverse la tête en arrière. La nuit est tombée. Le ciel n'a rien à voir avec celui qu'on voit à Paris, on voit les étoiles, d'ici.

Je suis attentive à son dos, son corps contre le mien. Pouvoir glisser mes mains contre son ventre en prétendant avoir peur de tomber suffit à mon bonheur. Tout devient intéressant, une fois qu'on veut quelqu'un. Quand on se sent au bord, cette ivresse très particulière. Ça faisait longtemps. Je me dis que c'est bon comme d'avoir quatorze ans. Mais c'est faux. Jamais ça n'a été doux comme ça, avoir quatorze ans. Au contraire, c'était dur et aride, c'était le pire moment de la vie. Je n'ai jamais été une petite princesse. La vie était remplie d'humiliations, inter-dictions brutales, échecs et incapacité. J'avais peur de tout, à quatorze ans, et rien qui me protégeait.

Je fixe, dans son cou, la chaîne argentée qu'elle porte. Tout mon corps est tendu vers ce détail. Et je sens que même mes chevilles sont contentes de regarder les maillons de métal sur sa peau. Son profil quand elle tourne la tête pour vérifier qu'elle peut changer de file. Sa façon de se retourner, au feu rouge, en me demandant si ça va. Je lui plais.

Devant l'hôtel, elle récupère le casque qu'elle m'a prêté. Je lui demande si on se revoit le lendemain. Elle me regarde, s'approche avec lenteur et reste immo-bile, à moins d'un pas de moi. On reste longtemps face à face, sans se toucher. Elle s'approche, je bas-cule sur mon axe. Glisse en elle, entre ses lèvres. Sous ma peau, les pulsions fusent en loopings désor-donnés. Stone d'elle. Ça dure un long moment, juste ce baiser.

Puis elle me plante là, en me disant qu'on s'appelle.

Un high pur, sans descente. Comme blindée à l'hélium. Une bombe tranquille, à tête chercheuse, c'est sur elle que je dois exploser.

À trois heures du matin, je ne dors pas quand elle m'envoie enfin un texto « je passe te voir ? ».

Le soleil inonde la moquette cradingue d'une belle lumière dorée. Ma langue est engourdie, à force de contact avec ses muqueuses j'ai ramassé des restes de coke. Il est six heures au réveil de l'hôtel, je fume des clopes à la fenêtre. Zoska dort, allongée sur le dos. Quand elle m'a rejointe, milieu de nuit, elle était un peu raide, plus chaude et expansive que dans la journée. Ça me plaisait, aussi, qu'elle soit comme ça. Plus facile d'accès. On a baisé jusqu'à ce que l'aube la fasse rouler sur le côté, fermer les yeux et me laisser ne pas dormir. C'était réflexif : je la touche, et je sens dans mon corps ce que je lui fais ; elle porte la main sur moi et c'est dans ma propre peau que je sens la sienne quand je la touche, les limites sont floutées, nos épidermes sont en boucle. Je la réveille, l'enjambe, l'empoigne, tout de son corps indique que je peux y aller. Elle me déchire, avec ses doigts, quelque chose a lâché, je trempe les draps. Un tempo différent de celui que je connaissais, qui n'a pas de fin, se déroule sur une rythmique différente.

Le matin quand elle part je ne sais pas trop si je la reverrai. Je lui pose la question pendant qu'elle refait ses lacets, « qu'est-ce que tu fais dans la journée ? », elle tourne la tête pour me regarder par-dessus son épaule, sourit, « j'oublie toujours que t'es de la police », puis se lève, prend sa veste, m'embrasse sur l'épaule, dit que je sens bon, et sort. Je me répète qu'elle le fait exprès, que c'est un truc pour me faire craquer, que le procédé est ridicule. Ça marche. Je passe la matinée un œil sur mon portable. Je descends rejoindre la Hyène. Trouver Valentine ne m'a jamais franchement obsédée, mais là c'est devenu la banlieue de la banlieue du dernier de mes soucis. J'arrive au bar où elle m'attend, elle me dévisage, longuement :

— T'as bonne mine, toi, c'est bizarre. T'as fait un soin de peau à l'hôtel, ou quoi ?

Je fais la fille qui ne voit pas de quoi elle parle, lui demande ce qu'elle a fait la veille, prétends qu'on a écumé la ville comme des dingues. Elle ne m'écoute pas, elle fronce les sourcils, comme si elle cherchait à résoudre une énigme épineuse :

— C'est extraordinaire. T'es beaucoup plus lumineuse, non ?

Et comme je ne réponds rien, elle commence à fredonner « like a virgin, touched for the very first time, like a viiiirgin ». J'insiste pour savoir si elle a du nouveau sur l'enquête, elle soupire :

— Je vais t'épargner les détails de ma journée d'hier. Mais, en gros : Valentine a fait pote avec une bonne sœur. Ne fais pas cette tête-là, moi aussi ça m'a semblé déplacé. Laquelle bonne sœur me conseille d'aller voir du côté des squatteurs…

— On a déjà fait les nazillons, les musulmans, les petits bourges du seizième… maintenant on se fade l'Église et l'extrême gauche ? C'est une blague, non ?

— C'est son petit parcours… au moins, elle aura fait le tour de la question, comme ça.

— Tu as une piste concrète ?

— Aucune. Mais j'ai l'impression qu'on va nous aider à la retrouver. On ne va pas avoir besoin de trop se fouler.

— Et tu fondes cette impression sur quoi ?

— Sur mon instinct, cherche pas. En attendant, aujourd'hui, le programme c'est : on va prendre un petit café à la Centrale d'Eixample.

— Ton informateur t'a donné un contact là-bas ?

— Non. Mais j'ai rencontré une libraire. Une rousse. Elle fait la fille que je ne bouleverse pas. Ça me fait craquer.

— Tu l'as rencontrée où ?

— Hier soir, dans un bar. Je ne sais pas si tu te souviens, mais hier, tu avais l'air de vouloir rester à ton hôtel. On aurait dit que tu étais occupée. Donc je suis sortie, toute seule.

— Mais tu sais qu'on est pas payées pour bouleverser les filles ?

— Euh, non… dans mon souvenir, je n'étais pas payée. Tu veux venir avec moi ou tu as autre chose à faire ?

C'est comme ça qu'on se retrouve au premier étage de la librairie la Centrale. Plancher en bois, les gens se parlent à voix basse, banquettes blanches. Le chocolat chaud est bon, mais je ne comprends pas bien ce qu'on fout là. La Hyène est survoltée, elle a entassé sur la table tout ce qu'elle trouvait sur « Montserrat ». J'ai bien peur qu'elle ait décidé de faire du tourisme, en fait. Elle feuillette les ouvrages, parfois interrompt sa lecture pour me dire que c'est un site peu ordinaire, que les extraterrestres auraient visité, qu'on y a vu des lumières dans le ciel, ou que Himmler en personne était venu y chercher le Graal. Je regarde, distraitement, les photos du site, et j'assure que si, si, je trouve ça très beau. Un massif de montagnes en pierre. Je ne sais pas quoi lui dire d'autre.

Je pense aux lunettes de soleil de Zoska, je pense à l'écartement entre ses deux épaules, je pense au tatouage en demi-cercle au-dessus de son nombril. Au bracelet de cuir tressé qu'elle porte au poignet. La libraire vient nous voir. Je ne la trouve pas terrible.

— J'ai tellement envie d'apprendre le catalan. Mais personne ne m'a jamais donné de cours.

298

— Les cours de normalisation linguistique sont gratuits, tu sais.

— Je ne peux assister à rien qui commence par « normalisation », impossible. Mais j'ai remarqué un livre, en bas, sur Montserrat, qui avait l'air passionnant. Mais c'est en catalan. Tu crois que tu pourrais m'en traduire des passages ?

La libraire, cheveux très courts et l'air tellement renfrogné que ça en est – à mon sens – déprimant, la rembarre. Non, elle ne connaît pas ce livre. Puis elle se lève et nous abandonne. La Hyène la regarde s'éloigner, puis se lève et s'accoude au comptoir, elle me donne l'impression de draguer plutôt la serveuse, finalement. Deux bonnes heures s'écoulent sans qu'on foute rien. Je commence à en avoir marre.

— On va attendre combien de temps, comme ça, sans rien faire ?

— C'est très simple : je ne bougerai pas d'ici tant que tu ne m'auras pas raconté tout ce qui t'est arrivé, hier.

— Je ne vois pas de quoi tu parles. Et je ne comprends pas ce qu'on fait là. On ne devrait pas se renseigner sur cette histoire de réseau gauchiste ?

— Ce que tu ne comprends pas, c'est qu'on est passées à une forme d'enquête taoïste. Ça travaille sur l'immobilisme. On ne cherche pas, et pourtant, nous allons trouver. Tu me suis ?

La Hyène croise les jambes, pose les coudes sur la table :

— Et si on retrouve la petite Valentine, qu'est-ce que tu feras avec Zoska ? Tu aurais une histoire sérieuse avec elle ?

— Ça n'est pas du tout ce que tu crois.

— Ah bon ? Tu flipperais de devoir dire aux gens que tu connais que tu es avec une fille ?

— Je vois mal ce que ça pourrait avoir de flippant. Excuse-moi, je ne vis pas au XIXe siècle.

— Ah bon ? Et tu le dirais à tes parents, aussi ?

— Évidemment.

— D'accord. C'est moi qui fais tout un cirque pour des choses qui ne posent problème à personne.

Mais j'ai le temps de m'imaginer à table, avec mon père, en train de lui annoncer l'air de rien que je vis avec ma nouvelle copine. Et la tête des voisins s'ils comprenaient que je vis avec une fille, alors que l'appartement n'est pas assez grand pour qu'on y mette deux lits. La Hyène n'a pas terminé :

— Mais, il y a de la place chez toi pour que vous habitiez ensemble, à Paris ?

— Écoute, ça va… On a passé une nuit ensemble, on n'en est pas…

— Ah. Quand même. On y vient : vous avez passé la nuit ensemble, j'avais pas rêvé. Salope, j'ai failli douter. Bon, alors maintenant que tu m'as choisie comme confidente – et laisse-moi te dire que tu as bien choisi – je te préviens tout de suite : tu ne connais pas les gouines. Elle débarquera avec ses valises en te demandant un jeu de clefs avant même que tu aies le temps de mémoriser la couleur de ses yeux. D'autant qu'elle, elle peut faire son boulot n'importe où. Mais à part ça, crois-moi, tu es en train de vivre le plus beau moment de ta vie : l'hétérosexualité, c'est aussi naturel que l'enclos électrique dans lequel on parque les vaches. À partir de maintenant, ma grande, bienvenue dans les grands espaces.

Et, pour la première fois depuis qu'on se connaît, ce genre de déclaration idiote me donne envie de sourire.

Valentine

« Je suis la peste, le choléra,
la grippe aviaire et la bombe A.
Petite salope radioactive,
mon cœur ne comprend que le vice
Transuraniens, humains poubelles,
contaminant universel. »

Assise à l'ombre d'un arbre couvert de gigantesques fleurs roses, dont les pétales paraissent velus,
Valentine referme le carnet de moleskine noir qu'elle
a volé dans la papeterie où elle a fait faire les photo-
copies de sa fausse déclaration de vol de papiers
d'identité. Elle est moyen convaincue par la dernière
rime. Elle s'est posée dans un petit parc. Elle bâille.
Un vieux barbu avec un gros ventre s'aventure dans
son coin. Il porte des nu-pieds qui laissent voir ses
gros panards immondes, dotés d'ongles jaunes longs
et épais, fendus à l'extrémité. Surpris de la voir, il
baragouine un truc dans une langue dont elle serait
incapable de dire si c'est du schleu, du catalan ou du
turc, puis il bat en retraite. Elle est soulagée qu'il
s'éloigne. Passe un homme qui pousse un enfant dans

un landau tellement high-tech qu'on le croirait parti pour le Paris-Dakar. Trois pouffiasses de son âge le croisent sans le calculer, elles ont les poignets chargés de bracelets, chacune un portable à la main, elles piaillent. Quand elle pense qu'elle ressemblait à ça, il n'y a pas si longtemps. Elle a beaucoup changé. Elle est très attentive à sa courte biographie. Elle la récapitule volontiers, c'est tout ce qu'elle possède aujourd'hui. Sa vie. Elle se souvient de comment les trimestres se sont enchaînés. D'abord son ancienne vie. La phase Twilight et je rêve en mode vampire charmant, j'ai les cheveux teints en roux et les yeux irrités à force de frotter pour les démaquiller – elle devait mettre son réveil une heure plus tôt pour avoir le temps de réussir deux traits d'eye-liner à peu près symétriques. Puis la phase j'écoute du néo-métal, on m'informe que c'est de la musique de bouffon et je me mets direct dans la scène hardcore new-yorkaise des années 80, Agnostic Front est ma seule religion. Suivie de la phase je suis une bimbo – y a que ça qui plaît aux mecs – mais je ne suis pas vraiment une pute, j'ai une culture du sac griffé et je me fais des petits frissons de cynisme en me tapant quelques rails de coke. Ce passé lui semble lointain. Depuis un an, ça s'est accéléré.

Tout a plus ou moins commencé par Carlito. On ne peut pas parler d'un coup de foudre. C'était devant le Divan du Monde. Elle zonait toute seule à l'entrée, espérant qu'un des musiciens de Panique Dans Ton Cul, qui étaient programmés ce soir-là, passe et lui file un backstage. Elle les bombardait de SMS auxquels ils ne répondaient pas. Elle couchait avec eux, des fois, et en ville ils se la fanfaronnaient mecs qui la démontent mais s'en foutent, sauf que dans les faits, une fois tout seuls sans leurs potes et à poil ils étaient plus tendres que des bébés chiots, et guère plus dangereux dans un pieu. Au premier coup d'œil, Carlito et ses potes lui avaient fait de la peine. Ils sortaient d'un bar de bobos, et traînaient sur le trottoir d'en face, cherchant mollement des noises aux gars du public de Panique Dans Ton Cul. Ils avaient des looks d'altermondialistes, rien qu'à les voir ça sentait mauvais. Ils n'avaient pas encore pris la beigne qu'ils cherchaient, mais ne se décidaient pas à tracer. Valentine faisait semblant de lire des textos sur son portable, et Carlito avait traversé la rue pour lui demander, direct :

— Oh, toi : tu me donnes dix euros, s'il te plaît ?

— Dix euros ? Ça coûte si cher que ça, un bonnet péruvien ?

Elle était convaincue que s'il osait lever la main sur elle, les mecs du service d'ordre lui mettraient une raclée. Une petite bourge, comme elle, en face d'un gros clochard, comme lui, il y aurait toujours quelqu'un pour la défendre. Carlito avait continué avec sa grosse voix :

— Mais ma parole, vagin pas frais, tu aurais de l'humour ou j'ai rêvé ?

— Lâche-moi, s'il te plaît. T'as pas une vie à toi ? Vous êtes perdus ? Il n'y avait pas de manif antiracisme à Bastille ?

Il ne l'impressionnait pas. Trop gras. Elle n'aimait pas les mecs à bide. Si à ce moment précis un ange descendu du ciel était venu la prévenir que ce type

changerait sa vie, elle aurait ricané, direct. Il s'était
éloigné de quelques pas, mais pas trop, elle sentait
qu'il la regardait, en continuant son cinéma. Il y avait
moins de monde : devant la salle, elle s'était humiliée
à supplier un des connards du service d'ordre de la
laisser passer. Le concert avait commencé. Elle
envoyait des textos, toujours dans le vide. Elle avait
décidé de tracer, dégoûtée, elle devait repasser devant
les trois crétins pour rejoindre le métro, elle avait
changé de trottoir, mais ça n'avait pas suffi. Carlito
l'avait talonnée, direct :

— Donne-moi dix euros, je suis sûr que tu les as,
j'ai envie que tu me les donnes. J'aime quand les filles
comme toi me donnent de l'argent. Ça m'excite.

Ils étaient tous les deux sur le boulevard, et un
lascar de merde, le genre débile avec survêt pourri
enfoncé dans des chaussettes blanches pas chères,
mais débile de deux mètres de haut, s'était mêlé de
l'affaire : « l'embête pas, c'est ma copine » en la prenant par le bras pour l'entraîner. La mauvaise
embrouille. Évidemment, Carlito allait s'esquiver et la
laisser se débrouiller avec le géant à tête de mongol.
Mais il n'avait pas tracé, ni cherché à discuter, son
bras s'était soulevé, la main fermée en poing compact.
Cogné une seule fois. Sous la mâchoire, comme dans
un match de catch qui opposerait deux adversaires de
forces inégales, et le lascar avait giclé en arrière, c'était
très bien réglé, il y avait quasi le ralenti. Carlito s'était
retourné face aux autres lascars, sourire tordu scotché
aux lèvres, ses deux potes étaient déjà un pas derrière lui, bras croisés. On ne pouvait pas leur retirer
un certain appétit pour la bagarre. Quelqu'un dans le

groupe avait grogné « y a les keufs, vas-y, y a les keufs », les deux adversaires s'étaient lancé un petit coup d'œil haineux, pour bien dire « on y va parce qu'on est obligés mais on aurait tellement aimé vous mettre une grosse raclée ». Et tout le monde s'était dispersé, sur le mode les mains dans les poches, j'ai rien à me reprocher mais vas-y je suis pressé. Sans courir, sans se retourner, ils zigzaguaient dans les rues, rasaient les murs pour tourner plus vite. Et Valentine avait suivi le mouvement, réglé son pas sur celui de Carlito. Il semblait trouver naturel qu'elle soit avec eux, il lui parlait comme s'il la connaissait. « Tu te rends compte, si on n'avait pas été là, comme t'étais dans la merde ? » Ses deux potes riaient chaque fois qu'il parlait, il ne fallait pas longtemps pour comprendre que c'était lui le meneur. Ils s'étaient arrêtés devant un bar minable, du côté de Pigalle, et Carlito avait demandé, comme si ça coulait de source « Bon alors, tu les lâches tes dix euros ? Tu nous la payes, cette bière ? ». Ils connaissaient bien la patronne, ça puait le gras chez elle et Valentine n'aimait pas ce genre de rade, ça sentait le vieux, les pauvres et la cuisine qui fait grossir. Elle ne disait pas grand-chose, elle enregistrait. Des potes à eux les avaient rejoints et s'était constituée autour de Carlito une petite troupe. C'était marrant d'être assise à la même table que des types qu'elle avait l'habitude de mépriser. Ils ne calculaient pas trop mais Carlito s'arrangeait toujours pour l'avoir à côté de lui, montrant avec ostentation qu'elle était son caprice du jour, et personne n'y trouvait rien à dire. Elle observait ce qui se passait autour d'elle en imaginant ce qu'elle pourrait en tirer de drôle à raconter à ses vrais amis. Il faut un peu de temps pour apprendre un langage, Valentine était trop novice pour bien capter tout ce qui se passait. Carlito était sûr de lui, ça lui plaisait. À un moment donné, il s'était tourné vers elle, avait reniflé son cou et demandé au creux de son oreille : « Tu sens le savon même à cent mètres, qu'est-ce qu'il y a de si sale chez toi que tu te laves autant ? » Il la regardait droit dans les yeux, comme s'il la baisait debout au milieu du bar. Faute d'être mignon, il savait parler aux filles comme elle. Il était bien le chef du groupe, même quand ils furent plus nombreux. Celui qui parle plus, qu'on écoute mieux, qui fait plus rire. Du jugement duquel on dépend. Leur principale source d'amusement était ce gauchiste qui avait fait quelques mois de prison, soupçonné d'avoir trafiqué des containers SNCF. Rien ne les faisait plus rigoler que ses déclarations dans la presse, Carlito paraissait les connaître par cœur et rien ne l'amusait plus que ce clown de la politique. Il n'était jamais question de son monde à elle dans leurs conversations à eux. Elle aurait imaginé que les altermondialistes passaient leur temps à se prendre la tête sur les patrons, les riches, les puissants et les gosses bien nés. Elle avait même essayé de se mettre dans l'ambiance en sortant une vanne lourde sur la femme du président. Ils l'avaient regardée sans réagir, comme si elle venait d'évoquer Montaigne. C'était loin de chez eux, l'Élysée. Ils n'en avaient rien à foutre. On avait toujours répété à Valentine qu'elle avait de la chance d'être qui elle était, que tout le monde désirait plus que tout avoir ce qu'elle avait.

Mais dans cette assemblée de pouilleux, nul ne semblait beaucoup souffrir de ne jamais déjeuner au Costes.

Elle avait pensé que Carlito essaierait de coucher avec elle, ce soir-là. Elle serait d'accord, pourvu qu'il insiste un peu. Valentine couchait avec le plus de monde possible. Elle pensait qu'on s'améliore au lit comme on s'améliore au piano : en pratiquant. Carlito ne lui plaisait pas plus que ça, mais elle trouvait logique que le plus fort de la meute se fasse sucer souvent, par le plus de filles possible. Sinon, comment ferait-il pour rester le plus fort de la meute ? Elle pensait qu'il voudrait coucher avec elle, et que comme les autres il serait surpris de comment il allait la kiffer. Les mecs finissaient toujours par s'extasier, soit la reconnaissance faisait partie de leur patrimoine biologique, soit elle était douée. Elle optait pour la deuxième solution. Elle avait sa théorie sur le sexe : l'essentiel n'était pas dans la position, ni les petits gémissements, ça, n'importe quelle pétasse savait le faire. L'essentiel, c'était le dialogue, et le porno n'apprenait rien sur ce qu'il faut dire, le porno, quasiment, c'était du muet. Il fallait ne pas avoir honte de dire des conneries, mais trouver le ton juste pour les dire sans que ça soit ridicule, et ça n'était pas donné à tout le monde. Il fallait se travailler une voix assez pétasse pour être excitante, mais assez classe pour que ça soit bandant. « Comme elle est grosse, vas-y doucement s'il te plaît, ta queue est tellement grosse que tu vas me défoncer ma toute petite chatte, tu sens comme tu m'exploses avec ton gros machin ? » Le hit ultime restait encore de donner l'impression qu'il baisait tellement bien qu'il finissait par lui faire perdre la tête. Que jamais, avant, elle ne s'était mise dans un état pareil. Il fallait savoir faire une évaluation rapide. Est-ce qu'il préférait « Déchire-moi le cul bébé défonce-moi comme une chienne je suis ta pute je ferai tout ce que tu veux, tu me baises tellement bien tu peux faire ce que tu veux de moi ». Ou est-ce qu'il était plutôt branché petite fille, « Oh pas si fort, s'il te plaît, tu me fais mal, ta queue est tellement grosse, vas-y doucement, je t'en supplie, oh non, non, non, tu es une brute, oh oui, oh non, oh tu me fais mal ».

Carlito n'avait rien essayé, ce soir-là, en la quittant sur le trottoir. Il l'avait juste tapée de vingt euros pour un taxi qu'il venait de se rappeler devoir prendre urgemment. Il avait promis de les lui rendre le lendemain : « Tu fais quoi demain soir ? T'es libre ? On se voit ? Comme ça je peux te rendre l'argent. Porte de Montreuil, tu m'attends à la sortie du métro ? Vingt heures. Tu pourras ? Tu es sûre, hein ? Je n'aime pas être débiteur. » En le quittant, elle n'était pas sûre d'y aller. Mais en ne la baisant pas, il avait créé un suspense. Et elle était au rendez-vous, le lendemain. Lui aussi, avec trente minutes de retard. Il ne lui avait pas rendu les vingt euros mais s'était fendu d'une démonstration confuse et convaincante, au terme de laquelle il apparaissait que le plus simple restait qu'elle lui en prête trente de plus, afin qu'il lui en doive cinquante tout rond, qu'il pourrait lui rendre dès le lendemain, sans faute. « Sans faute », elle devait l'apprendre avec le temps, était une expression englobant tout ce qu'il n'avait aucune intention de faire.

Avec la thune qu'elle venait de lui prêter, il l'avait invitée à dîner, dans une pizzéria de base où il avait commandé bouteille de vin sur bouteille de vin. Carlito parlait beaucoup et écoutait peu. Valentine avait commencé par le trouver drôle, à la fin de la soirée, il la fascinait. Il déroulait de longs solos, aussi bien sur le R'n'B, la Coupe du monde africaine, les Brigades rouges, la pornographie japonaise ou les technologies de microsurveillance. Dans la conversation, elle avait lâché qu'elle était la fille de François Galtan, d'habitude personne ne voyait qui était son père mais Carlito, littéralement, était devenu fou. Il lui avait sorti le grand jeu, comme s'il avait l'occasion de s'adresser au père au travers de sa fille. Il avait une façon bien à lui de raisonner, elle avait l'impression que son cerveau était équipé d'une paire de pinces qui lui permettaient d'attraper n'importe quel sujet, le soulever pour le faire voir sous un angle inédit, puis le fracasser au sol quand il avait décidé d'en finir. Elle ne connaissait personne comme lui. Il lui parlait beaucoup de sexe, mais ne cherchait pas à l'attraper. À la fermeture du restau, il avait négocié une remise sur l'addition avec le patron, avec un sans-gêne insistant qui s'était révélé payant.

Elle avait pris l'habitude de le retrouver, quand il appelait. Il n'avait pas de portable à lui. Il empruntait celui des autres, le plus souvent sans le leur demander, et passait sa série de coups de fil. Il donnait à Valentine une heure de rendez-vous, jamais dans un endroit précis, toujours à une sortie de métro, et passait la chercher, avec une heure de retard, sans s'excuser. Puis elle restait à l'écouter. Elle ne parlait de ça à personne. Aucun de ses potes de la vraie vie n'aurait compris ce qu'elle fabriquait avec ce gauchiste à grande gueule. Carlito non plus n'était pas pressé de lui présenter les gens avec qui il traînait. Parfois, cependant, une fille nommée Magali, une rousse avec un tatouage genre tribal qui lui prenait tout le front, passait le chercher où ils étaient. En arrivant elle disait « Carlos, ça fait deux heures que tout le monde t'attend, faut que tu viennes », et elle attendait deux heures de plus. Valentine aimait bien savoir qu'il faisait attendre des gens pour le plaisir de discuter avec elle. Plus exactement, pour le plaisir de la prendre comme auditoire.

Pendant quelques mois, c'était resté cloisonné : la pouf thunée fière d'elle, avec ses copines lardées de gloss et les garçons beaux gosses qui faisaient tous semblant d'être destroy et désenchantés, tout en étant naïvement convaincus que la vie leur sourirait toujours, et d'un autre côté, les soirées bizarres, à écouter un type persuadé que la vérité passait systématiquement par Karl Marx. Il y avait la vraie vie, et un aparté vaguement honteux, mais auquel elle tenait. Jusqu'à ce que Carlito, un beau jour, disparaisse sans prévenir. C'était un été de crise financière, Valentine se surprenait à feuilleter le journal en essayant d'imaginer ce que Carlito en dirait. C'était un été un peu glauque. Ça s'était mal passé avec les gars de Panique Dans Ton Cul. Elle s'en foutait, mais elle se trimbalait depuis une sensation de honte diffuse, une colère planant au-dessus d'elle. Elle l'avait bien cherché. Ça s'était mal passé à l'école, elle avait déconné avec un garçon et son père avait été convoqué. Il n'avait même pas voulu en parler et l'avait inscrite sans lui demander son avis dans un établissement pourri, pour attardés mentaux. Ça s'était mal passé avec ses copines, qui la fuyaient toutes de plus en plus au prétexte qu'elle buvait trop et foutait la merde. Elle ne voulait pas en faire un drame, elle n'était pas du genre à se prendre la tête, mais elle avait l'impression de vivre sa vie à califourchon sur un taureau de corrida, blessé et fou furieux, et elle, accrochée aux cornes, aurait bien aimé qu'il se calme. Il suffisait qu'elle arrive quelque part pour que les ennuis commencent. Pourtant, elle avait la sincère impression de faire les choses le plus correctement possible. Mais c'était compliqué. Sa grand-mère était tout le temps à la maison, et piquait crise sur crise. Elle avait toujours été comme ça : elle ne savait pas expliquer quelque chose sans hurler. Mais c'était fatigant. Valentine ne pouvait pas se reposer dans sa chambre cinq minutes sans que la porte s'ouvre, façon western, avec la vieille qui débarquait pour lui expliquer un truc sur la vie. Cinq minutes après, elle était calmée, et elle préparait des gâteaux. Mais Valentine avait encore les os secoués de l'engueulade qu'elle venait de prendre. Sa belle-mère l'évitait, mais elle était quand même là, elle laissait traîner ses serviettes hygiéniques pleines de sang dans la salle de bains. Une odeur dégueulasse, de vieille saleté pleine de miasmes. Son père écrivait un roman et se promenait dans la maison avec le regard vide et une tête de fou, pour éviter qu'elle lui adresse la parole, c'était le même cinéma à chaque fois. Et Carlito lui manquait, dans ce chaos, plus qu'elle ne l'aurait cru.

Début juin, quand elle avait reconnu Magali, de loin, aux Halles, elle ne s'était pas demandé si elle risquait d'être vue en public avec une punk cradingue, elle lui avait foncé dessus.

— Tu me reconnais ? T'as pas vu Carlito ?

— Il est parti en voyage. Je pensais qu'il t'avait prévenue. Il avait dit qu'il le ferait.

Magali n'avait pas fait semblant de ne pas la reconnaître, ni prise de haut en lui demandant pourquoi elle s'intéressait à un pote à elle. Ça changeait Valentine, qui se faisait snober de toutes parts. Carlito était parti en voyage, ça voulait dire qu'il reviendrait. Et il avait pensé la prévenir, il en avait parlé autour de lui. Elle avait tellement dérouillé, depuis quelques semaines, elle avait l'impression qu'on lui rendait un stock de dignité, d'un coup. Valentine avait cramponné Magali, de la façon la plus moche et pathétique. Et efficace. Elle l'avait suivie dans un squat, un vrai, rempli de punks à chiens, de skins du Rash et d'odeur de clope froide mêlée à de la bouffe épicée. Avec un concert bien pourri dans la salle du fond. Même pas un mois avant, Valentine se serait sauvée en courant. Autour d'elle, on buvait du vin tiède dans des vieux gobelets en carton, elle s'attendait à ce qu'on vienne lui vomir dessus, à n'importe quel moment. Mais elle n'avait pas tellement d'alternative : tous les gens qu'elle connaissait lui avaient tourné le dos. Elle était restée collée à Magali, qui au début tirait la gueule mais avait fini par bien le prendre :

— T'as des thunes ? On pourrait acheter des extas.

Au fur et à mesure de la soirée et que la drogue faisait son effet, elle s'était réchauffée. Magali, en fait, était assez drôle. Elle avait un cerveau qui marchait comme un rouleau compresseur. On ne s'y attendait pas, à cause de la délicatesse de ses traits, sa peau porcelaine, et ses lèvres de petite poupée. Mais une fois qu'elle se laissait aller, chaque fois qu'elle disait quelque chose, c'était brutal. Pourtant, elle s'exprimait bien, comme une première de la classe – le grand-père de Valentine aurait dit d'elle qu'elle était très articulée. Magali était féministe dièse, sans la moindre concession dans le discours, mais ne fréquentait que des garçons. Plutôt ceux qui la vénéraient, qu'elle rassemblait en bande, régnant sur eux en faisant semblant de ne pas se rendre compte de l'effet qu'elle leur faisait. Valentine trouvait la situation agréable : une brochette de soupirants déçus s'offrait à elle. Elle avait jeté son dévolu sur un type à la mine un peu brute, trop mignon pour elle mais assez alcoolisé pour ne plus s'en souvenir. La soirée prenait une tournure agréable. Elle l'avait embrassé au beau milieu d'une phrase, pour vérifier qu'il se laisserait faire. Mieux que ça, on se serait cru dans une boum, il avait été surpris un quart de seconde puis l'avait galochée à pleine bouche. Tout se passait bien. Mais une main ferme les avait séparés : Magali, super sérieuse, avait fait signe au gars de s'éloigner, en claquant des doigts, le même signe de la main qu'on fait à un clébard quand il est en chaleur, et s'était tournée vers Valentine :

— T'es venue avec moi, t'es gentille : tu me mets pas la honte genre je suis la chaudasse tarée du quartier. Tu te tiens.

— Mais ça te regarde pas !

— Tu te tiens, je t'ai dit. J'en ai marre d'être ici, tu m'as gâché la soirée. Viens, on se casse.

Elle avait décidé qu'elles allaient fumer des pétards, chez elle. C'est-à-dire une piaule de douze mètres carrés au cinquième sans ascenseur, loin derrière Gambetta. Elles y étaient allées en marchant. Au début du trajet, Valentine faisait vaguement la gueule :

— Tu me traites pas de pute.

— Je t'ai jamais traitée de pute. T'étais en train de taffer, là ? T'allais gagner des sous ? Sinon j'aurais respecté.

— Ça te regarde pas, ce que je fais de ma vie.

— Mais je demandais que ça, moi, cet aprèm, quand tu m'as harponnée, te laisser vivre ta vie… mais t'avais l'air tellement perdue… j'ai décidé de te prendre en main.

Au final, elle avait passé l'été à voir Magali. Elle avait zappé les vacances en famille. Sa belle-mère, soulagée de ne pas l'avoir sur le dos en Corse, avait plaidé en sa faveur : qu'on la laisse à Paris. Magali s'intéressait à des trucs sérieux, qui à première vue étaient chiants – l'industrie de la viande, la situation du Venezuela, les opérations boursières ou la discographie de Crass – mais qu'elle rendait très attractifs en y mettant systématiquement une grosse dose de brutalité. Elle méprisait beaucoup de monde. Les gens qui payent un loyer. Les gens qui ont un boulot.

Les gens qui ont fait des études. Les gens qui ont peur de la prison. Les gens qui parlent à la presse. Les gens qui se mettent en couple. Les gens qui ne parlent qu'une seule langue. Les gens qui sont cyniques. Les gens qui ne sont pas politisés. Les gens qui n'ont pas de morale. Ce qui était bien, avec elle, c'était qu'une fois qu'elle avait décidé d'être du côté de Valentine, elle la défendait, quoi qu'elle lui raconte, avec une mauvaise foi qui remontait le moral, au treuil. Des mecs lui avaient pissé dessus ? Baltringues, impuissants, pauvres tocards. Ses copines ne lui parlaient plus parce qu'elle se mettait la honte dans les fêtes ? Pouffiasses, médiocres, bourgeoises ringardes. Sa grand-mère la trouvait trop grosse ? Réac, jalmince, vieille peau. Les profs l'avaient virée du bahut pour mauvais résultats ? Salauds, fascistes, débiles en bande organisée. Son père faisait la gueule tout le temps parce qu'elle lui posait des problèmes ? Égoïste, andropausé, hypocrite insensible. Quel que soit le thème, c'était réglé au quart de tour : nantis, mal torchés, cerveaux terminés à la pisse. Valentine se rendait compte que si on réduit son cercle à un petit groupe de personnes, le jugement de l'extérieur n'a plus aucune portée. Ses nouveaux potes la trouvaient drôle. Ils n'avaient rien à lui reprocher. Magali n'aimait pas sortir, mais elle aimait recevoir. La sonnette de son interphone commençait à retentir sur les coups de cinq heures, et ensuite ça n'arrêtait plus. Au fil des soirées, les visages se singularisaient. Valentine s'apprivoisait, elle s'intégrait à un groupe compact, où prendre soin les uns des autres n'était pas dévalorisé.

Elle était trop crevée pour continuer à trouver que c'était un truc de naze. Elle avait besoin de douceur.

À la rentrée, Valentine pensait reprendre tranquillement sa vie de double face : les soirées chez Magali à discuter enfer de la postcolonisation, et la journée comme une pétasse à échanger des rouges à lèvres. Elle avait toujours été convaincue de dire aux gens ce qui lui semblait judicieux, en fonction de ce qu'elle voulait obtenir. Elle se voyait comme une petite salope manipulatrice, qui n'a aucune parole ni émotion sincère. Mais ça l'avait frappée de plein fouet, une fois dans sa nouvelle école : la duplicité ne lui convenait plus tant que ça. Elle avait trouvé un endroit où elle se sentait bien. Pas juste pour passer l'été en attendant de se refaire une vie sociale. Honnêtement, elle était bien avec Magali et sa cour d'improbables. Elle changeait. Une partie de son ancienne réalité s'était détachée, d'un seul bloc et sans faire de boucan.

Elle n'avait pas mauvaise conscience, concernant ses origines. Certains potes de Magali avaient essayé de la culpabiliser sur le mode, « tu ne peux pas comprendre, là où tu es née on vous fait sentir votre importance dès le berceau, tu ne sais pas ce que c'est d'être un crevard, un affamé ». Valentine n'avait jamais essayé de se justifier. Ils se croyaient durs, lucides et enragés. Ils étaient innocents. Ils n'imaginaient même pas à quel point les gens comme elle sont indifférents au sort des gens comme eux, si ce n'est pour en faire de la mauvaise littérature. S'ils avaient dû se coltiner la réalité de pleine face, ils auraient été anéantis. À quel point l'argent circule, là d'où elle vient, combien les choses sont évidentes à faire, et l'estime de soi dont on hérite à la naissance. Pas une estime personnelle, qui est difficile à acquérir quand on vient d'un milieu où les aînés ont trop bien réussi. Mais une estime sociale. S'ils savaient, vraiment, comment les gens vivent, en haut, ils se consumeraient de rage, ils n'auraient même plus la force d'en débattre.

Carlito était revenu, en octobre. Bronzé et déphasé. Il n'avait pas dit où il était allé. Les autres avaient l'air d'être au courant, elle s'était sentie exclue. Il était souvent question d'internet, la surveillance des faits et gestes que permettait la toile. Magali n'avait pas d'ordinateur chez elle. Elle disait qu'il fallait savoir vivre sans. Qu'on ne pourrait pas faire la révolution en ouvrant grand les portes de nos activités à la surveillance de l'État. Que la clandestinité passait forcément par l'apprentissage de la vie sans micro-technologie de surveillance, sans connexion fixe, sans surveillance technologique. Les autres n'étaient pas d'accord avec elle. Ils parlaient copyleft, plates-formes de résistance, codes secrets pour accéder à des réseaux parallèles. Mais personne n'avait l'intention de partager ces codes. Et un jour Valentine avait apporté son ordinateur portable, demandé à Thibaut, le nerd de la bande, de solder son identité virtuelle : son compte Facebook, son Twitter, son vieux MySpace, son ancien blog, sa boîte mail. Puis elle avait lancé son téléphone portable dans la Seine, en un joli geste plein d'emphase. Thibaut l'avait prévenue : c'était peut-être un peu radical, surtout pour une fille qui n'a rien à se reprocher, pas la moindre activité clandestine. Elle avait répondu qu'elle avait besoin de ce genre d'expérience, pour se sentir vraiment vivante. Valentine ne voyait pas bien ce qu'elle entendait par là, mais ça sonnait bien. Thibaut avait obtempéré. L'amputation avait été d'une brutalité inattendue. La panique des premières semaines l'avait prise par surprise, et étranglée d'angoisse. Apprendre à vivre sans, au début, semblait plus atroce que d'avoir perdu la parole, sa béquille et son meilleur ami en même temps. Un vertige. Même si elle était peu sur internet, finalement, c'était quand même son premier geste, au réveil : elle ouvrait sa bécane, checkait ses mails, ses sites favoris, allait mater quelques clips, son msn bloqué sur un coin de page, elle cliquait sur des liens au hasard qui formaient une mosaïque de news, d'images et de nouveautés. Elle avait perdu pire qu'un pan d'elle-même : elle avait claqué la porte d'accès à ce que le monde offre de meilleur. Valentine avait tenu bon par orgueil, parce que son geste dans le groupe de Magali avait attiré les regards sur elle et qu'elle n'avait aucune intention de passer pour une bouffonne. Puis la crise de manque était passée, aussi rapidement qu'elle avait été aiguë. Quelques heures de cybercafés suffisaient à ne pas régresser trop brusquement au stade Cro-Magnon, et elle se passait bien de téléphone portable. Ça ne faisait pas de mal à sa grand-mère de ne pas savoir tout le temps où elle était. Et la première fois que Valentine avait répondu : « lâche l'affaire, j'ai pas de mail » à une fille de sa classe qui lui demandait son adresse pour se faire envoyer un devoir, elle s'était sentie plus mystérieuse et intéressante que si elle s'était laissé pousser une paire de cornes sur le front. Ça lui plaisait, au final. Comme d'arrêter de fumer des pétards : un regain d'énergie, et de l'espace dans le cerveau. Magali l'avait félicitée : on ne peut pas à la fois vouloir faire la révolution et s'offrir aux regards des gardiens. D'autres potes du groupe n'étaient pas d'accord :

— … on est dans les dernières années drôles d'internet, où il y a encore des parts d'utopie, de vraies possibilités de subversion. Ça ne sert à rien d'abandonner cet espace de façon radicale, il faut au contraire s'en emparer et le défendre.

— Valentine n'abandonne rien, elle refuse qu'on sache à tout moment ce qu'elle fait et où. C'est très différent.

— Espace utopique… de quoi tu parles ?

— De la gratuité, par exemple. Ou de l'expression directe.

— Et quoi, encore ? Apple est ton ami et le vendeur de haut débit aussi ?

Valentine se foutait royalement, au fond, de ces conversations. Tout ce qu'elle savait, c'est que ce qu'elle faisait méritait qu'on déclenche des petites polémiques. Valentine devenait quelqu'un d'important. Ça lui plaisait beaucoup.

Un jour lui était venue l'idée d'aller voir, pour la première fois de sa vie, à quoi ressemblait la famille de sa mère. Jusque-là, elle avait modelé sa conduite sur celle de son père : elle n'avait pas de double origine. Elle n'était pas typée, elle était brune. Elle ne bronzait pas dès le mois de mai, elle prenait bien le soleil. Elle avait le nez de son père, et des yeux qui venaient de personne. Sa mère ne l'intéressait pas. Elle avait

fait comme on lui avait dit de faire, zappé. C'est
Magali qui lui avait retourné le cerveau, en lui reposant régulièrement, l'air de rien, des questions sur sa
mère, « Tu ne te demandes jamais où elle est ? Tu ne
sais pas ce qu'elle fait ? », « Mais pourquoi ta grand-
mère la déteste à ce point ? ». Sa mère aimait l'argent,
c'est tout ce qu'on lui avait dit d'elle. Valentine avait
appris à avoir honte de sa mère, suffisamment pour
éviter le sujet.

Elle avait décidé de la retrouver. À moitié par
curiosité, à moitié pour s'affranchir des impératifs qui
lui avaient été imposés. Elle avait appelé sa belle-
famille, ils avaient été contents de l'entendre, on
aurait dit qu'ils pensaient à elle tous les jours. Ils
l'avaient invitée à venir. Dans leur salon tout Ikea, elle
les avait écoutés, sceptique, déblatérer sur l'importance d'Allah en toutes choses. Ils ne voyaient plus sa
mère. Ils ne la critiquaient pas, mais chez eux aussi on
évitait de prononcer son nom. Elle avait regretté
d'être venue au moment de passer le seuil de la porte.
Il y avait des limites à son sens de l'ouverture aux
autres. La grand-mère maternelle, avec sa gueule de
centenaire, assise au sol dans la cuisine, au milieu des
casseroles, par terre, en train de magouiller son
couscous, ça lui avait occasionné un choc, quand
même, de penser aux liens de sang entre elles. Les
tantes, ça allait mieux, au moins elles avaient toutes
l'air de vivre à la même époque qu'elle. Mais elle n'en
avait rien à foutre, de ce qu'elles avaient à raconter.
Certains cousins étaient mignons, mais trop des têtes
de cons. Et ses cousines étaient juste des pouffiasses,
lookées MTV ou La Mecque, elles étaient étroites,

malveillantes et bêtement vulgaires. Elle était restée jusqu'au café par politesse, jugeant que pour une fois son père avait raison : qu'est-ce que ça pouvait lui amener de bon, d'aller fricoter dans sa belle-famille ?

Puis Yacine était arrivé. Le choc de sa présence. Foudroyée. Animal. Et super bien gaulé, et super élégant. Un regard autoritaire, éclairé quand il souriait, ce qui lui arrivait rarement. Le grand écran, immédiatement. Mode sportif. Taciturne. Ça changeait une ambiance, tout de suite, un Yacine dans la pièce. Elle s'était moins demandé, subitement, ce qu'elle foutait là. Elle n'avait pas capté qu'il s'intéressait à elle. Il l'avait à peine saluée, ne lui avait pas adressé la parole. Pouvoir le regarder de temps en temps, elle s'en serait contentée, elle n'aurait pas pensé à demander plus. Il était un songe de petite fille. Et puis il s'était levé, s'était approché d'elle :

— Je te raccompagne si tu veux. Autant que tu ne prennes pas le RER toute seule.

— Ah bon, tu vas vers Paris ?

Elle ne saurait jamais comment elle avait réussi à prononcer la question sur un ton calme et détaché alors qu'à l'intérieur d'elle-même, une guenon déchaînée grimpait aux barreaux en poussant des hourras de fête.

Il l'avait laissée en bas de chez elle, à l'ancienne. Il l'avait rappelée, quelques heures plus tard, sur la ligne fixe, pour savoir s'ils pouvaient se revoir le lendemain. Une défonce d'enchantement. Ça avait continué comme ça un moment. Yacine était le fucking prince charmant : un rottweiler, capable d'agresser n'importe qui dans la rue qui aurait regardé Valentine de travers,

322

mais doux avec elle, ne tournant jamais sa puissance contre elle. Ça se passait avec lui comme avec personne. Elle avait baissé sa garde, elle y avait cru, un moment.

Ce que Yacine parlait le mieux, c'était le langage de la colère. Elle adorait ça.

— ... quand tu regardes bien, c'est toujours, toujours la faute des mêmes. Il faudrait qu'ils aient peur. Il faudrait que quand ils s'endorment ils flippent leur race de ce qui peut leur tomber sur la gueule le lendemain. Qu'ils aient peur, comme des salauds de pauvres. Qu'ils aient peur pour leur travail, peur de voir leurs enfants se faire égorger sous leurs yeux, peur de la police, peur de la prison, peur de la maladie. Que la peur change de côté, ça ferait du bien.

Il y avait un plaisir métallique dans ce genre de litanie. Un plaisir qui venait comme quand on se fait prendre violemment par le cul sans y être préparée, un plaisir de serrer les dents, qui ne fait pas jouir tout de suite, mais qui finit par une puissante décharge nerveuse. Une explosion, totale. Il avait raison. Valentine le savait, avec son ventre, ça suffisait. Elle se méfiait de sa propre intelligence, qui l'aurait éloignée de lui. Elle se taisait. Mais ses tempes palpitaient. Il avait raison. Il faisait lever la colère.

Et puis la lame glacée, fichée dans sa gorge. Un jour, il lui avait dit que ça ne servait plus à rien qu'elle le rappelle. Que ça ne pouvait pas marcher. Elle n'avait pas eu la force de protester. Hiroshima. Elle n'avait pas insisté. Elle ne s'y attendait pas. C'était tellement facile, entre eux. Ils n'avaient pas eu le temps de s'embrouiller, se fatiguer, de se heurter, à rien. Elle savait qu'on se remet de tout. Un peu de traviole, mais on repart. C'est un peu après ça qu'elle avait jeté son portable dans la Seine.

Elle évite de repenser à ça. Décharge électrique. Familière. L'impuissance est une geôle étroite. On y respire difficilement, c'est comme avoir la tête dans un sac plastique. Ça la réveille quand elle s'endort. Une colère âcre, physique : elle a le sang en feu, il ébouillante ses veines en la traversant. Tout continue, comme si de rien n'était.

Elle n'est plus retournée voir la famille de sa mère. Leur mesquinerie, leur intérêt à peine dissimulé, leurs fausses déclarations d'affection. Leur sale connerie. Sa mère a honte d'eux. Comme Valentine a honte d'elle. Quand elle a fugué, sa mère a préféré raquer l'hôtel plutôt que l'inviter chez elle. Valentine n'a rien dit. Elle est habituée à faire comme si elle s'en foutait. Elle est assez douée pour réussir à s'en convaincre. Mais là, quand même, faut pas charrier : maman, tu crois pas que tu pousses un peu loin ? Avant de la rencontrer, Valentine s'était imaginé pouvoir lui dire que plus le temps passait et mieux elle comprenait ce qui l'avait fait fuir aussi loin d'elle, et de tout ce qui l'entourait. Mais sa mère a eu ce mouvement de recul : comment se débarrasser d'elle au plus vite ? Elle n'a pas cherché à faire semblant d'être inquiète, ou concernée. Valentine a senti avec un étonnement silencieux un endroit dans sa poitrine se déchirer, comme l'Ursula de Caravaggio. Son grand-père aimait cette toile. Il l'avait emmenée la voir, à Naples. Elle pensait qu'elle s'en foutait et faisait semblant de s'y intéresser, mais la vérité c'est qu'elle y repense, depuis. C'est avec elle.

Sa mère avait peur d'avoir son petit cul d'adolescente trônant sous le nez de son bonhomme. Elle s'est attrapé un riche, elle le soigne. Elle sait que rien ne prime sur la jeunesse. Les vieux sont tous des pédophiles. Dès que bobonne a le dos tourné ils viennent dire aux jeunes filles qu'ils préfèrent leurs petits culs serrés. Valentine a fait semblant de ne pas être déçue quand elle a rencontré sa mère. De se contenter de déjeuner avec elle. De ne pas passer ses journées enfermée dans sa chambre d'hôtel à organiser les heures : aller acheter une glace, trente minutes, aller à la librairie dont parlait souvent Carlito regarder les couvertures de livres en espérant que quelqu'un lui parle, une heure, aller prendre un café, une demi-heure. Le pire c'était le soir, la télé de sa chambre ne fonctionnait pas bien, elle attendait de dormir. Parfois elle attendait longtemps.

Une part d'elle lui conseillait de rester sage, ne pas se plaindre, faire la bonne gosse en s'efforçant d'amadouer sa mère, l'avoir à l'usure, attendre qu'elle lui propose de s'installer avec elle, quelque temps. À Paris, tout s'est trop compliqué. Elle n'est pas idiote, ce qu'ils ont en tête c'est la boucler. La redresser. Ils disent que c'est parce qu'elle est incontrôlable. Elle n'est pas idiote. Elle a vu mourir son grand-père, elle les a vus s'agiter autour du corps à l'agonie. Ils ne se sont pas donné la peine de cacher ce qu'ils voulaient. Combien. Combien, le corps du vieux ? Comme s'ils manquaient de quoi que ce soit. La famille de sa mère, la famille de son père : tous les mêmes. Combien à gratter, combien à empiler, combien à se mettre dans la poche ? Personne ne lui a rien dit, de comment il s'y était pris pour que ça soit elle la grande gagnante à la loterie du patrimoine. Mais elle a bien compris : elle est devenue très importante, dans sa famille. Ils se sont mis à la surveiller de près, elle sait très bien ce qu'ils cherchent : une laisse solide pour la tenir d'ici à sa majorité. Qu'ils puissent disposer en paix de la seule chose qui les intéresse : encore un peu d'argent. Valentine pensait en parler à sa mère, c'était son atout maître : le jour où elle lui révélerait qu'Albert, par un savant jeu d'écriture, avait cédé presque tout à sa petite-fille, elle était sûre que sa mère trouverait une place pour elle dans sa maison. C'est beaucoup d'argent, son grand-père.

Albert. Ils pensaient qu'il était légume, à l'hôpital. Ce qu'il en a chié. Il ne voulait pas qu'on le prolonge, mais on ne lui a pas demandé son avis. Et ça a duré. Il attendait d'être seul avec elle pour lui parler, à voix basse et écorchée. Il lui a dit de partir. De se méfier. Il les connaissait bien. Ses proches, sa famille. Il n'y a que ça de vrai : les liens du sang. Elle a toujours été sa préférée. Il l'emmenait promener, tous les mercredis, il voulait que personne d'autre ne les accompagne. Ça faisait ricaner le père de Valentine : « Il devient un peu gaga, avec l'âge, je crois qu'il veut l'emmener au Louvre, elle va s'amuser ! » Il aimait l'emmener marcher. Il ne lui disait pas grand-chose. Il comprenait très bien ce qu'elle faisait, quand elle grandissait. Avec les garçons, par exemple, il avait compris. Il n'avait pas besoin d'engager quelqu'un pour deviner ce qu'elle trafiquait. Il n'était pas embarrassé. « Pour ce qu'ils valent, ces couillons, tu as bien raison de ne pas t'en faire. » Et quand il est mort, elle n'était plus la préférée de personne. Il lui a dit de se méfier d'eux. Qu'ils lui en voudraient de ce que tout lui reviendrait. « Tu verras, sur les hauteurs, on est toujours seul. » Elle ne sait pas s'il pensait bien faire ou s'il s'est servi d'elle uniquement pour les emmerder. Elle s'est dit qu'il exagérait. Elle croyait encore que les gens de sa famille l'aimaient, on lui avait toujours répété qu'elle avait de la chance, qu'on prenait bien soin d'elle. D'ailleurs, les problèmes, c'était toujours elle qui les provoquait. Mais l'ancien connaissait les pratiques de son clan. Quand ils lui ont collé une privée au cul, Valentine a compris qu'il avait vu juste.

Une nuit, elle a semé la détective en montant sur le scooter d'un lascar esseulé, elle est allée parler à Carlito. En lui racontant le truc de la surveillance, elle faisait la fille que rien n'épate, mais elle avait honte. Ils en étaient là : une meuf payée pour lui surveiller le dos, noter tout ce qu'elle faisait. Il avait été formel :

— Il faut que tu arrêtes de fréquenter tous les autres. Moi, je suis prévenu. On va faire attention, quand on se voit. Mais tu ne dois plus passer chez Magali, sous aucun prétexte.

Valentine a fait la meuf à qui ça brisait le cœur mais qui saurait rester à la hauteur de la situation. Sauf que Magali, en vérité, elle n'avait plus envie de la voir, ni les potes qui traînaient chez elle. Ça s'était embrouillé autour de Yacine, qu'elle lui avait présenté. Ensuite Magali avait fait tout un cirque : et que sur la question d'Israël ceci, et que sur le féminisme cela, et que son goût pour le luxe, etc. Valentine lui avait expliqué, direct : « Mais il t'encule, tu sais, il s'en tape de ce que tu penses de lui. » Et peu de temps après, tout ça avait fait l'objet d'un petit scandale, elle avait eu l'impression de devoir répondre de ses fréquentations devant un jury improvisé. Ça va, des gardes-chiourmes, des yeux rivés sur tout ce qu'elle faisait pour surveiller qu'elle marche droit, elle avait tout ce qu'il lui fallait à la maison. Basta. Le fond du problème, elle le savait vaguement, c'était la jalousie. La sienne : elle n'aimait pas ce que le sourire que Magali – qui ne se rendait compte de rien, et donc ne pouvait rien faire contre, comme d'hab – allumait dans les yeux de Yacine. Elle préférait zapper la bande, entière. Franchement, elle s'en foutait : elle avait atteint leurs limites. Leur façon d'exiger qu'elle s'explique parce qu'elle traînait avec un garçon qui disait des choses pas convenables… On se serait cru chez sa grand-mère. Et la pureté, et ce qui est bien, et ce qui ne se fait pas, et ce qui ne se dit pas. On trace une ligne imaginaire, on est du bon côté, tout ce qui dépasse mérite d'être sanctionné, corrigé. Doit être éradiqué. Quelle que soit la couleur des chaînes elle n'avait pas envie qu'on la retienne.

Valentine avait préparé sa fugue. Le jour où la privée s'était arrêtée pour ramasser une vioque dans le tromé, elle savait ce qu'elle avait à faire. Elle l'a semée en plein jour. La privée pathétique qui se faisait discrète et bouffait son croissant dans le bar où Valentine prend un café tous les matins : ils la prenaient vraiment pour une conne. Quinze jours que ça durait. Qu'il fallait la distraire, la promener, lui faire voir du pays. Leur en donner pour leur argent, tous. Un peu de pornographie, ça les occuperait. Elle avait tout mis au point avec Carlito : elle avait filé à la gare, direction Perpignan, billet payé en liquide. Il était venu la chercher, ils avaient passé la frontière sans problème, dans une voiture empruntée.

Autobus jusqu'au parc de l'Oreneta. Sœur Élisabeth lui a déconseillé de traîner dans le centre-ville. Elles se donnent rendez-vous dans des parcs assez fréquentés pour qu'on ne s'étonne pas de les croiser, mais suffisamment à l'écart pour qu'elles n'y rencontrent pas n'importe qui. La sœur l'attend, petite silhouette rassurante. La force de son sourire, quand elle reconnaît Valentine. Elle la serre contre elle, brièvement, et Valentine se sent immédiatement apaisée.

Elles empruntent un chemin en pente, bordé par des cactus semblables à de grandes poupées de chiffon désarticulées. Plus loin un eucalyptus, de la taille d'un building, penche, dangereusement, vers le vide. Derrière elles la ville s'étend, jusqu'à la mer. Parfois, elles croisent des sangliers. Ils ont de gros corps inquiétants et des yeux pleins de mélancolie.

— Ça y est, tu es recherchée.

— Ah bon ? Mon père est là ?

— Non. Il a envoyé deux détectives.

— Ah.

Le chemin des idées. Il y aurait plein de raisons d'en changer, d'en prendre un de traverse, bifurquer, quitter ce flot qui terrorise et aimante en même temps. Exactement comme quand elle a décidé de quitter la maison. Ça fait peur. Mais il faut le faire. D'une certaine façon, elle a été choisie.

— Vous pensez que je devrais rentrer, maintenant ?

— Je ne peux prendre aucune décision à ta place.

Élisabeth est comme une boxeuse de Dieu : elle vous tourne autour, teste, danse, puis elle attaque et met K.-O. Elle a une idée de ce qu'est la dignité, qui passe par une idée de ce que la force se travaille, se mérite, s'acquiert. Élisabeth n'est pas une religieuse comme les autres. Elle a des choses essentielles à transmettre. Elle est devenue son guide. Elle aurait pu se débarrasser de Valentine, effrayée de tout ce qu'elle représentait. Au contraire, elle l'a épaulée. Écoutée, et comprise.

Elle lui a même proposé de l'héberger, le temps qu'il faudrait. Elle lui a d'abord donné les clefs d'un petit appartement, qui ressemble à une cellule, au fond d'une cour, dans le quartier de Poble-sec. Sans nom sur la boîte aux lettres. Sœur Élisabeth ne venait pas la chercher, elle disait qu'une sœur seule, en ville, attire trop l'attention. Elles se retrouvaient au parc de l'Oreneta, au nord de la ville. Elles ont eu de longues conversations. Sœur Élisabeth sentait combien Valentine avait besoin d'elle, de ses conseils et de son écoute. Puis elle lui a prêté les clefs d'une petite maison, isolée, à La Floresta. C'est un peu flippant de dormir toute seule là-haut, et l'eau chaude ne fonctionne pas bien.

— J'ai lu dans le journal que ton père allait recevoir une décoration, il sera chevalier des Arts et des Lettres… il sera content de t'avoir avec lui.

— C'était dans le journal d'ici ?

— Non, Valentine, non. Je l'ai lu parce que je suis attentive à tout ce qui te concerne.

— Il doit être content.

330

— Tu ne crois pas que tu pourrais faire un effort pour t'entendre avec lui ?

— Vous pensez que c'est le moment ?

— Je ne peux prendre aucune décision à ta place.

Un vertige, le sifflement d'une balle légère entre dans son cerveau. Valentine ne parle que de ça, tous les jours. Au début, elle pensait que sœur Élisabeth voulait l'en dissuader. Mais elle aussi est écœurée, elle sait que la passivité n'est plus de mise. Ça ne sert à rien, de continuer à supporter les choses telles qu'elles sont. Ça n'est plus humain. Sœur Élisabeth l'a prévenue : se distinguer du troupeau n'a jamais été une chose facile. Seule, en face de la masse, à elle de savoir jouer son rôle.

Autour d'elles, la nuit tombe. De la ville au loin ne subsistent que des petites lumières, une vallée de maisons de poupées. Des avions clignotent dans le ciel. Un silence s'est levé, dans la gorge de Valentine.

Il est temps de rentrer. Elle sait ce qu'elle a à faire.

Avant de se séparer à l'arrêt de bus, comme tous les soirs, la sœur dévisage longuement Valentine. Et au moment de lui dire au revoir, elle la serre contre elle, ce qu'elle ne fait jamais, d'habitude. Elles se comprennent.

— Tu es tellement jeune, Valentine. Tellement lumineuse.

— Vous m'aiderez ?

— Je ne te laisserai pas tomber. Tu ne seras plus jamais seule, tu sais.

Le lendemain matin, comme convenu, la sœur la retrouve dans le salon vide de la petite maison. La journée rappelle à Valentine les mercredis de révision, quand elle était petite, avec son grand-père. Les verbes irréguliers. La guerre de 14-18. Les accords de l'auxiliaire avoir. Les formules de chimie. « Un peu de discipline », en fronçant les sourcils, et il lui faisait aussi ranger sa trousse, recopier ses cours au propre et l'obligeait à se laver les mains avant de se mettre aux devoirs, et se tenir droite sur sa chaise. « On n'est pas chez les petits singes, ici. » Aujourd'hui, naturellement, elle se tient droite quand elle écoute, elle articule quand elle répète, ses mains sont posées sur la table quand elle doit rester concentrée. Sa gorge est serrée, il y a bien une angoisse, mais elle apprend à la galvaniser en certitude. Elle se sent dure, à l'intérieur. Ça lui plaît. Elle essaye de se connecter à la réalité de ce qui se passe, mais ça lui est impossible. Elle garde la sensation de faire semblant, de jouer à si c'était vrai.

— Tu peux renoncer, tu sais. Jusqu'au dernier moment, tu sais que tu peux renoncer.

Elles sont devenues tellement proches. Il y a du respect, et beaucoup d'affection, entre elles. Pas besoin d'une débauche de gestes ou de déclarations. Sœur Élisabeth veille sur elle. La comprend et l'accepte, comme elle est. Elle lui donne l'amour qu'on donne à un bébé : inconditionnel.

Et cette femme âgée et sage, qui a consacré sa vie à aider les autres, n'essaye pas de la dissuader de faire ce qu'elle a à faire. Parce qu'elle aussi est malade d'écœurement. Où que ses yeux se portent, elle ne voit que malheur, injustice et brutalité. Laisser faire n'est plus une option. Il faut faire irruption. Dans cette réalité sordide. À tout prix, interrompre ce ron-ronnement.

Les premiers jours, Valentine rigolait sous cape quand la sœur s'est mise à lui parler de Jésus, des croisades, l'importance de la vérité. Si Jésus revenait, il serait un agitateur, ses disciples, des guérilleros. Tous, des terroristes. Ils seraient recherchés, menottés, condamnés à perpétuité dans des quartiers de haute sécurité. Et surveillés de près. Il n'y aurait pas de résurrection possible, il n'y aurait que mandats d'arrêt, portraits diffusés dans les médias. Exécution, autant de fois que ça serait nécessaire. Si Jésus revenait, il ne pourrait pas se taire, laisser faire calmement en discutant avec les marchands. Mais il ne pourrait pas, non plus, prouver qu'il est un guerrier différent. Les miracles seraient moqués, la parole divine imprimée sur des tasses à café qu'on vendrait dans des boutiques de souvenirs.

Et, progressivement, Valentine a laissé le cynisme de côté. Et elle s'est mise à l'écouter sans avoir envie de se moquer. Tout converge. Elle a trouvé la force de ne plus se défier de sa sincérité.

— Prends ça, pour tenir. Il n'y a pas de honte. C'est aussi important que les armes. C'est aussi important que la foi. Il faut que tout marche, ensemble.

Petites pilules translucides, rondes. Made in China. C'est comme gober un petit caillou. Une par une, sinon ensuite le sommeil la quittera complètement. Valentine sent son front attiré vers l'avant, et les pensées s'y déroulent, implacables, s'imbriquent, se répondent. Elle est une machine de guerre.

— À Paris, tu seras surveillée tout le temps. Ils ne veulent pas qu'on gêne leur commerce. Ils sont attentifs. Il faudra que tu retournes sur internet, pour montrer que tu es normale, mais ne cherche jamais à me contacter comme ça, jamais. Je serai là, ne t'en fais pas. Je me manifesterai. Tu ne seras plus jamais seule. Et quand tu verras, en bas de chez toi, une bonne sœur avec un bouquet de roses blanches dans les bras, tu sauras que c'est le signe. Après t'avoir vue, elle laissera quelque chose pour toi dans le bac à fleurs en face de ta porte. Ça sera la veille du jour, exactement.

— Comment savez-vous qu'il y a des fleurs en face de chez moi ?

— Je me renseigne, Valentine, je me renseigne. En arrivant chez toi, tu diras que tu veux retourner à l'école. Que ta fugue t'a fait beaucoup réfléchir. On s'est bien comprises ? Et pas un mot, à personne. Ne laisse aucun message derrière toi. Ils s'en serviraient pour dénaturer ton geste.

Les mêmes consignes, plusieurs fois. Sœur Élisabeth la fait répéter :

— Qu'est-ce que tu auras en tête au moment d'entrer chez toi ? Visualise l'appartement, pense aux odeurs, concentre-toi. Qu'est-ce que tu auras en tête ?

— Ma grand-mère, mon père, ma belle-mère et ses filles : quoi qu'il arrive, je dis ce qu'ils veulent entendre. Pas question d'orgueil, de coup de sang. Je n'ai qu'un objectif. Je m'excuse quand ils ont tort. Je souris quand ils m'insultent. Quand la police m'interroge, quand le juge pour enfants m'interroge : ma mère m'avait donné assez d'argent pour que je prenne une petite chambre d'hôtel. Je n'ai rien fait. J'étais déprimée. La rencontre ratée avec ma mère m'avait saccagée. Je suis heureuse d'être enfin de retour chez moi. J'ai compris l'importance des études. J'ai beaucoup réfléchi, pendant cette fugue. Je regrette d'avoir inquiété les gens qui m'aiment vraiment.

Les pilules sont formidables. Elle est calme, euphorique et capable de se concentrer sans effort.

Puis c'est le soir. Sœur Élisabeth l'entoure de toute son affection. Elle la berce contre elle, caresse son dos.

— Le plus simple, c'est que tu rentres avec les deux détectives. Tu n'éveilleras aucun soupçon. Méfie-toi d'elles : elles chercheront à te faire douter, pour te faire parler. Elles se donnent l'air plus stupides qu'elles ne le sont. Ne te crois pas en sécurité, avec elles.

— Et comment je les trouverai ?

— Et si tu allais voir ton ami Carlito ? Il est en ville, n'est-ce pas. Tu sais où il est ?

— On s'était dit que je passerais tous les jours vers seize heures, à la librairie de la CNT. Il laissera un message, s'il n'est pas physiquement là.

— Quelque chose me dit qu'il pensera à les prévenir, si vous prenez rendez-vous. Elles proposent de l'argent, tu sais.

Il y a encore trois jours, ça aurait révolté Valentine d'imaginer que son meilleur ami la donnerait. Mais maintenant, ça n'a plus aucune importance. Sœur Élisabeth la serre contre son cœur, la berce sans un mot, et elles s'endorment sur le sofa. Valentine est prête.

Carlito n'est pas difficile à trouver. Le lendemain, elle boit une bière avec lui, dans un bar miteux du Raval. Il ne se doute de rien. Il ne voit pas la différence entre qui elle était huit jours auparavant, et ce qu'elle est devenue. Il est trop occupé à parler pour faire attention à elle. Il est heureux parce qu'il vit une passion torride avec une Chilienne. En fait de passion torride, Valentine a surtout l'impression que la fille ne veut pas de lui, mais ne sait plus comment s'en débarrasser. Tout cela n'a plus grande importance.

Et ça se passe exactement comme sœur Élisabeth l'avait prévu : au bout d'un quart d'heure, deux silhouettes se découpent dans l'embrasure de la porte du bar. Valentine dévisage Carlito, il n'a toujours pas de portable, elle se demande à quel moment ce fils de pute a pu les prévenir. Il fait le mec pas au courant. Elle voudrait lui cracher à la gueule. La plus grande des deux s'approche et demande à Valentine :

— Je peux te parler, deux minutes ?

Valentine prend son sac et la suit. Elle est prête.

— On te cherche depuis quelques jours. Tu as le choix : tu rentres avec nous, de ton plein gré, ou on prévient la police.

— Je viens avec vous.

— Tu veux prévenir ton pote, à l'intérieur ?

— Ça va, ça va… je crois qu'il est au courant. On y va ?

Les deux vieilles sont venues en voiture. Elles se la jouent Starsky et Hutch, en décrépites et plus tendues. Leurs valises sont déjà dans le coffre. Comme si elles savaient, elles aussi, que ça se passerait ce jour-là. Valentine reconnaît la plus jeune, celle qui la suivait dans Paris. La boucle est bouclée.

Lumière blanche sous son crâne. Une pilule chaque matin. Pas une de plus. Il n'est pas question de se

336

défoncer, ou de planer, mais de rester aux aguets. Carlito disait toujours que les enfants ne se mettent pas à se droguer parce que c'est bon, parce qu'ils s'ennuient ou parce qu'ils ont besoin d'oublier leur souci, ni parce que le boum hormonal les bouleverserait, ils se défoncent pour écraser l'intelligence. Parce que, s'ils la gardaient intacte au moment où elle a le plus d'acuité, ils ne pourraient pas supporter la violence du mépris que leur inspireraient leurs parents. Valentine aimerait pouvoir effacer tout ce qui lui reste de Carlito. Le traître. Le terroriste de salon. Là où elle va, elle n'a pas besoin de lui.

Elle n'a pas peur. Elle sait qu'elle fait ce qu'elle a à faire.

Elle ne veut pas devenir une adulte comme son père : un menteur et un lâche, qui ne pense qu'à fourrer sa bite dans n'importe quelle chatte mais qui fait le pudique, à table, qui fait le bonhomme propre. Elle ne veut pas devenir une adulte comme sa grand-mère, gronder de haine et ne parler que de charité chrétienne, crever de solitude et de frustration. Elle ne veut pas devenir une adulte comme sa mère, obligée de se marier et de mentir sur ce qu'elle est. Elle ne voit autour d'elle aucun adulte qui ait une direction. Un reste de dignité. Compromissions, à tour de bras, ils se démènent pour justifier tout ça. Ils disent que c'est un choix. Tout ce qu'il faut bouffer de merde, ils l'avalent sans rechigner. Ils ne savent qu'obéir, à n'importe quel ordre. Survivre, à n'importe quel prix. Elle va mettre un coup de frein là-dedans. Le monde qu'ils ont construit, elle va y mettre un peu d'ordre.

Elle avait déjà demandé à Carlito pourquoi il ne passait pas à l'acte. Pour masquer sa lâcheté, il avait brassé de l'air. « C'est une tentation romantique. Mais c'est avant tout une façon de te singulariser. Ce que nous devons mener à bien, c'est une révolution. Pas la promotion d'un nouveau spectacle. On n'est pas chez Pinder, non plus. Ce qui est difficile, ça n'est pas de mourir en héros, mais de résister sur le terrain, avec des résultats concrets. » Ça l'avait déçue. Elle aurait aimé qu'il réponde quelque chose de plus flamboyant, genre qu'il attendait ce moment depuis qu'il la connaissait, qu'ils allaient monter un gros coup, tous les deux. Magali s'était montrée encore moins enthousiaste. Mais elle, au moins, on était prévenus : elle était non violente. C'était chiant. « Qu'est-ce qu'on fait avec l'ultraviolence ? Ce sont leurs armes. Ils obtiennent le pouvoir à la force des armes, ils dessinent les frontières à l'intérieur desquelles ils nous parquent à la force des armes, ils conservent le pouvoir à la force des armes. Cette histoire de légitime violence, c'est une escroquerie. Par la violence, on instaure toujours un nouveau pouvoir, qui se légitimera comme les pouvoirs précédents : par la violence. Ne changent que les têtes qui dirigent. Car le nouveau pouvoir ne trouvera jamais légitime la violence de ceux qu'il opprime, et la boucle est bouclée. Retour à la case oppression, police, prison et torture. Moi ce qui m'intéresse c'est comment on instaure un monde sans que des dirigeants s'arrogent le droit de l'exercice de la violence. Je veux savoir comment on peut vivre différemment de ce qu'on connaît. » Magali déblatérait bien, mais elle avait tort. Un mouvement politique n'est validé que s'il a fait des morts. Sinon, c'est du féminisme : un hobby pour femmes entretenues. Il faut la violence. Sinon, personne n'écoute. Valentine a grandi dans un luxe trop réel pour avoir envie de retourner sa violence contre des policiers. Elle s'en fout des manifs. Se battre contre des smicards, quel intérêt ? Les flics vivent dans la même merde que les lascars. Qu'on en abatte mille et il en reviendra mille. Le pouvoir s'attaque à la tête. Directement.

Il faudra au moins dix heures pour arriver à Paris. La plus jeune des deux détectives, assise à la place du mort, se retourne vers Valentine, rompt le silence :

— Je suis heureuse que tu sois saine et sauve. Ça va peut-être te paraître déplacé, mais à force de penser à toi... Je suis contente que tu ailles bien. Tout le monde s'est inquiété, tu sais ? Je peux te poser une question ? Tu m'avais repérée ?

— J'aurais fait comment pour ne pas vous voir ?

— Tu veux qu'on passe voir ta mère, avant de quitter Barcelone ?

C'est la plus grande qui vient de parler. Valentine se méfie d'elle. Elle se la joue vieille à la coule. Mais quelque chose dans sa façon de la fouiller du regard est suspect.

— Non. Merci. On s'est dit tout ce qu'on avait à se dire.

— Elle se fait du souci pour toi, tu sais.

— Ah ? Elle cache bien son jeu, alors.

La vieille sourit avant d'ajouter :

— Dommage. Ça ne m'aurait pas déplu de la revoir. Je m'appelle la Hyène, au fait.

Ses yeux cherchent les siens, dans le rétroviseur. À la sortie de la ville, une voiture les klaxonne, la Hyène pile net, baisse sa vitre et hurle sur le pauvre type derrière, qui se ratatine derrière son volant, surpris par la violence de sa réaction. Elle l'entreprend en espagnol, et le finit en français. La plus jeune est agacée, quand elles repartent :

— Il ne comprend rien, tu sais, quand tu l'insultes en français.

— Je ne m'en fais pas pour ça : je suis sûre qu'il a capté l'essentiel du message.

OK, c'est un Maximonstre, une psychopathe. Il ne manquait plus que ça. Dans la voiture, la tension est montée d'un cran, l'air est plus dur à avaler. Maintenant qu'elle a mis tout le monde mal à l'aise, la Hyène a l'air de s'être détendue, mais pendant une heure, plus personne ne parle. Valentine se dit que sa grand-mère énervée, à comparer, c'est Gandhi qui fait des papouilles. Ça serait moche, mourir sur cette route parce que la voiture est conduite par une forcenée. Elle sent que la Hyène l'observe, sans arrêt, dans le rétroviseur. Elle a mis un disque de Johnny Cash. De la musique d'ancêtres. Une pluie fine commence à tomber, en même temps que la nuit arrive. Une tristesse envahit Valentine, la prend d'abord par les épaules puis s'étend comme une tache d'encre noire, lui coule le long du dos avant de lui enserrer le ventre. Elle est seule. La force que sœur Élisabeth lui avait inculquée n'a déjà plus la même intensité. Chaque kilomètre qu'avale la voiture rend ce qui s'est passé à Barcelone un peu plus flou, moins vrai. La Hyène revient à la charge :

340

— Alors, raconte-nous, un peu, t'as fait quoi tout ce temps ?

— Pas grand-chose. C'est pour ça que je suis contente de rentrer.

— C'est sûr, la joie irradie de toi. Et pourquoi t'as quitté l'hôtel où ta mère t'avait mise ?

— L'hôtel m'a déprimée.

— C'était une raison pour partir sans la prévenir ?

— On n'avait rien à se dire. Elle m'avait déjà payé à manger dans tous les restaus où elle n'avait pas peur de croiser quelqu'un qu'elle connaissait. J'ai eu peur qu'on tourne en rond…

— Et t'as dormi où, après ?

— J'avais un peu d'argent, j'ai pris un autre hôtel.

Elle aimerait que ça aille vite, maintenant. Dès la frontière passée, elles écoutent la radio. Une émission de débat, dont le thème est l'autodéfense. Des auditeurs à l'accent pas possible appellent pour témoigner. La Hyène veut savoir :

— Et toi, Valentine, tu as déjà eu envie d'avoir un flingue ?

Elle ne lui fout pas la paix. Valentine hausse les épaules :

— Non. Moi ce qui m'intéresse c'est rentrer et passer le bac.

— Ah bon. Le bac ? – elle acquiesce, longuement, se fout de sa gueule, à l'évidence – Quel beau projet. Et t'as pas peur que les palmiers te manquent ? Il fait moche, à Paris, tu sais.

Les adultes ont un humour pourri, en général. Ils croient toujours qu'ils vont se mettre les gosses dans la poche, à base de fausse connivence. Parler le moins possible. La vieille joue la meuf à qui on ne la fait pas, mais si elle se doutait, elle roulerait moins des mécaniques. Envie de lui arracher les yeux. Se concentrer sur l'objectif. Heureusement, elles l'oublient cinq minutes et se mettent à parler, entre elles, de l'histoire d'amour de la plus moche. Valentine ne fait pas attention à ce qu'elles se racontent, elle est soulagée qu'on l'oublie. Le téléphone portable de celle qui s'appelle Lucie sonne, elle se redresse, brasse l'air avec ses mains :

— C'est ton père !

Puis elle enchaîne une série de « oui, oui, oui », elle bafouille, avec de pauvres relents de triomphe modeste dans la voix, qui donnent à Valentine l'impression d'être un trophée pathétique. Elle a peur du moment où elle lui passera l'appareil. Mais son père est encore plus mal à l'aise qu'elle. Il lui dit :

— Tu vas bien, ma chérie ? Tu es sûre ? Si tu savais, le mouron qu'on s'est fait, pour toi… Tu ne peux pas savoir, ce que je suis soulagé de savoir que tu vas bien. Je suis impatient que tu rentres. Vous allez rouler toute la nuit, c'est ça ? Tu vas bien, tu es sûre ?

Est-ce qu'elle va bien ? Cette blague… Elle n'a pas besoin de faire semblant pour que sa voix soit étranglée, atone et déconnectée. L'idée de rentrer chez elle la met mal à l'aise. Elle n'y avait pas pensé, tant qu'elle était loin. Qu'il ne soit même pas venu la chercher. Elle ne réussit pas à être en colère contre lui, juste une conscience aiguë du peu de valeur qu'elle a.

Elles s'arrêtent, au-dessus de Perpignan, à une station-essence. Elles la laissent aller aux chiottes toute seule. Elle a besoin de se rafraîchir. Descente. Lumière blafarde des toilettes, elle se trouve changée, dans le miroir. Elle est devenue grave, et elle s'est affinée. Les traits sont tirés, légers cernes sous les yeux. Ça lui va bien, ça lui donne l'air de quelqu'un qui a beaucoup de pensées. Elle a envie de pleurer, mais c'est bloqué.

La porte claque, elle sursaute, ses nerfs ne supportent pas le moindre désagrément. La Hyène déboule, la dévisage dans le miroir. Elle est terrifiante. L'idée la traverse que sa famille ait pu payer quelqu'un pour la tuer. Ça serait trop bête. Valentine fait l'effort, cramponnée à l'évier, de ne pas baisser les yeux, son cœur veut sortir de sa poitrine :

— T'es une petite conne. Une sale petite conne, inculte, prétentieuse et larguée.

— Euh… sincèrement, je suis désolée de ne pas vous plaire. Mais je crois que vous êtes payée pour me ramener, pas pour me faire une évaluation éclair…

Valentine s'entend le prendre de haut, spontanément, mais elle préférerait savoir se montrer humble et soumise, des fois que ça puisse calmer la dingue.

— Et qu'est-ce que tu sais de qui paye quoi, combien, à qui et pour quoi ? Hein ? Qu'est-ce que tu as compris à ce qu'on te fait faire ?

— J'ai compris que j'avais besoin de mon papa, de retourner à l'école et d'apprendre à prendre soin de moi.

— Attention, poussin, on entend que c'est récité. Il faudra faire encore un effort pour que ça sonne sincère. Tu es sûre que tu es prête à rentrer ?

— Je ne vois pas de quoi vous parlez.

— Trois heures que je regarde ta petite gueule dans mon rétroviseur. J'ai eu le temps de réfléchir. Qu'est-ce qu'elle t'a mis dans le crâne ? Qu'est-ce qu'elle t'a raconté ?

— Je suis vraiment désolée. Je ne sais pas de quoi vous parlez.

Valentine est figée. La folle la terrorise. Elle n'a encore jamais vu personne lui parler d'aussi près, avec autant de brutalité. Son visage n'est plus le même, il est en feu, la haine jaillit de ses pores. Elle pourrait faire un film d'horreur à elle toute seule, aucun besoin d'effet spécial, de jambe arrachée, ni rien. Juste sa gueule, en gros plan, ça suffirait. Les jambes de l'adolescente sont vidées, de l'intérieur, elles la supportent à peine. Une chiquenaude suffirait à la faire tomber à genoux. Ses pensées sont au sol, inertes. Elle a peur. La cinglée se calme, s'adosse au mur, face à Valentine.

— J'ai l'impression d'être le chasseur, dans Blanche-Neige, celui qui est chargé de ramener le cœur.

— Franchement, je ne sais pas ce que vous croyez, mais je vous jure…

— Ta gueule. Tu me mens. Lui, on connaît la suite, il choisit de la laisser s'échapper dans la forêt et de prendre un cœur de biche à la place. Note qu'il ne prend pas une hache pour rentrer au château trancher la gorge de la belle-mère, ni savater le roi qui l'a laissée faire. Les contes de fées nous apprennent la vraie vie. On ne s'oppose pas à l'employeur.

— Il ne faut pas vous mettre dans un état pareil parce que vous me ramenez chez moi… je ne veux pas défendre ma belle-mère, mais je serais surprise d'apprendre qu'elle vous a chargé de m'arracher le cœur.

— Tu crois que c'est qui, sœur Élisabeth ? Tu crois qu'elle s'est intéressée à ton cas pourquoi ? Toutes les gamines bourrées qu'elle croise, tu t'imagines qu'elle les prend sous son aile pour leur laver le cerveau ? Tu crois que parce qu'elle porte un petit machin blanc sur la tête et que ses rides lui taillent une bonne tête, elle est une bonne personne ? T'as pas assez fait confiance à des planches pourries, comme ça ? Tu crois qu'ils ressemblent à quoi, les carnets intimes de ta nouvelle amie, la sœur Élisabeth ? Combien on parie qu'il y est rarement question du don infini que Jésus nous a fait en se sacrifiant pour notre salut ? À ton avis, elle taffe pour qui, la Sœur ?

Valentine encaisse le coup. Elle est prévenue : ils mentiront. Ils chercheront à la faire douter. Sœur Élisabeth lui a dit : ils connaîtront mon nom. Mais elle avait omis de préciser : ils auront des accents de vérité qui te donneront envie de pleurer. Valentine observe le sol, reste silencieuse. Moins elle parle, moins elle risque de se griller. Elle se bloque, à l'intérieur de son cerveau c'est comme si elle se roulait en boule, en attendant qu'une grosse araignée dégueulasse ait passé son chemin. Elle aimerait que quelqu'un entre dans les toilettes, et interrompe ce face-à-face, mais personne ne vient. La Hyène ouvre un robinet d'eau froide, qu'elle laisse couler sur ses poignets. Elle parle à son reflet dans le miroir.

— J'ai jamais eu d'éthique, je n'ai aucune passion pour le bien. Je ne sais pas si c'est l'âge, l'usure ou ta gueule d'ange… Mais je ne peux pas te laisser rentrer chez toi sans rien te dire. Tu comprends ? Tu connais l'expression « on croit mourir pour ses idées et on tue pour un baril de pétrole » ?

— Je ne comprends pas de quoi vous me parlez.

— Dis-toi bien que la vieille fait le même taf que moi. Elle a peut-être pas la stature de Mère Teresa, mais c'est le même genre de croyante. À gros compte en banque, et qui trouve la misère seyante seulement chez les autres. Quoi qu'elle te raconte, dis-toi bien que ce qui se joue, ça se chiffre en euros, ou en petit gain de pouvoir. Voilà ce qu'on est. Des belles salopes, dociles, sélectionnées parce qu'on sait bien entuber les gens.

Valentine veut qu'elle la lâche. Elle veut parler avec sœur Élisabeth, c'est une urgence. Un bref instant, comme une image arrêtée, elle a beau lutter, ça s'insinue : elle pourrait dire vrai. Mais elle a été prévenue : ne faire confiance à personne. Elle ferme les yeux, compte à rebours. Rechercher le calme de l'hypnose. Ça ne marche pas. À coup sûr, la Hyène prêche le faux pour savoir le vrai. Bloquer. Nier. Ne jamais avouer. C'est le premier test. Valentine décrète, du bout des lèvres, d'une voix froide et indifférente :

— Tout ce que je sais, c'est que j'ai hâte d'être avec mon père.

La Hyène a repris apparence humaine, elle inonde la pièce en se rinçant le visage. Elle se mouille les cheveux, qu'elle coiffe en arrière. Elle tend la main à Valentine, sourit, comme si elle venait juste de lui parler de la fraîcheur de la nuit :

346

— Sans rancune ? C'était ma petite piqûre de réalité. Comme quand le vampire croque une victime innocente. Crac. C'est fait. Tu sais. Après ça, c'est vrai : tu es assez grande pour te débrouiller. Je vais te laisser réfléchir, dans la nuit.

— Ne vous en faites pas pour moi. Je sais très bien ce que j'ai à faire.

Elle ne peut pas fermer sa gueule. C'est donc au-dessus de ses forces. L'autre se retourne, elle n'est plus ni fâchée ni soulagée, elle est émue. C'est peut-être ce qu'il y a de pire, venant d'elle :

— Tu veux qu'on achète de l'eau ? Quelque chose à manger ? T'as rien mangé, toi, ce soir. Tu veux des chips ? Du chocolat ?

Sur le parking, une rangée de camions qui semblent des animaux rassurants, phares éteints. Lucie, adossée au coffre arrière de la voiture, chuchote au téléphone, elle entrecoupe sa conversation de petits gloussements ravis. Elle est pathétique, mais elle a l'air heureuse.

Elles reprennent la route, en silence. Le poison attaque ses pensées, il lutte pour la faire vaciller. Valentine est secouée. Comment est-il possible que quelques phrases prononcées dans des chiottes blafards puissent suffire à la faire douter ? Sœur Élisabeth. Cette entente admirable. « Trop beau pour être vrai. » Cet amour immédiat, comme si la religieuse avait reconnu son enfant. Mais ça ne change rien. Elle est déjà montée dans le manège, sa ceinture est bouclée. Redescendre, maintenant, elle ne voit rien de plus déprimant. Pour attendre quoi ? Qu'est-ce qu'elle pourrait attendre de bien ? Valentine revoit une photo que Magali lui avait montrée. Un squelette d'albatros, échoué sur un rocher, les os frêles des ailes, écartées. Il avait mangé tellement de bouchons en plastique, séduisantes proies inertes, flottant à la surface de la mer, que son estomac était rempli de ces capsules multicolores. Dans dix ans, dans cent ans, ne restera que ça. Les os, les plumes, le bec seront retournés à la poussière. Mais les bouchons absurdes, leurres de nourriture, n'auront même pas perdu leurs couleurs. Peut-être d'autres albatros seront venus les gober.

Même prise pour de mauvaises raisons, sa décision est la bonne.

Elles s'arrêtent de nouveau, deux heures plus tard. Lucie est restée dans la voiture, elle fait semblant de dormir mais elle tient son téléphone dans sa main, elle attend un texto qui ne vient pas. Assise à une table ronde, haute, à côté des machines à café, la lumière blafarde rajoute dix ans de fatigue au visage de la Hyène. Elle dit :

— Il faut être dans la confusion mentale la plus absolue pour choisir la vérité contre le mensonge, ou la vertu contre le vice, je le sais. Mais j'arrive pas à te foutre la paix. Dis-moi ce que tu vas faire.

— Je vais reprendre mes études… Vraiment, je ne vois pas de quoi vous me parlez.

— Mais tu avais l'air de beaucoup réfléchir, depuis deux heures, dans la voiture.

— Je suis émue de retrouver ma famille.

— On n'y va pas, si tu veux. On ne rentre pas chez ton père. Je t'emmène où tu veux.

— Vous êtes pédophile ou quoi ?

— Si ça peut te faire plaisir, ça ne me pose aucun problème. Je t'emmène, on a la voiture. On fera ce que tu veux. Juste : annule tout. Laisse-moi dix jours, juste dix jours, pour qu'on discute. Viens, si tu veux, on infiltre une équipe de basket. On dira qu'on est journalistes. Visualise : vingt garçons dans un bus, plus chauffeur, masseur, entraîneur… Ou autre chose, ce que tu veux. Par exemple, si tu kiffes la politique, on part au Chiapas, on portera des cagoules et on t'apprendra à tirer. Ou en Russie, si tu veux, on part en Russie rencontrer la jeunesse blanche d'un grand pays. On peut faire la tournée des grandes cathédrales d'Europe, si c'est le nouveau truc qui te branche. Ce que tu veux. Mais change tes plans, ne rentre pas chez ton père.

— Pourquoi vous me dites tout ça ?

— Je sais que c'est lourd. Je te vois, et je sais que c'est lourd. Ça ne sera pas comme tu crois.

Elle est drôle, quand elle veut. Et motivée, avec ça. Il n'y a pas longtemps de ça, Valentine l'aurait écoutée. Mais là, ça va, elle a fait assez confiance, pour une vie. Elle est fatiguée de leurs gesticulations, tous. Elle voit leur vide. Ils s'accrochent à n'importe quoi. La privée s'accroche à elle. Lucie s'accroche à son portable. Ils sont vides. Tous. Ce que la privée propose, c'est de la superficie de vie. Pour fuir en avant. Oublier l'essentiel. Elle a suffisamment consommé comme ça. Elle n'en veut plus, de ces plaisirs qui donnent toujours la gueule de bois. Valentine soupire :

— Vous en faites pas pour moi. Vraiment. Vous êtes gentille. Mais ne vous en faites pas.

Sur le parking les camions dorment, rangée de carcasses métalliques. La Hyène prend le volant, réveille Lucie :

— Ça y est, c'est officiel. On est une espèce en danger.

Valentine sourit. Elle attend. Elle n'est plus travaillée d'aucune hésitation. Elle n'a aucun doute.

On est arrivées dans Paris à l'aube. Les bâtiments, le ciel, les trottoirs, tout semblait gris. Les costumes des employés municipaux qui passaient les rues au jet d'eau faisaient des taches vertes.

On a trouvé une place pour se garer juste en face de la porte des Galtan. Valentine n'avait pas dit grand-chose pendant le trajet. La Hyène a coupé le contact :

— Je ne monte pas. Je vous laisse là.

Elle est sortie de la voiture, a pris son sac dans le coffre. Puis elle s'est tournée vers la gamine : « T'es sûre que tu ne veux pas faire un tour en ville avec moi, avant ? » J'ai trouvé qu'elle en faisait beaucoup au moment de lui dire au revoir, elles se connaissaient à peine. J'étais étonnée qu'elle me laisse là, sans me demander comment on faisait pour la prime. J'ai pensé qu'elle m'appellerait dans la journée. Mon tour venu, elle m'a serrée dans ses bras. Visiblement, la fatigue l'avait rendue sentimentale. Je n'ai pas réfléchi, sur le coup. Il faisait froid. Je l'ai regardée s'éloigner puis disparaître au coin de la rue. Sa silhouette longiligne, de dos, avait quelque chose de poignant.

Quand je me suis tournée vers Valentine, je l'ai trouvée pâle, les traits tirés et j'ai mis ça sur le compte de la nuit blanche, de l'émotion et de la fatigue accumulée. Dans l'ascenseur, ça m'a étreinte : la sensation de faire une connerie. Cette fois, j'ai mis ça sur le compte de ce que pour moi, ce retour signifiait revenir au bureau, me remettre à des filatures minables, et ne peut-être plus revoir Zoska. Chaque intuition qui m'a prévenue, ce matin-là, j'ai décidé de ne pas en tenir compte.

J'ai dérushé ce moment tant de fois, depuis. C'était évident que quelque chose ne tournait pas rond. Mais j'étais fatiguée, j'avais la tête ailleurs, je n'ai pas appuyé sur le bouton « Alarme » de la cabine d'ascenseur, je n'ai pas crié : « Allez viens, on se casse. » Les Galtan, contrairement à leurs habitudes, ont été aimables. Le café nous attendait, et une montagne de croissants. Ils étaient mieux réveillés que nous. Pas le genre à faire trop d'effusions, non plus. Mais on les sentait sincèrement soulagés. Jacqueline, tout en noir, look de veuve à l'ancienne, n'en finissait plus de me remercier. Elle était aussi sucrée quand on faisait ce qu'elle voulait qu'agressive quand on la contrariait. Je n'ai pas prêté attention à Valentine, la fixité de son sourire quand la grand-mère lui caressait les cheveux en répétant « ça va, ma petite ? Ça va ? ». Le père était mal à l'aise, il cherchait ses gestes et ses mots. La belle-mère et ses filles sont arrivées dans le salon au bout de quelques minutes. Ils avaient dû en parler avant, et juger opportun de laisser le temps à Valentine d'être un peu seule avec sa famille. Sur le moment, tout ce qui me préoccupait, c'était que ça allait être bizarre de me retrouver seule. Et de savoir si Zoska allait m'oublier tout de suite, ou bien m'envoyer des textos.

Puis j'ai laissé Valentine, un peu sèchement, parce que depuis le début du voyage elle m'avait à peine adressé la parole. Je lui ai tapoté l'épaule, en répétant que j'étais contente qu'elle aille bien, qu'elle soit de retour chez elle. Je ne me souviens pas de son expression à ce moment-là. En vérité, je n'y ai pas fait attention. J'étais contente d'avoir l'enveloppe de cash dans ma poche, que la vieille m'avait glissé avec une discrétion affectée, comme s'il s'agissait de mes étrennes. Je me suis demandé, une nouvelle fois, quand la Hyène viendrait récupérer son dû.

J'étais émue et crevée en arrivant chez moi. Il s'était passé beaucoup de choses, mais dès que j'ai franchi la porte c'était comme d'être partie la veille, rien n'avait changé. J'ai appelé le bureau, pour prévenir que je ne viendrais que dans l'après-midi. Agathe était outrée que je n'aie pas donné de nouvelles plus régulières, mais impressionnée que ça se termine bien. Deucené était soulagé, mais distant, je crois qu'il avait peur que j'en profite pour réclamer une augmentation, il préférait prévenir que guérir, et ne pas être trop démonstratif. Mais lui aussi était content de pouvoir clore le dossier. Et de dire que la boîte avait réussi l'affaire. Quand il a su qu'on avait roulé de nuit, il m'a conseillé de prendre ma journée, entière. Je ne l'avais jamais connu aussi magnanime.

J'ai installé Skype sur mon ordinateur. Puis j'ai attendu que Zoska se connecte. Elle était plus douce que quand j'étais partie. Enfermée dans un cadre sur l'écran de mon ordinateur. C'était frustrant d'être avec elle, sans qu'elle soit vraiment là. Je me suis endormie tôt. Il y avait une tristesse en fond, une poussière grise sur mes idées quand j'ai émergé le lendemain. Je ne l'ai pas pris comme une prémonition. Je suis descendue de chez moi vers 11 heures. J'ai marché jusqu'au bureau. Je pensais démissionner. J'envisageais d'aller vivre à Barcelone. Il fallait juste que je prenne mon courage à deux mains, en parler à Zoska et voir comment elle réagirait. Ça me semblait un peu prématuré, de dévoiler mes plans.

En poussant la porte, je ne savais pas à quoi m'attendre, on avait passé sept jours à Barcelone sans que je tienne le boss au courant, je n'avais pas encore rédigé un mot de rapport. Deucené a pris le temps de me recevoir, un quart d'heure dont dix minutes qu'il a passées au téléphone à me faire signe de patienter. Puis il a déclaré qu'il était content. Qu'il attendait le dossier bouclé pour le lendemain matin, première heure, et qu'il espérait que j'y étais allée doucement, sur les notes de frais. Je n'ai pas cherché à lui expliquer que la famille prenait tout en charge.

J'ai fermé la porte de mon bureau, Jean-Marc est passé prendre un café, son costard gris foncé lui allait bien. Je lui ai dit que j'étais amoureuse. Je ne lui avais jamais parlé de ma vie privée, mais je débordais d'envie d'en parler à quelqu'un. Dès qu'il a compris qu'il s'agissait d'une fille, mon histoire l'a intéressé, au point que brusquement, je n'avais plus très envie d'en parler.

Rafik en personne m'a appelée un peu avant l'heure du déjeuner, pour me demander si je voulais qu'il m'attende et qu'on déjeune ensemble. La grande vie. Je n'avais pourtant pas du tout envie d'être là. J'avais froid, de façon persistante. J'étais surprise que la Hyène me manque. J'aurais voulu qu'elle m'appelle.

Je n'ai pas rendu le rapport le lendemain matin, je n'en avais pas écrit une ligne. Ni le jour suivant. Agathe était plus polie avec moi, elle me le réclamait avec un respect dont je ne la savais pas capable. J'avais pris du grade, sur ce coup. Ça ne me faisait pas plaisir. J'avais envie que Zoska m'annonce qu'elle prenait son billet pour Paris, ou qu'elle me demande de venir, au plus vite. Mais l'amour Skype paraissait lui convenir. Je ne comprenais pas que la Hyène ne cherche pas à me joindre. J'étais déçue qu'elle se passe de moi aussi facilement. Le lundi, son silence m'a rendue furieuse. J'avais besoin de son aide pour boucler mon rapport. Je ne savais pas comment la contacter.

Ce matin-là, j'ai quand même réussi à rédiger quelques pages du dossier. Mais mon élan a fait long feu et avant l'heure du déj, j'étais sur internet à me tirer les tarots sur le site de Vogue, posant diverses questions sur mon histoire avec Zoska, et l'importance qu'elle prendrait dans ma vie. Les cartes étaient bonnes, quoique énigmatiques, et j'étais très concentrée quand Jean-Marc est entré dans mon bureau, sans frapper. Livide, il cherchait à garder son sang-froid :

— Il y a eu un attentat au Palais-Royal. Je descends au rez-de-chaussée voir la télé, tu veux venir ?

— Au Palais-Royal ? Tu veux dire à Paris ? Ils laissent entrer des islamistes, là-dedans ?

Comme une connasse, j'ai eu le temps de me dire que c'était agréable d'être devenue importante, et je l'ai suivi en faisant la belle.

En bas, une dizaine de personnes étaient debout, rassemblées devant l'écran plat de la grande salle du rez-de-chaussée. Un silence d'enterrement. Toute envie de blaguer restait bloquée au fond des gorges. Il fallait un temps pour comprendre ce qu'on voyait. Un effort pour se convaincre qu'on regarde les informations, pas la bande-annonce d'un prochain film à gros budget. Les commentateurs de la chaîne avaient le timbre plat, on entendait qu'ils avaient déposé le cerveau, ils faisaient leur boulot en pilotage automatique, pas très sûrs de ce qu'il fallait en dire.

La fumée ne s'était pas encore dissipée. Les caméras étaient tenues à distance. Les images prises du sol ne montraient qu'un épais rideau noir. Les plans d'hélicoptère, c'était autre chose. Par endroits, l'incendie s'était déjà calmé. Le plus bizarre, c'était ce qui n'avait pas été ravagé, mais avait été déplacé sous le choc de l'impact. Ce que nos cerveaux avaient le plus de mal à traiter, c'était ce qu'ils reconnaissaient. Les tuiles grises, trempées de sang, une boule colorée de la station de métro, intacte et projetée à une centaine de mètres de son habitacle d'origine. Un arbre encore debout. Un banc, renversé. Un lampadaire sectionné, sur le flanc. La décoration récemment dorée d'une grille. Le fragment d'une sculpture d'un fronton, un chérubin dodu portant une lourde épée. Une colonne de Buren avait atterri, intacte, au sommet d'un arbre qui était resté debout. Les résidus encore reconnaissables témoignaient de ce que l'amas de gravats noirs qui les entouraient avait bien été le Palais-Royal. La terreur venait de l'épargner, ce lien avec une normalité ravagée.

Dans la salle, la première remarque a été :

— Quelqu'un, quelque part dans les hautes sphères du pouvoir, a dû vouloir changer de pompe à essence, et voilà le résultat : le Palais-Royal, c'est fini.

— Comme Capri, mais en plus méchant.

Ils essayaient de faire les malins, mais le cœur n'y était pas.

— Mais il y avait du monde, à l'intérieur ?

— À ton avis, à cette heure-ci ?

— On ne voit aucun corps ?

— Attends que la fumée se dissipe… On en reparlera.

— C'est pas forcément Al-Qaida, vous savez que l'ETA a prévenu qu'ils allaient frapper ?

— À Paris ? Tu plaisantes ou quoi ? Les Basques ne vont quand même pas réclamer l'indépendance de l'Ile-de-France.

— Ils ont dit qu'il y avait une cérémonie, tout à l'heure. Quelqu'un a regardé ce que c'était ?

— Mais c'était quoi, au juste, un ministère ?

— Non. C'est le Palais-Royal. Tu suis ou quoi ?

— Putain j'ai une copine qui habite juste en face, je vais essayer de l'appeler.

— Ça fait bizarre, tu te souviens, on dirait Haïti.

— Ou le Chili.

— Ça fait surtout penser aux Twin Towers.

357

On aurait dit n'importe quel endroit du globe, ravagé par une bombe, un tremblement de terre ou la poigne puissante d'un géant mécontent. La vie reprenait, petit à petit, on se remettait à dire des conneries. Mes jambes étaient devenues molles, et mon cerveau ne répondait plus.

Sur l'écran, on reconnaissait bien le décor, autour. Ce paysage bizarrement familier. J'ai eu envie de vomir.

On entendait dans les rues en bas des ambulances filer à toute pompe. On était à une distance marchable de là où ça s'était passé. Il fallait se le répéter plusieurs fois pour le croire. Comme tous les autres, j'étais souvent passée devant le Palais-Royal, et je n'avais jamais fait attention. Je me suis souvenue d'avoir recommencé à fumer à la terrasse qui y existait, un jour de soleil, avec un garçon qui me plaisait mais que j'allais quitter pour un autre. À cet endroit, précisément.

Rafik est venu me rejoindre. Il m'a prise par l'épaule, comme si on était frères et qu'il fallait que je sache que je pouvais compter sur lui, mais aussi que je me prépare à être forte. Sur le moment, j'ai cru qu'il était ému, et je me suis demandé si je lui plaisais, et comment le prévenir vite que rien n'était plus possible, entre nous. J'ai repensé à ce geste, depuis, plein de fois : est-ce qu'il savait, déjà ? Qui était au courant ? De quoi ? Qui m'a poussée ? Qui m'a soutenue ? Qu'est-ce qui s'est passé, au juste, et quel rôle ai-je joué, au juste ?

J'ai appelé Zoska. Tout le monde dans la pièce était en train de téléphoner. Elle était au courant, déjà, on

ne parlait que de ça autour d'elle. Je répétais « C'est
dingue, c'est tellement énorme que je n'arrive pas à le
croire ». Et puis Jean-Marc est venu me chercher, m'a
attirée à l'écart, Rafik faisait une drôle de tête.

— Galtan était à l'intérieur. Il recevait la médaille
de chevalier de l'ordre des Arts et des Lettres.

Je n'ai pas voulu comprendre. J'ai bien entendu.
Mais j'ai refusé de le croire. J'avais déjà assez à faire
pour avaler les images, je n'allais pas, en plus, me
laisser intoxiquer par ce détail saugrenu : François
Galtan, ce type qui me demandait si je mets du sucre
dans mon café, deux jours avant, était sous les
décombres. Une brune aux longs cheveux brillants,
qui portait un tee-shirt jaune vif, et des baskets bleu
électrique, s'est mise à couiner en secouant les mains,
comme si ça la brûlait : « Venez tout de suite !
Venez ! » et on s'est tous dirigés vers son écran, sans
échanger un mot. Son enthousiasme faisait peur :
qu'est-ce qui valait la peine de s'exciter, encore, après
ce qu'on venait de voir ?

« Je suis la peste, le choléra, la grippe aviaire et la
bombe A. Je suis la merde dans tes yeux, petite salope
radioactive, mon cœur ne comprend que le vice.
Transuraniens, humains poubelles, contaminant universel. »

Ça commençait comme une poésie qu'on lit à
l'école, ce ton appliqué du slam. Valentine était tout en
blanc. Ses yeux étaient cernés de noir. Elle parlait calmement, face à la webcam. Assise au petit bureau de
sa chambre. Tous les regards ont convergé vers moi.
J'étais vide. Toute mon énergie était monopolisée : je

ne voulais pas le croire. À cause du dispositif, le document avait un côté inoffensif : une petite fille fait des trucs dans sa piaule, avec son ordinateur. Pourquoi est-ce qu'on regardait ça, maintenant ?

« Je vous dégueule, tous. Ce que je vais faire, je le fais seule. Si qui que ce soit revendique mon geste, c'est un gros mytho, pathétique. Je vais le faire juste pour le fun. Et j'espère que vous suivrez le mouvement. »

Puis Valentine tendait le bras droit pour descendre la caméra vers son nombril, présentait un cylindre de métal brillant, d'environ quinze centimètres de longueur sur un diamètre de trois centimètres – les dimensions seraient connues de tous, rapidement, et comparées à celles d'un petit vibro, ou d'un gros tampon –, elle dégrafait sa ceinture de la main gauche, descendait son pantalon et debout, on découvrait qu'elle ne portait pas de culotte mais peu de monde trouverait ça sexy, bassin face caméra, elle posait un pied sur le bureau, angle porno classique, enfilait le tube au fond de son vagin et remontait la fermeture de son jean, donnait un petit coup de reins dans le vide, puis redressait la caméra vers laquelle elle se penchait pour conclure, sobrement :

— Tu la veux ? Tu la prends.

Fin du plan. Le film avait été mis en ligne dix minutes avant l'explosion, sous le pseudonyme « Little Girl », depuis l'iPhone de François Galtan, que Valentine avait probablement emprunté juste avant la cérémonie. On raconte que le portique du détecteur de métal avait sonné, mais que la petite avait fièrement annoncé que ça devait être le piercing qu'elle s'était fait poser sur le clit en Espagne, et personne n'avait jugé bon d'insister, on l'avait priée de rentrer et de se taire. C'est ce qu'on a raconté, ensuite, mais personne n'était plus là pour certifier que c'était vrai. La bombe n'avait rien d'artisanal. Elle a soufflé les bâtiments sur quatre cents mètres de périphérie. On a souvent dit, par la suite, qu'elle était un prototype miniature d'une bombe E qui n'aurait pas fonctionné. Elle aurait dû bloquer l'électricité et les émissions radiophoniques et téléphoniques de la ville, pour plusieurs mois. Tout ce qu'on sait, et dont on est sûrs, c'est que Valentine n'avait pas bricolé le truc toute seule chez elle avec du sucre, et que la bombe a bien explosé.

Elle débitait tranquillement son texte, en allumant une clope à mi-parcours, elle le connaissait par cœur. Pour quelqu'un qui allait faire ce qu'elle allait faire, on peut dire qu'elle était détendue. Elle gardait les yeux rivés face caméra. Son expression changeait très peu. Je me suis tournée vers Rafik :

— Ça doit être une sale coïncidence. C'est un fake, non ?

Rafik ne quittait pas l'écran des yeux. Ça m'agaçait. Si j'avais été seule, j'aurais éteint ça, tout de suite. Et j'aurais fait autre chose, j'aurais prétendu que je n'avais rien vu. Mais le monde entier, à ce moment-là, regardait cette vidéo, qui devait battre tous les records de visionnage. Et ne resterait pas longtemps sur internet. Moins de cinq heures plus tard, elle serait retirée des sites, première occurrence d'une censure à l'échelle planétaire. L'attentat du Palais-Royal, qui serait bientôt baptisé « bain de sang

Valentine », sans doute pour effacer toute connotation politique au drame, s'inscrirait à bien des égards comme l'événement qui nous ferait entrer dans la politique du troisième millénaire. On allait se rendre compte qu'internet n'est pas si difficile que ça à contrôler, finalement, pour peu que les gouvernements soient motivés. Et sur le cas Valentine, ils allaient tous tomber d'accord, de la Pologne à la Chine en passant par la Syrie, l'Égypte ou Israël : ça ne servait à rien de laisser cette gamine déclamer ses saletés sur le web. Peur de la contagion ? Possible.

Officiellement, il s'agissait de respecter les familles des victimes. Pour une fois, on n'avait pas eu besoin d'avoir recours à la pédophilie ni à la dignité de la femme pour justifier la censure. Tous les États du monde s'étaient dotés d'un arsenal législatif qui convenait parfaitement à la situation. Même le Venezuela avait suivi le mouvement.

Au rez-de-chaussée, les gens ont commencé à récupérer leurs affaires, d'abord lentement, puis la panique a gagné le groupe : et si la bombe était radioactive ? Les rumeurs se sont répandues – éventuelles pluies acides, gigantesque panne d'électricité envisagée, possibles inondations monstrueuses… Un petit exode a suivi, une sorte de 15 août improvisé. Les voitures et les trains se sont remplis, des gens sont même partis en courant sur les routes. D'autres sont restés sur place. Des convaincus qu'en cas de charge de bombe H, rien ne servait de courir, des pessimistes, des alcooliques, des pillards comptant bien profiter de l'occasion, et quelques largués, dans mon genre. C'était une fausse alerte : la bombe, finalement, était propre.

Je me souviens mal de la chronologie précise de cette journée, mais assez vite j'étais seule au rez-de-chaussée, avec Rafik et Jean-Marc. Je buvais du whisky. Qu'ils soient restés avec moi au lieu de fuir m'incline à penser qu'ils connaissaient mieux qu'ils ne le disaient la nature de l'explosion. Mais il est possible que je me fasse des idées, et que leur pragmatisme soit dû à un choc émotionnel comparable au mien. Jean-Marc était agenouillé en face de moi, comme quand on parle à un enfant. Il m'expliquait des choses, à mi-voix, que je n'écoutais pas. Je l'ai interrompu :

— Il faudrait que je parle à la Hyène.

Il était triste, pour moi, quand j'ai dit ça. Il venait de réaliser à quel point je n'étais pas préparée à ce qui m'attendait. J'ignore s'ils m'ont aidée, ou s'ils en ont profité. Je me suis levée :

— J'ai un coup de téléphone à passer.

Jean-Marc m'a retenue par le poignet, fermement, en faisant « non » de la tête. Le bureau était vide, je ne me rappelais plus pourquoi tout le monde était parti, je ne me suis pas posé la question.

Les Parisiens ont réintégré la ville, dès le lendemain. Le tourisme a explosé : le monde entier voulait venir voir le Ground Zero de la Ville lumière, en même temps que la tour Eiffel.

Beaucoup de gens ont trouvé ça formidable. Des universitaires, notamment, qui n'avaient jamais tenu une arme de leur vie, ni même passé une seule nuit en détention, ont écrit de superbes articles sur la question. Des auteurs, de tous âges, de tous bords, ont agité leurs dix petits doigts pour rédiger des déclarations enflammées à l'icône nihiliste. Ils pensaient pour elle, elle agissait pour eux, le système était bien rodé. D'autres encore ont réglé son compte à cette imbécile, avec l'arrogance benoîte que ne confère que le confort. Des journalistes qui ployaient l'échine à longueur de vie ont pris parti pour elle. Fougueusement. Des artistes ont jugé utile de crier à l'événement décisif, à l'insurrection. D'autres au contraire ont formellement désapprouvé un geste aussi mal étayé. Certains ont exprimé leur dégoût d'avoir vu l'enfant s'enfiler la bombe. Sa petite déclaration a été immédiatement reprise, rapée, chantée, dévoyée, copiée, recopiée, traduite. Sa pauvre heure de gloire. Morbide. Les proches des victimes ont été interrogés par les médias les plus divers, leurs témoignages accablés mis en avant. Mais ils n'avaient pas les faveurs du public. Tout le monde se considérait comme étant proche du drame. Des internautes, par millions, ont déferlé sur la toile pour dire ce qu'ils en pensaient. Ils n'avaient pas peur. Il en fallait plus que ça pour les impressionner. C'était la faute aux jeux vidéo, c'était la faute au divorce, c'était la faute au réchauffement climatique, la faute au président, la faute aux sucres rapides, la faute au peuple juif, la faute aux sans-papiers. Il y avait ceux qui trouvaient ignoble que la vidéo ne soit plus visible, et il y avait ceux qui pensaient que c'était la moindre des choses. Certains aimaient le concept, mais trouvaient le choix du lieu critiquable, ils auraient fait mieux, à sa place. Il y en avait encore pour se plaindre que ce sont toujours les « fils de » qui monopolisent l'attention. Car, entre-temps, François Galtan était devenu un auteur mondialement connu. La postérité avait vu large et sur les sites de vente de livres en ligne, tous ses romans caracolaient en tête.

L'excitation aurait pu être passagère et anecdotique, si elle n'avait pas été réprimée de façon exemplaire. Les commentaires furent d'abord bloqués, puis effacés. Sûreté des États. Les premières sentences sont tombées, très vite. Le cadre juridique était depuis longtemps conçu pour qu'on juge en état d'urgence, du moment qu'il s'agissait de terrorisme. Un texte de soutien pour la mise en ligne de la vidéo : dix ans. On a beaucoup montré, à la télé, ce vieil écrivain entrer à Fleury. Il avait pris quinze ans, en haute sécurité. On le sentait plus surpris qu'accablé. Il avait peine à croire à ce qui lui était arrivé. Il s'était contenté d'évoquer un joli minois, et de dire que les enfants d'aujourd'hui ont de bonnes raisons d'être en colère. Il fallait des exemples, vite et facilement décodables. Il y a eu cet enfant de seize ans, un gros Américain à tête de bébé effronté : trente ans. Il avait mis le film en peer to peer. Les lois sont passées, initialement élaborées pour protéger le copyright, elles ont été durcies, et votées dans l'urgence : n'importe quel agent était autorisé, à n'importe quel moment, à procéder au contrôle de tout ordinateur ou téléphone et de le confisquer en cas de doute. La vidéo ne devait plus circuler, sous aucun prétexte, ni aucun commentaire insidieux sur ce qui s'était passé. On en appelait au civisme des citoyens. L'envie d'en parler s'est vite tarie. On a vu peu d'articles éclore se plaignant de ce que, plusieurs semaines après le drame, on ne sache toujours rien de la nature de cette bombe.

Des caméras de surveillance ont été installées dans les cybercafés. Les États ont adopté les lois les plus répressives, à la chaîne. On raconte à voix basse que certains hackers se seraient obstinés, mais accéder aux forums de discussion qu'ils organisaient dépassait, et de loin, mes compétences en la matière.

Les articles adoubés par les gouvernements ont envahi la toile. Toute théorie du complot relevait de l'imaginaire des foules imbéciles qui s'empare de la réalité, pour essayer désespérément de lui donner un sens. La version officielle fut déployée, dans toutes les langues : Valentine Galtan, triste figure, était dans un état de confusion mentale avancé. Victime de la drogue, de l'abus sexuel, et de l'influence des milieux d'extrême gauche. Et j'ai vu, avec stupéfaction, les photos tirées de mon dossier se répandre sur internet. Nymphomane, droguée, une gamine égarée. On en profitait pour conseiller aux parents d'être attentifs aux signes de détresse manifestés par les enfants. Attentifs, et efficaces : un peu de sévérité pouvait sauver des centaines de vies humaines.

La grand-mère de Valentine a fait des déclarations d'une droiture qui m'ont impressionnée. Elle refusait d'obtempérer, et continuait d'affirmer que sa petite-fille n'avait pas pu agir seule.

Jacqueline Galtan est morte très rapidement, emportée à l'hôpital par les regrettables complications d'une forte grippe. La mère de Valentine, Vanessa, a été interrogée par la police, mais sa déposition n'a pas convaincu. Il y avait trop de zones d'ombre, de contradictions. Elle est, d'après ce que j'en sais, toujours en prison. On a découvert au passage qu'elle trempait dans des montages financiers suspects, l'information fut amplement relayée. Yacine et sa sœur Nadja ont été soupçonnés de complicité, ils n'ont jamais avoué mais eux non plus, à ma connaissance, ne sont jamais sortis de prison. Leur mère est morte, peu de temps après, renversée par un motard qui a pris la fuite. Plusieurs activistes d'extrême gauche furent également recherchés, en vain. À l'exception d'un certain Charles Amocrana, qui se faisait appeler Carlito, et qui s'est suicidé dans sa cellule avant la fin des interrogatoires. Je figure, moi aussi, sur la liste des témoins qui ont disparu. Mais je n'ai pas d'étiquette politique.

Malgré l'efficacité de la censure, les rumeurs ont circulé. On n'a pas jugé bon de couper la langue de ceux qui parlaient de l'événement, tant qu'ils ne le faisaient pas en public, les gouvernements sont restés magnanimes. On a raconté que la liste des décorés de ce jour-là était étonnante. Un journaliste qui avait menacé de faire des révélations cruciales sur la vie privée de hauts dirigeants. Un ministre sur le point de perdre un procès concernant d'importantes manipulations d'argent, et dont on disait qu'il pourrait lâcher ses sources. Un chanteur imbécile qui s'était mis le président à dos, racontant partout qu'il avait le feu au cul et filait la chtouille à tout le monde. On se demandait ce qu'il fabriquait avec une médaille de la République. On a même évoqué les noms des serveuses, éventuellement impliquées dans un réseau de prostitution mondaine qu'elles auraient eu pour projet de dénoncer.

Tous ces éléments me conduisent à penser que Rafik et Jean-Marc m'ont donné, ce jour-là, le bon conseil : fuir. Ne pas attendre que la police vienne m'interroger. Avant même qu'on comprenne l'ampleur que prendrait l'affaire, ils m'ont fait remarquer que les flics ne croiraient jamais ma version des faits. Quand je dirais que je ne savais rien, j'allais les énerver. Quand je raconterais qu'un beau jour, à Barcelone, la Hyène avait jugé utile d'aller visiter un quartier du centre-ville et que le hasard avait voulu qu'on tombe pile sur le bar où traînait la gamine. Et que oui, ça m'avait surprise, mais que j'étais amoureuse au moment des faits et que je n'avais pas beaucoup réfléchi à la question. Rafik disait « ils vont mal le prendre » et Jean-Marc acquiesçait, en me resservant du whisky. Quand je dirais que je n'avais pas la moindre idée de la manière de contacter la Hyène, à part en passant par un pote à moi qui tenait un bar, Rafik disait « ça va très mal se passer, crois-moi ». Rafik m'a demandé de laisser mon téléphone portable sur mon bureau, j'ai voulu effacer le numéro de Zoska, pour la protéger, et il m'a fait remarquer que c'était une précaution dérisoire. C'est à peu près le moment où j'ai repris mes esprits, quand j'ai réalisé que si je fuyais, je la mettais en danger, entre autres personnes avec qui j'étais en contact.

Jean-Marc m'a emmenée en scooter jusqu'à une maison à Bougainville, dont il avait les clefs. Le voyage a duré une grande partie de la nuit, beaucoup de gens cherchaient encore à quitter la ville. Je lui ai demandé de m'arrêter à une cabine téléphonique d'où j'ai appelé Zoska.

— Ça craint. Je ne peux pas te raconter tout ça par téléphone. Il faut que tu saches qu'ils risquent de te chercher, toi aussi. Ta ligne de portable est à ton nom ?

— Bien sûr que non. T'es où ? T'es toute seule ? Je peux te joindre comment ?

— Je ne sais pas.

— Chérie. Souviens-toi du nom du bar où je t'ai dit que je travaillais. Ne le prononce pas. J'y serai, cette nuit. Appelle-moi dans une heure et prépare le numéro d'une cabine téléphonique où je peux te joindre dans la nuit. D'accord ?

Son sang-froid m'a rassurée. La maison où m'a laissée Jean-Marc avait tout d'une planque, une cave, sans fenêtre, avec un mobilier impersonnel qui rappelait celui d'un hôtel. Le lendemain, Rafik m'a apporté un faux permis de conduire – avec la photo que j'avais mise sur mon CV en arrivant chez Reldanch, sur laquelle j'ai franchement l'air d'une tanche. Je m'appelle aujourd'hui « Blanche Laure », et je me suis demandé comment il avait fait pour être aussi rapide, alors que Paris était sens dessus dessous.

Je n'avais pas eu peur. C'est venu plus tard, la peur. Je lui ai demandé si mes parents allaient être inquiétés, et il a pensé me rassurer : on ne les garderait pas longtemps en détention, mais il était crucial qu'ils ne sachent pas où j'étais, le cas échéant, on saurait les faire parler. Effectivement, je crois que mes parents n'ont pas passé plus d'une semaine en prison… Plus tard, j'ai fait envoyer par Zoska deux cartes postales, avec « à bientôt, tout va bien » écrit au dos, signées des prénoms de mes deux grand-mères. En espérant qu'ils comprendraient. Je me demande s'ils se reparlent, s'ils se téléphonent quand ils en reçoivent une.

Rafik m'a donné trois mille euros en liquide, en me prévenant de faire attention, que ça irait vite. Il paraît qu'à Reldanch on avait une boîte noire « pour les cas de ce genre ». Ça n'arrive pourtant pas tous les jours, les cas dans ce genre, et la boîte n'avait pas pour politique de protéger ses agents. Je n'en sais pas plus à ce sujet que sur le reste : est-ce qu'il m'a donné de l'argent qui venait d'un compte à lui ? Est-ce qu'on lui a confié cet argent pour m'aider à mieux disparaître ?

Jean-Marc est passé me dire au revoir et on a bu du mauvais café soluble, debout devant la kitchenette du studio. Rafik me conseillait l'Argentine, il disait que le pays est habitué à recevoir des gens qui veulent repartir de zéro. Jean-Marc me voyait plutôt en Pologne. Il me déconseillait la Suède, trop administrative, où je risquais d'être vite repérée. De toute façon je n'avais pas l'intention d'aller dans un pays où il fait froid tout le temps, et presque jamais jour. Tout était tellement bien organisé. Sur le coup j'avais envie de pleurer de gratitude. Les mois suivants, je me suis plutôt demandé qui ils cherchaient à couvrir, et pourquoi c'était aussi important de se débarrasser de moi. Ils en avaient vu d'autres, avec qui ils étaient autrement liés, tomber sans protection entre les griffes de l'État. S'agissait-il de protéger la boîte, la Hyène, étaient-ils en mission pour une tierce personne, les ordres venaient-ils d'en haut, d'à côté, d'en bas, d'ailleurs ? Je n'ai jamais su. Ç'a été le pire, au final. Pire que de perdre tout ce que j'étais. C'est comme un trou noir, un endroit dont je ne dois pas trop m'approcher : qu'est-ce qui s'est passé, au juste ?

Ils sont partis en me demandant de laisser les clefs dans la boîte aux lettres sur laquelle il n'y avait pas de nom écrit, et de ne pas rester plus de deux jours. J'ai dû me cramponner au lit pour ne pas les supplier de rester. Et je ne me suis pas abstenue de le faire par dignité, mais parce que j'avais conscience que ça n'aurait servi à rien.

Zoska m'a rappelée, comme prévu. Je n'ai pas dit aux autres que je sortirais de la maison jusqu'au bout de la rue, le temps de recevoir un appel. Je me suis rendu compte moi-même que c'était dangereux, qu'il n'y avait personne dans ces rues résidentielles. Mais je ne pouvais pas faire autrement. C'est quand je l'ai entendue que j'ai commencé à pleurer. Elle m'a dit que mon nom était déjà cité dans la presse et à la radio, qu'on ne citait que moi comme enquêtrice, pas la Hyène. Ensuite elle m'a demandé où j'étais, et j'ai répondu que je ne devais le dire à personne, alors elle a fait remarquer que ça serait difficile pour elle de me rejoindre. Encore une fois j'ai pensé que c'était dangereux, mais je préférais prendre ce risque que de rester seule.

Elle m'a demandé si j'étais loin de la gare de Bougival, je n'en avais pas la moindre idée. Elle ne m'a pas laissé le temps de tergiverser, elle a dit qu'elle y serait, le lendemain, à partir de dix heures, en moto, qu'elle aurait un casque intégral pour moi. Elle avait l'air d'avoir tout ça bien au clair, dans sa tête. Ça m'a rassurée.

Le lendemain, Zoska a écrasé sa clope en me voyant arriver, m'a tendu un casque, je suis montée. Je me suis accrochée à son dos et on est parties.

Depuis que j'avais quitté Barcelone elle jouait au Yo-Yo avec moi, avec une grande précision : je t'appelle et je suis tendre, je ne réponds plus à tes textos, je te promets de venir bientôt, je te préviens que je n'ai pas le temps, je t'appelle au milieu de la nuit et raconte des choses torrides, je coupe mon portable toute la journée le lendemain. Ça marchait très bien, avec moi, j'étais obsédée par mon téléphone. Mais cette fille que je connaissais à peine a passé la nuit à moto pour me rejoindre, puis elle m'a emmenée en Bretagne, dans une maison qu'elle avait déjà louée. J'avais peur que ça soit une mauvaise idée. Mais avec le temps j'ai compris qu'elle avait le goût et l'expérience de la clandestinité. Je pouvais lui faire confiance pour organiser les choses correctement.

On est arrivées dans l'après-midi, les clefs étaient cachées sous des rondins de bois. Le jardin à l'arrière était encadré par deux bâtiments d'usine, sans fenêtres. Je pouvais y sortir en restant protégée des regards, et jouir de la lumière du jour sans jamais ouvrir les volets qui donnaient sur la rue. J'ai quand même objecté que Douarnenez, ça faisait un peu proche, comparé à Rio de Janeiro ou Moscou. Mais Zoska aime bien la Bretagne. Elle pensait qu'on resterait là quinze jours, puis qu'on irait en Angleterre en ferry, avant de prendre l'avion de Londres. Elle, son truc, c'était plutôt le Brésil. Mais elle a vite compris que je n'étais en état d'aller nulle part. Dès qu'on est arrivées dans la maison, je me suis effondrée.

Les trois premiers mois, j'ai alterné les états d'inertie, colère noire, angoisse, tristesse et terreur. Les rats sous ma peau ne trouvaient pas d'issue. Chaque moment de calme n'était qu'une pause avant une nouvelle attaque. Les questions que je me posais s'emmêlaient, se contredisaient, ne me laissaient tranquille qu'après m'avoir torturée des nuits entières. Qu'est-ce que la Hyène savait ? Qui Valentine avait-elle rencontré ? Qu'est-ce qui s'était passé ? Est-ce que Rafik était au courant, depuis le début ? Est-ce que la grand-mère se doutait de quelque chose ? Est-ce que ça aurait été différent, si j'avais fait un peu plus attention à ce qui se passait ? Qu'est-ce qui s'était joué, entre la Hyène et Valentine, sur la route du retour ? Pourquoi les gens présents ce jour-là étaient-ils morts ? Un massacre voulu par qui ? Qui avait fourni la bombe à Valentine ? Quel témoin avait-on croisé, qu'on n'avait pas identifié comme particulièrement dangereux ?

J'ai vécu obsédée, pendant trois mois, par la journée de l'explosion. J'étais dans le ventre de Valentine, dans le corps de François Galtan, j'étais déchiquetée par l'impact, j'étais dans les mains des pompiers. J'ai perdu mon identité. Tout ce que j'étais, avant, et que je tenais pour pas grand-chose. Je me suis diffusée, dans l'espace.

Pendant tout ce temps, Zoska faisait des allers et retours, pas toujours très précise sur ses activités. Elle se livrait sur moi à de nombreuses expériences de looks, j'ai découvert qu'elle avait une passion pour la coiffure. J'ai été successivement rousse, platine, blond cendré ou auburn. J'ai eu les cheveux au carré, puis dégradés, en brosse, en pétard, pour finalement me raser la boule à zéro, un jour que je ne supportais plus de me voir dans le miroir. Je ne sortais toujours pas de la maison, mais je ne gardais jamais la même tête trois jours d'affilée.

Zoska avait décrété que, pour me sortir de la dépression, rien ne valait la nourriture macrobiotique. Elle trouve que la minceur me va bien. Je chope un rhume dès qu'il y a un courant d'air, et me sens très affaiblie. Mais je n'ai pas discuté. De toute façon j'avais trop la phobie de sortir. Il ne s'agissait plus d'une peur sensée, mais de nausées violentes, assorties de vertiges, dès que j'approchais de la porte. Zoska a aussi décidé de me rhabiller, et pendant un moment j'ai eu l'air d'une Française embourgeoisée des années 70. J'ai bien peur que ça corresponde à son idée de la féminité la plus affolante.

Un jour, elle a déclaré que j'allais mieux, et qu'il fallait changer de planque. On est descendues en voiture jusqu'à Séville. C'était étonnant, j'avais passé trois mois cloîtrée, terrorisée à l'idée de faire un pas dehors, et au bout de cinq minutes à l'extérieur, je me sentais tout à fait bien. Plus on roulait, plus il y avait de lumière, et plus j'avais l'impression de laisser le pire derrière moi.

Je suis toujours recherchée. Ma photo a été diffusée, pendant des semaines, partout. On a un peu brodé sur mon importance dans l'affaire. On s'est demandé si je n'avais pas été enlevée par un groupuscule terroriste qui avait peur des déclarations que j'aurais à faire. Mais, contrairement à Magali Thalbo, mon visage a vite disparu des médias. J'ai l'impression que ça arrange tout le monde que je reste introuvable. Je ne sais pas pourquoi.

Je vis dans un village envahi pendant la saison touristique, Cantillana, à quelques kilomètres de Séville. Je n'ai plus peur qu'on me reconnaisse : moi-même, quand je me vois dans une glace, je n'ai plus l'impression d'être moi. Mon expression s'est transformée.

Il est toujours question qu'on parte pour l'Amérique du Sud. Une Française qui me ressemblait a accepté de louer son passeport pour le voyage, mais elle a disparu. Ça ne fait rien, Zoska n'est pas pressée. Elle se plaît, ici. Ses affaires marchent bien. Longtemps, j'ai eu peur qu'un jour elle ne rentre pas, soit qu'elle soit fatiguée de son rôle d'infirmière, soit qu'elle se fasse choper et prenne quelques mois fermes.

Zoska est la meilleure amante, pote, frangine et complice qu'on puisse imaginer. Je n'ai parlé qu'avec elle pendant des mois. Je n'ai jamais été très sociable, et assez vite j'ai apprécié pouvoir me passer complètement du monde. Sa compagnie me suffit.

Elle me rapporte les échos du dehors. Ce qu'elle entend dire, ce qu'elle trouve sur internet. Selon les contes et les régions, la Hyène est au Chiapas, elle est à Gaza, elle est en prison en Ukraine, elle est morte à Chicago, elle travaille à Saint-Jean-de-Luz. On raconte même qu'on l'a vue dans un couvent, au Mexique. Je pense qu'elle était au courant, quand on a ramené Valentine, de ce qui allait se passer. Mais je ne crois pas qu'elle y soit pour grand-chose. Elle savait, et ça l'ennuyait. Parce que Valentine était particulière. Quand elle est venue nous rejoindre, j'ai été surprise de ce que personne n'ait pensé à nous dire, parlant d'elle, qu'elle sentait bon, qu'elle avait une belle voix, qu'elle avait de l'humour. Quand je l'avais suivie, je la voyais de trop loin. Je ne connaissais pas son odeur, je ne connaissais pas son sourire. Je ne connaissais rien d'elle. Mais Valentine avait une force particulière. Et je crois que la Hyène l'avait vu. Et qu'elle aurait préféré que ça se passe autrement.

Zoska a plusieurs théories : les commanditaires de l'attentat sont les constructeurs de la bombe d'utérus. Toute cette histoire, au fond, n'a été qu'une bande-annonce, pour promotionner leur précieux gadget et le vendre dans le monde. Les commanditaires de l'attentat sont les usines de détecteurs à rayons X, qu'on a depuis installés à l'entrée de tous les bâtiments publics. Les commanditaires de l'attentat appartiennent au gouvernement, qui voulait s'assurer une réélection et avoir les mains libres. Les commanditaires de l'attentat sont de hauts dignitaires de l'Église, qui voulaient déstabiliser l'État, jugé trop proche de sectes concurrentes. Quand j'essaye de la contredire, elle fait claquer sa langue contre le palais : « Tu ne te rends pas compte. » Comme moi, elle a choisi de se raconter une histoire à laquelle elle peut croire, parce qu'elle ne connaîtra jamais la vérité.

Valentine a fait ce qu'elle avait à faire. Elle était trop jeune pour s'intéresser aux changements quotidiens des arbres, observer la lumière sur l'eau, se poser des questions sur la destination des bateaux qui croisent au loin, et remplir une vie avec ça. J'ai été furieuse contre elle, une douleur sourde et insupportable m'a martelée, pendant des mois. Contre elle, ou avec elle, ça n'avait rien de clair. J'ai pensé au moment où on est revenues sur Paris, ensemble, quand son père l'a prise dans ses bras. Sa maladresse était touchante. Qu'est-ce qu'elle a ressenti, à ce moment-là ? Valentine a fait ce qu'elle a jugé bon de faire. Comme tout le monde. Je pense souvent à toutes les choses que j'aurais pu lui dire, et j'écoute toutes les choses qu'elle aurait pu répondre. Je me suis tellement raconté l'histoire que j'ai fini par formuler ce que je savais, inventer des scènes que je n'avais pas vues, pour réussir à ce que l'histoire tienne debout, telle que j'imagine qu'elle s'est passée. C'est quand le récit s'est mis à rouler que j'ai commencé à aller mieux. Je suis revenue à la vie, petit à petit. Un jour, je me suis aperçue que j'étais réveillée depuis plusieurs heures, et que je n'avais pas encore pensé à Valentine. Je me suis sentie comme Noé au moment où la colombe revient avec un petit bout de branche dans le bec. La vérité, je ne la connaîtrai jamais. Reste l'histoire que je me raconte, d'une façon qui me convienne, dont je puisse me satisfaire.

Du même auteur :

BAISE-MOI, Florent Massot, 1993; Grasset, 1999.

LES JOLIES CHOSES, Grasset, 1998.

LES CHIENNES SAVANTES, Florent Massot, 1994; Grasset, 2001.

MORDRE AU TRAVERS, Librio, 2001.

TEEN SPIRIT, Grasset, 2002.

BYE BYE BLONDIE, Grasset, 2004.

KING KONG THÉORIE, Grasset, 2006.

APOCALYPSE BÉBÉ, Grasset, 2010 (prix Renaudot).

VERNON SUBUTEX (3 vol.), Grasset, 2015.

Le Livre de Poche s'engage pour
l'environnement en réduisant
l'empreinte carbone de ses livres.
Celle de cet exemplaire est de :
300 g éq. CO_2
Rendez-vous sur
www.livredepoche-durable.fr

PAPIER À BASE DE
FIBRES CERTIFIÉES

Composition réalisée par FACOMPO, LISIEUX

———————

Achevé d'imprimer en France par
CPI BRODARD & TAUPIN (72200 La Flèche)
en septembre 2022
N° d'impression : 3049904
Dépôt légal 1ʳᵉ publication : mars 2012
Édition 13 - octobre 2022
LIBRAIRIE GÉNÉRALE FRANÇAISE
21, rue du Montparnasse – 75298 Paris Cedex 06